KB101274

유진홍 교수의

# 감염강의 42강

총론

유진홍 교수의

# 감염강의 42강

첫째판 1쇄 인쇄 | 2022년 9월 19일
첫째판 1쇄 발행 | 2022년 10월 14일

지 은 이 유진홍
발 행 인 장주연
출 판 기 획 김도성
책 임 편 집 이민지
편집디자인 양은정
표지디자인 김재욱
발 행 처 군자출판사(주)
등록 제4-139호(1991. 6. 24)
본사 (10881) **파주출판단지** 경기도 파주시 회동길 338(서패동 474-1)
전화 (031) 943-1888 팩스 (031) 955-9545
홈페이지 | www.koonja.co.kr



ISBN 979-11-5955-923-5
979-11-5955-922-8 (세트)
정가 80,000원

# 머리말

2020년 벽두부터 우리나라를 비롯하여 전 세계를 강타한 코로나 19 온 누리 돌림병은 건강도 건강이지만 아예 우리 삶이 돌아가는 양상 자체를 바꿔 놓았습니다.
아직 변변한 백신이나 치료제가 없던 당시였으니, 거리두기와 각자도생이 최선이었지요.

의과대학 교수 생활의 패턴도 바뀌었습니다.
예를 들어 학생 강의.
난생 처음 비대면 수업이라는 걸 하게 되어 파워포인트 강의록을 만들며 매 슬라이드마다 녹음을 입히느라 허공(정확하게는 마이크)에 대고 떠들어야 했습니다.
말이 쉽지, 학생은 아무도 없고 그저 모니터만 바라보며 최소 2시간을 떠든다는 게 그리 녹록하지 않은 노릇이고, 어딘지 모르게 허전함을 느꼈습니다.
사실 의대 교수하는 건 강의하는 맛도 있어서 하는 겁니다.

강의실에서 초롱초롱한 학생들을 마주 보고(일부는 조는 치들도 있습니다만) 내 페이스대로 들었다 놨다 하며 진행하는 그 맛.
당시엔 몰랐었는데, 막상 이걸 못 하게 되니 대면 강의가 그리워지더군요.

그러던 차에 연말에 우리 학과원 중 교육 담당 교수가 보내온 차기 20회짜리 강의 계획서를 무심히 읽다가 엉뚱한 충동이 일어났습니다.
'내가 그냥 20회짜리 강의를 다 하면 어떤 모습일까?'
대면 강의에 대한 그리움(?)이 아마 원인이었을 겁니다.

음..
그래서 이 저서의 집필이 시작됩니다.
좀 무모하지만 20번의 강의를 한다는 일종의 simulation 하에 20단원을 써 보기로 하고 무작정 첫 단원부터 자판을 두드렸습니다.
처음엔 가벼운 마음으로 개시를 했지만, 집필하다 보니 20단원으로는 턱도 없다는 걸 서서히 자각을 합니다. '이거, 일이 점점 커지네?'
그래서 '하나 더, 하나 더' 하다 보니 어느덧 42단원까지 오고 말았습니다.

이 저서는 대면 강의에 대한 갈망(?)으로, 강의실에서 강의하는 그대로 simulation하여 기술하였습니다.
정통 교과서는 아니니 쫄지 마세요.
각 장마다 너무 깊게는 안 들어가고, 개념을 잡아주는 수준으로 수위 조절을 하려고 애는 많이 썼습니다.
항상 책을 집필하면서 일관되게 행했던 의도이지만, 감염학 분야에 대한 진입 장벽을 최대한 낮추고, 독자로 하여금 최선을 다해 개념 정립을 시켜주려 노력을 했습니다.

이렇게 또 제 이름을 건 다섯 번째 저서가 나오는군요.

어떤 저서에 대해 eponymous moniker라고 칭하는 표현이 있습니다.

자기 이름을 내건 책을 일컫는 용어입니다.

대표적인 예로 Gray 해부학, Harrison 내과학, Robbins 병리학 등이 있습니다.

이런 분들하고 감히 동급으로 논하자는 의도는 아닙니다.

학자라면 누구나 갖고 있는 소망이지만, 사후에도 지속적으로 기억되는 행운을 누리는 걸 보면 참으로 부럽기만 합니다.

제 저서들의 수명이 얼마나 될지는 모르겠지만, 그래도 이렇게 흔적을 남긴다는 것 자체를 저는 행복하게 생각합니다.

이번 저서를 집필하는 과정에서도 역시 제 삶의 영원한 반려자인 제 아내가 맨 첫 번째 독자가 되어 아낌없는 비판과 등짝 스매싱을 선물해 주었습니다. 그리고 화가의 길을 걸으면서도 기꺼이 시간을 내어 귀엽고 익살스러운 cartoon 삽화들과 이모티콘을 그려준 사랑하는 금지옥엽 내 딸 유여진 화백, 제 학과원들, 군자출판사 모든 직원들, 그리고 모든 분들께 진심으로 감사를 드립니다.

코로나 19도 결국 지나가는 2022년 초여름에 접어들며,

저자 **유진홍**

# 추천사

유진홍 교수가 책을 낸다고 추천사를 부탁해 왔다. 자료를 받고 보니 엄청난 분량의 책인데, 이걸 혼자서 다 썼다고 하니 놀랍다. 감염학 전반에 걸친 이야기를 쉽게 이해할 수 있도록 쓴 글을 보며, 제목 또한 학술 서적의 냄새가 덜 나게 선정한 것을 알았다. 학생들에게 강의하듯 쓴 책이라지만 1권, 2권 합하니 1,000페이지가 넘는다. 정말 대단하다.

유교수가 우리 학회의 학술지 담당 무임소이사이기는 하지만, 나의 임기 시작 이래 지속되는 코로나 팬데믹으로 인해 매번 온라인 회의만 하니, 가까이 접촉하기 힘들어 깊은 대화를 나누어 보지는 못했는데 원고를 읽으며 그의 깊은 내공을 느낀다.

더욱 놀라운 것은 전문 의학 지식을 쉽게 이해할 수 있도록 기술했을 뿐 아니라, 기억하고 있어야 할 내용이 말미에 간단히 정리되어 있다. 복잡하지 않고, 과하게 깊지도 않고, 재미있고, 다음 장이 무엇일지 궁금하기조차 하다. 중간에 들어가는 삽화도 재미있다. 따님이 그렸다는데...

나이가 드니 보내온 PDF 파일을 컴퓨터 화면으로 읽는 것이 쉽지는 않다. 읽다가 가물가물 해지니 한참을 쉬었다 다시 본다. 그러다 보니 원고 마감에 밀려서 아쉽게도 끝까지 세세히 읽어보지 못했다. 인쇄물로 나오면 천천히 전부 다시 읽어볼 예정이다.

사실 의사가 쓴 책은 쉽게 쓴다고 해도 전문 용어가 많이 나와 어렵다는 말을 많이 듣는데, 이 책은 전문 의학 이야기지만 주 전공이 아닌 의사에게도 재미있고 쉽게 읽힌다.
의사는 물론 환자도 한번 읽어 보시기를 권하고 싶다. 다만 두 가지 장벽이 있다.
첫째가 가격이다. 일반인이 지출하기에는 높은 가격이다.
둘째는 영문으로 된 의학용어가 있어 어려울 것이다. 도서관에서 최소 1권 총론 부분이라도, 빌려 읽어보라고 하고 싶다.

신종 전염병이 5년 주기로 출현하는 세상이다. 도서관마다 필수로 구비해야 할 책이라 믿어진다. 유 교수의 끊임없는 발전을 기원한다.
발간을 축하합니다.

2022년 9월

가을바람이 불어오는 파주 헤이리마을에서

**정지태**

대한의학회장

# 추천사

유진홍 교수의 다섯 번째 책 발간을 진심으로 축하하면서 내심 그의 폭넓은 식견에 감탄하고 또 글을 재미있고 시원스럽게 써제끼는 내공이 부럽기까지 합니다. 먼저 낸 책들이 모두 우수도서로 선정되면서 독자들의 반응이 뜨거웠는데, 이번 책은 그간의 책들을 총망라하는 감염학 강의교재 형식입니다.
그의 감염학 강의를 직접 들어보지 못하였지만 강의를 들은 후학들은 유진홍 교수가 비유법의 달인이라고 입을 모읍니다. 어려운 내용을 적절하면서 수강생이 잘 아는 사례로 예를 들어 쉽게 이해하도록 설명하는 능력이 탁월하다는 것인데, 그런 능력이 앞선 책과 같이 이 책에서도 곳곳에서 번뜩입니다.

이 책은 제목에서 보여주듯 모두 42개의 강의록 형태로 구성되며 임상의답게 감염을 일으키는 병원체는 모두 적으로 봅니다. 제1부는 감염에 대한 공통사항을 다루는 총론적인 소개로, 1강 '적을 알자'로 시작하여 13강의 '총체적 난국-패혈증'까지 이어집니다. 개별 질환이 아니라 감염 질환에 대한 일반적인 속성을 병원체와 인체의 면역반응 줄다리기 개념으로 재미있게 소개하는데, 이 1부의 기본 지식을 잘 이해하면 각론이 재미있고 쉬워지게 편집하였습니다.

제2부는 임상각론으로 개별 병원체와 이로 인한 임상적인 문제 발생의 기전과 진단, 치료를 잘 요약하여 설명하고 있습니다. 감염증의 핵심인 세균의 특성을 임상적인 중요도와 관련하여 14강부터 24강까지 설명하고 있으며, 그 가운데에서 특별히 결핵을 임상과 치료로 나누어 다루고 있습니다. 25강은 진균(곰팡이)을 소개합니다. 보통 감염학 책이 병원체 분류학 중심 체계로 편집되고 있는 데에 비하면 이 책은 역시 임상 중요도에 기반하여 26-28강은 면역저하나 세포 또는 장기이식과 관련된 감염을 소개하고 있습니다. 그리고 나서 29강의 감기부터 시작하여 인체 장기나 조직에서 일어나는 감염을 소개하고 있습니다. 37강은 멀레어리아(말라리아가 아니고)라는 독특한 이름으로 국내 문제와 더불어 세계적인 질병으로 말라리아를 소개합니다. 38강은 국내에서 중요한 전신 열성 감염증, 39-41강은 에이즈를 다루고 있으며, 42강은 이 책에서 보는 또 하나의 특징인 생물 테러를 소개합니다. 이 각론들은 확실한 실전용 야전 교범급입니다.

이 책에서 유진홍 교수는 병원체의 생물학적인 특성과 병원체에 대한 인체 반응의 근거중심 학술적인 지견을 잘 정리하여 알기 쉽게 설명하고 있습니다. 그런데 이런 학술적인 내용은 다른 책에서도 다 잘 다루고 있는 부분이기도 합니다만 이 '유진홍 교수의 감염강의 42강' 책의 숨은 가치는 이러한 학술적인 지견에 근거하면서 노련한 임상가로서의 풍부한 경험, 환자에 대한 애정, 감염으로 인한 고통을 극복하려는 임상가의 고뇌와 노력을 이어서 만드는 스토리에 있습니다. 그 전공이 무엇이든 실제 진료에 임하는 의사라면 모두 읽어보고 진료 현장 바로 옆에 두어 참고하는 환자와 의사 모두에 도움이 되는 책임에 틀림없습니다.

2022년 9월

**홍성태**

Journal of Korean Medical Science 편집인

서울대학교 의과대학 명예교수

# 추천사

'유진홍 교수의 감염강의 42강' 발간을 가톨릭의대 내과학교실을 대표하여 축하드립니다. 메르스와 코로나를 겪으면서 감염에 대한 국민들의 인식이 높아진 시점에 감염에 대한 책자를 발간하게 되어 시기적절하다고 생각되며 이 책을 통하여 감염에 대한 이해의 폭을 넓히는 계기가 되기를 기대합니다.

이번 발간되는 감염강의 42강은 뚝심 있는 유진홍 교수가 아니면 쓸 수 없는 명작이라고 생각됩니다. 책을 쓰기로 마음먹은 순간부터 자료수집, 정리, 개발, 검토에 이르기까지 얼마나 세세히 신경 써 저술하였는지 유진홍 교수의 숨은 노력이 책 속에 고스란히 배어 있음을 알 수 있습니다. 또한 이 책은 쉬운 감염학 책입니다. 감염학을 전공한 의사로서 다양한 감염에 대한 임상 경험에 해박한 지식을 곁들여 하나하나 쉽게 설명하였습니다.

자신이 하고 있는 전문 분야를 일반인들이 알기 쉽게 책으로 만드는 것이 쉽지 않습니다. 특히 내과학 중에서 감염학은 용어가 쉽지 않고 일반인들이 접근하기에는 문턱이 높아 일반인을 위한 책을 만드는 것이 어려운 숙제였습니다다. 이번에 발간되는 책자를 읽어보니 가장 큰 장점은 부담 없는 제목부터 누구나 관심을 가지고 읽을 수 있도록 눈높이를 조절한 점입니다.

저는 이번 '유진홍 교수의 감염강의 42강' 발간이 외국의 어느 감염 책과 비교해도 손색이 없다고 생각됩니다. 영문판도 제작되어 전 세계에서 읽히는 감염학 저서가 되기를 기대합니다.

2022년 9월

**양철우**

가톨릭대학교 내과학교실 주임교수

# Ⅰ 총론

목차

# Ⅱ 임상각론

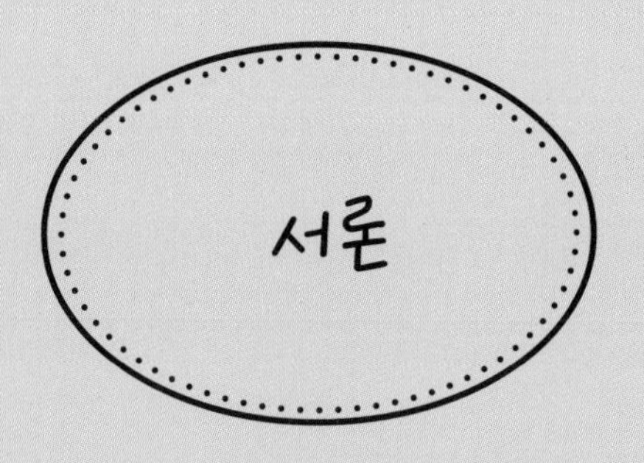


# Germ Theory로 시작하며

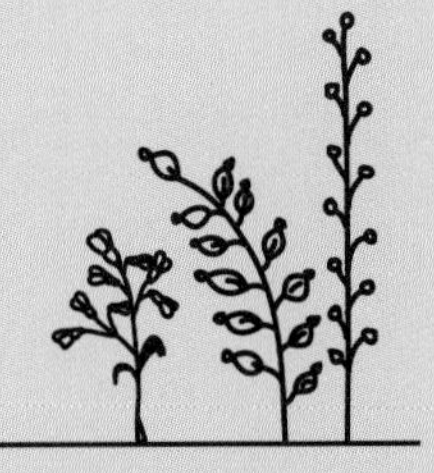

# Germ Theory로 시작하며

인류사에서 보면 갑자기 비약적인 발전을 하게 된 운명적 순간들이 몇 번 있었습니다.
아마도 그 중 가장 최초의 순간은 불의 발견일 것입니다.
불을 발견하기 전까지는 해 떨어지면 그날의 하루 일과도 끝나서 그냥 보금자리(아마 동굴이었을 겁니다)에서 잠을 청했겠죠.
그러나 불을 가지게 되면서 인류는 생활의 질이 달라집니다. 원래의 용도였던 사냥 수단에 더해서, 해가 떨어진 후에도 동굴 내부를 환하게 유지할 수 있어서 나름의 여가 시간을 활용할 수 있었을 겁니다. 뭐, 밀린 일을 처리하거나, 저녁밥을 조금 늦게 먹거나 하면서요.

먹는 얘기가 나와서 말인데, 역시 불의 발견으로 식생활도 달라졌을 겁니다. 고기건 채소건 익혀먹을 수 있으면서 음식의 범위가 넓어졌겠죠. 그리고 가족 구성원들끼리, 혹은 이웃들끼리 반상회 같은 의사 소통의 기회도 더 많아졌을 것입니다. 따라서, 이는 자연스럽게 두 번째 운명의 순간인 언어의 발명으로 이어집니다. 말로만 하다가 저장의 필요성을 느껴서 문자 발명으로 이어지고,

인류는 점점 머리가 좋아지게 됩니다.

그리고 세 번째 도약의 순간은 꽤 오랜 세월을 기다려야 했습니다.
엉뚱하게도 이는 미생물의 도움을 받았습니다. 17세기 말에 흑사병이 전 유럽에 퍼지면서 고향으로 피난을 갔던 수학교수 아이작 뉴턴의 머리로 사과가 떨어지면서(지어낸 얘기일 가능성이 높지만) 만유인력 개념과 미적분이 발명됩니다. 이 미적분은 우리의 고교 시절을 괴롭혔던 원흉이지만, 이게 없었다면 오늘날 인류가 할 수 있는 것은 거의 없었을 겁니다. 미적분이 가지는 중요한 의의는 주어진 현 조건을 기반으로 미래를 보다 구체적이고 정확하게 예측할 수 있다는 데 있습니다. 미적분 이전의 미래 예측은 그냥 점치는 것에 지나지 않았지요.

이는 20세기 초 양자 역학의 정립으로 이어집니다. 빛은 입자이자 파동이기도 하며, 불확정성 원리, 슈뢰딩어의 고양이, 심지어는 최근의 끈 이론까지 우리 인간의 직관에 거슬리는 이론들뿐이라, 기존 뉴턴 식의 고전 물리학보다 더 골치 아프고 제정신인지 의심스러울 정도입니다. 그러나 이게 없다면 오늘날 우리는 전기·전자기기 그 어느 것도 사용할 수 없었을 겁니다.

그리고 양자역학이 발흥하기 직전인 19세기 중엽에 진화론이 나옵니다. 제 개인적으로는 이 진화론이야말로 생물학뿐 아니라 다른 모든 분야에 합리적이고도 과학적인 사고 방식이 출발된 시발점이었다고 생각합니다.

마지막으로 germ theory가 있습니다.
우리말로 배종설(胚種說) 혹은 세균 유래설이라 부르는데, 사실 미생물 유래설이 더 정확한 번역이겠습니다. 저는 편의상 germ theory로 용어를 통일하겠습니다. 이 germ theory를 기점으로 질병에 대한 개념이 제대로 과학화가 되기 시작했습니다.

일단 '질병'에 대한 개념의 변화 역사를 봅시다. 과거에는 질병이란 인간이 자연 법칙과의 조화를 어김으로써 건강한 상태로부터 벗어나 생기는 현상이라는 주관적이고도 어딘지 모르게 매우 친숙한 느낌을 주는 개념이었습니다. 여기서 우리 인간이 '감히' 어긴 자연이란 공기, 음식, 물, 운동, 휴식, 정신 등등을 말합니다.

이런 식으로 개념이 출발하니, 질병을 질병 자체로 보지 않고 일종의 '천벌'인 걸로 간주하게 된 것이죠. 그러니 환자를 치료하긴커녕 벌을 줄 궁리만 하게 됩니다.

그래서 질병의 원인론으로 나쁜 공기(miasma) 이론을 주장하거나, 당신 피나 담즙 등이 나빠서 그런다는 체액설 등이 주종을 이룹니다. 특히 체액이 나빠서 그런다는 개념을 믿다 보니, 과거 유럽에선 정맥 혈관을 째서 '나쁜' 피를 빼내는 소위 phlebotomy가 중요한 치료법으로 시술되며 애먼 사람 여럿 잡았습니다. 여러분이 잘 아시는 활의 명인 로빈훗도 바로 이 phlebotomy로 죽었지요, 비록 소설 속 옛 이야기지만.

감염 질환은 천벌이 아니라 미생물에 의해 생긴 것이라는 개념은 17세기 말 네덜란드의 레벤후크(Anthony van Leewenhoeck)에서 시작됩니다. 그는 학자는 아니었고, 포목상이자 렌즈 애호가였습니다. 원래는 옷감 섬유 품질을 정밀하게 확인하기 위한 목적으로 렌즈를 확대하고 또 확대해서 사용했는데, 그러다 보니 현미경이 그의 일이자 즐거움이 되었습니다. 그는 빗물 혹은 치실로 솎아낸 이 똥을 현미경에 놓고 관찰을 했는데, 거기서 꼼지락거리는 생물체를 발견합니다. 그는 이 발견을 혼자 즐기지 않고, 당시 Royal Society of London for Improving Natural Knowledge, 즉 런던 왕립 학회에 그가 관찰한 것을 자세히 그린 그림과 함께 보고를 하는 탁월한 선택을 합니다. 요즘으로 말하자면 학회지에 letter 형식으로 투고를 한 셈이죠. 이는 큰 반향을 불러왔고, 드디어 germ theory가 본격적으로 태동을 합니다.

그리고 여러 학자들의 시행착오를 거치다가 1860년경에 프랑스에서 루이 파스퇴르(Louis Pasteur)가 등장합니다.
원래 그는 화학자였는데, 포도주와 관련된 발효를 연구하다 보니 자연스럽게 미생물 영역으로 들어오게 되었지요. 다들 잘 아시다시피 그 유명한 백조 목 플라스크 실험으로 '자연 발생설'을 끝장내 버리고 '생물 속생설'을 정립합니다. 원인이 있어야 결과가 있는 법. 비단 미생물학뿐만 아니라 과학 분야에 있어서 중요한 논리적 틀을 잡아준 셈입니다. 이후 저온 살균법, 광견병 백신 개발 등의 빛나는 업적을 남겼으며, 말년에 파스퇴르 연구소를 설립하여 오늘날에 이릅니다. 당시 광견병 백신을 맞고 목숨을 구한 소년인 조지프 메스테르(Joseph Meister)는 성인이 되어 파스퇴르 연구소의 관리인으로 근무하는데, 2차 세계대전으로 나치가 쳐들어 오면서 연구소를 지키다가 자결을 했다는 일화도 전해지고 있습니다(상당히 비장한 스토리이지만, 정말로 그런 이유에서 자살을 한 것인지는 분명하지 않습니다).

그리고 또 한 명의 위인이 독일에서 나타납니다.
바로 로베르트 코흐(Robert Koch)였습니다.
그는 개원의로 살아가던 중, 그 지역에서 유행한 탄저병의 원인을 규명하던 중에 germ theory의 영역으로 발을 들입니다. 미생물이 병을 일으키는 원인을 증명하는 치열한 과정을 겪은 결과, 오늘날에도 쓰이는
그 유명한 코흐의 가설(Koch's postulates)을 정립해
냅니다.
정리해 보자면,

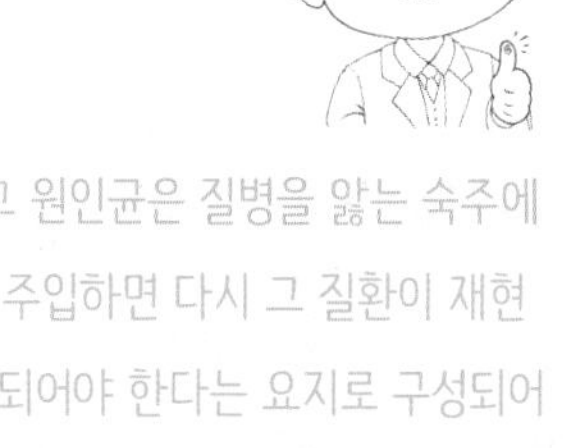

원인균은 특정 질병의 모든 병변에서 발견되어야 한다; 그 원인균은 질병을 앓는 숙주에서 분리되어 배양되어야 한다; 배양된 균을 다른 숙주에 주입하면 다시 그 질환이 재현되어야 한다; 새로이 감염된 숙주에서 다시 그 균이 분리되어야 한다는 요지로 구성되어 있습니다. 이런 원칙을 적용하여 각종 감염질환의 원인 미생물을 밝혀내는 데 결정적인 지침이 됩니다.

이 원칙이 대단한 것이, 미생물학이나 감염학에만 적용되는 것이 아니기 때문입니다. 인과관계 규명에 확실한 잣대이다 보니 다른 자연과학이나 심지어 사회과학 분야에도 적용이 가능합니다. 한 마디로 합리적 사고의 외연 확장이라 할 수 있습니다.

Germ theory에 있어서 코흐는 슈퍼맨이었습니다. 그의 무시무시한 업적을 볼까요?

오늘날 배양에 쓰이는 고체 배지를 발명; 결핵균을 발견하고, 공기 전염임을 규명하고 tuberculin 개발; 비브리오균을 발견(사실은 Filippo Pacini가 먼저 발견했지만 당시엔 몰랐다고 합니다. 훗날 뒤늦게 인정됩니다); 재귀열, 아프리카 수면병의 원인 규명 등등 셀 수 없이 많습니다. 사실상 오늘날의 미생물 감염 지식의 토대의 상당부분을 닦아놓은 셈입니다.

### 파스퇴르와 코흐

무슨 메시와 호날두, 혹은 최동원과 선동열을 보는 느낌입니다.
그들을 통해 훌륭한 후학들이 양성됩니다.

대표적인 인물로 파스퇴르는 페스트 원인균 발견으로 유명한 예르상(Yersin)을, 코흐는 키타사토(Kitasato)를 키워냅니다. 키타사토는 우리나라 감염 및 미생물계에서 인연이 이어집니다. 그의 제자가 바로 시가 키요시(Shiga Kiyoshi)인데, 이질균을 발견하고 그의 이름을 따서 *Shigella*라는 이름으로 오늘날 기억이 됩니다. 그는 일제 강점기 때 경성의학전문학교 교장을 거쳐 경성제국대학 의학부 교수 및 총장을 역임합니다. 어찌 보면 우리나라 감염학계 족보의 시작은 코흐라고도 할 수 있겠네요.

이들뿐 아니라 많은 후학들이 열심히 연구 붐을 일으키면서 19세기 말까지 불과 20여 년 사이에 온갖 감염질환의 원인 미생물들이 규명되어, 사상 유례없는 의학의 고속 발전을 가져옵니다. 몇 가지 예를 들자면, 1880년에 장티푸스의 원인균과 나병의 원인균이 밝혀지며, 이듬해에 결핵균이 발견됩니다. 그 다음 해에는 사슬알균과 디프테리아균이, 그리고 그 다음 해에는 Escherich에 의해 그 유명한 *Escherichia coli*가 발견됩니다. 1886년에 포도알균이, 1894년에 예르상과 키타사토가 선의의 경쟁을 하다가 결국 예르상이 페스트균을 규명합니다. 그리고 1898년에 이미 앞에서 언급한 이질균이 발견됩니다.
이러한 광풍이 지나가다 보니, 그 동안의 의학 지식들은 근본에서부터 전면 재수정이 불가피해집니다. 체액설이니, miasma 설 따위들이 폐기되지요. 이 급변하는 정세에 제대로 적응하지 못한 의학자들은 모두 도태당했겠지요.

한편, 미생물 개념의 저변화로 인하여 일반 대중들도 위생 관념이 생기고 발전하게 됩니다. 대중이 좀더 합리적이 되면서 감염 질환을 '천벌'인 걸로 간주하던 시대는 종말을 고하고, 인권의 회복과 과학적 사고방식의 정립이 시작된 것입니다. 그런데 말입니다. 감염 질환은 천벌이라는 집단 잠재의식은 사실 아직도 은밀히 남아있긴 합니다. 코로나 19에 걸린 유명인이 방역수칙을 어긴 게 아님에도 불구하고 "죄송합니다"라고 말하는 것에서도 이런 잠재의식을 희미하게 느끼게 됩니다. 오늘날 세상은 과거보다 합리적인 세상이 되긴 했지만, 아직도 이런 앙금은 남아 있는 것 같습니다.

좀 전에 '도태'라는 단어를 썼는데, 의학사만 예를 들자면 지식 체계에 있어서 주기적으로 혁명기가 쓰나미처럼 밀려올 때가 있습니다. 이를 빨리 인지하고 적응을 하는지 여부가 학자로서는 중요하다고 봅니다.

가장 최근의 혁명기는 1980년대 말에서 90년대 초였다고 저는 기억합니다.
당시 의학 연구 분야는 분자생물학의 도입이 새로운 물결이었습니다. 학회에서 임상적인 주제만 발표하다가 어느 날 갑자기 DNA, RNA를 논하지 않으면 명함도 못 내밀게 되었지요. 당시 군의관 복무를 마치고 학교로 돌아온 저로서는 참으로 죽을 맛이었습니다. 해리슨 교과서를 숙독하기도 힘든데, 의예과 때나 공부하고 잊어버렸던 분자생물학 공부까지 다시 해야 됐으니까요. 그래도 아직은 젊고 팔팔한 혈기로 공부에 임하고, 자정 가까운 밤 늦게까지 힘들게 뽑아놓은 DNA로 전기영동을 하던 기억이 아직도 새롭고 추억으로 다가옵니다.

이제 또 한번의 새 물결은 조만간 올 것입니다.

이번 물결은 무엇일까요?

글쎄요.

인공지능이 어쩌고 저쩌고 하는 걸로 보아 코딩의 시대가 도래하는 게 아닐까요.

그러나 다 늙어버린 저로서는 아무래도 이번 파도는 극복 못할 것 같습니다.

뭐, 슬프진 않습니다.

이렇게 장강의 물결이 뒷 물결에 밀리는 게 섭리이니까요.

자, 그럼 germ theory를 기본 바탕으로 하여 이어지는 단원에서 우리가 마주해야 할 미생물들 전반에 대하여 한 번 훑어보기로 하겠습니다.

이 주제로 더 읽을만한 책 추천

Germ theory에 대해 더 흥미가 있으시면 Paul de Kruif의 Microbe Hunters라는 책을 권합니다. 국내에는 미생물 사냥꾼이라는 제목으로 번역되어 나와 있습니다.

숱한 미생물 혹은 감염 전문가들이 학창 시절에 많은 영향을 받은 책으로 모두 이 저서를 손꼽고 있습니다.

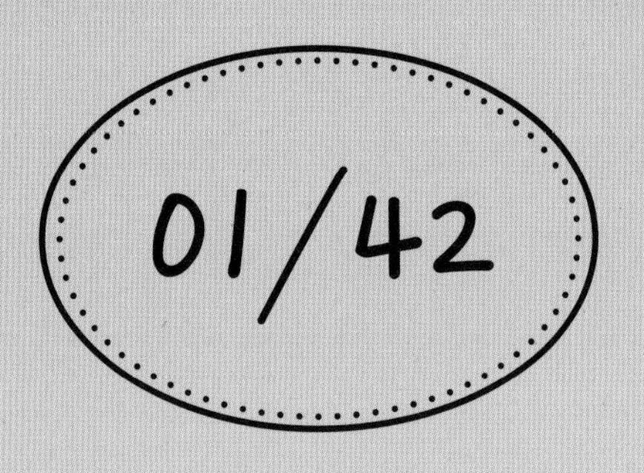


제1강

# 적을 알자

# 적을 알자

## 적에게 자비란 없다

감염학이 마주해야 할 대상은 germ theory의 주인공들, 즉 미생물입니다.
미생물은 종류와 가짓수가 많아서 파악하기에 애를 많이 먹습니다.
그래도 숙지를 해야 합니다.

왜냐?
주적이니까.
적이라는 표현을 쓴 김에, 본격적인 강의에 들어가기에 앞서 한 가지 확실히 짚고 넘어가고 싶습니다.
어떤 대상을 가지고 집중 연구를 하다 보면 대부분은 그 대상에 대해 애정이 생깁니다.
예를 들어 만약 포도알균을 평생 연구하는 미생물학자분이 계시다면, 그 분은 포도알균에 애정을 가지고 있을 가능성이 큽니다.

제 지인 중 하나인 모 기생충학 교수(서민 교수라고는 말하지 않겠습니다. 하하)는 자신의 저서에서 "나는 기생충을 사랑한다"라고 몇 번이나 밝힌 적 있습니다.
사실 이건 스톡홀름 증후군이 아니고, 어쩌면 매우 당연한 현상입니다.
소위 말하는 미운 정이 드는 것이지요.

하지만, 명심하십시오.
이제부터 시작하는 강의는 처음부터 끝까지 미생물에 대한 증오, 적개심, 살의로 가득 차있습니다.

왜냐?
저는 임상의이기 때문입니다.
연구를 하면서 특히 분자 수준까지 들어가서 각 미생물들이 살아가는 각종 정교한 기전들을 접하다 보면 자기도 모르게 경외심까지 듭니다. 하지만, 여기서 임상가와 비 임상가의 차이가 시작됩니다. 임상가의 경우는 바로 그 미생물에 의해 환자들이 고통을 받거나 심하면 목숨을 잃는 상황들을 숱하게 겪다 보면 애정은 개뿔, 적개심이 쌓여야 정상입니다.

그래서 이 강의를 접하시는 여러분은 미생물에 대하여 자비가 아니라 살의를 가지고 임하시기 바랍니다.
다시 강조하지만, 이 강의들은 임상 강의입니다.

Show no mercy!

물론, 순수한 학문의 시각으로 파고드시는 경우라면 애정을 가지시는 게 맞습니다. 그걸 갖고 제가 불만을 표할 이유는 없지요.

자, 그럼 첫 번째 대상인 세균부터 다루어 봅시다.

## 1. 세균을 알자

분류를 하는 목적은 무엇일까요?
간편하게 파악하기 위해서만이 아니고, 진짜 목적은 이들에게 어떤 무기를 가지고 싸울지 결정하기 위한 지침 마련에 있습니다. 앞으로 다룰 그 어떤 미생물에도 분류라는 것은 임상가의 입장에선 학문적 의미가 아니고 다 이렇게 살의를 가지고 임하자는 의도가 깔려 있습니다. 이런 자세는 향후 이어질 강의 주제들에서도 반복해서 나오고 강조될 것입니다.

아시다시피 세균은 그 종류가 수도 없이 많아서 파악하기가 만만치 않아 보입니다.
그래도 파악해야죠.
복잡한 대상을 파악하기 위해 가장 단순 명쾌한 해결책은 어떻게 해서든 모 아니면 도로 나눠보는 것입니다.

세균의 경우는 다행히도 둘로 갈라치기 할 수 있는 확실한 잣대가 있습니다. 다름 아닌 그람 염색을 기반으로 크게 둘로 나누면 됩니다.

그람 염색은 단순한 염색이 아닙니다. 구조가 다르니까 염색도 달리 나오는 것입니다.
구조가 다르다는 것의 의미는 그냥 그렇게 생긴 걸로 그치는 게 아니고, 향후 우리가 이들을 무찌를 때 무기를 선택하는 지표가 됩니다.

그람 염색의 차이를 결정해주는 세균의 구조는 바로 세포벽(cell wall)입니다. 세포벽을 이루는 peptidoglycan 층이 풍부한가 아닌가에 따라 달라집니다. 먼저 크리스털 바이올렛(crystal violet)으로 세균을 염색하면 보라색으로 착색되는데, 이후 ethanol을 가해서 씻어내 봅니다. 만약 그람 양성균같이 peptidoglycan 층이 두껍다면 잘 씻기지 않아서 여전히 보라색 혹은 푸르뎅뎅한 색깔이고, 그람 음성균같이 그 층이 얇다면 crystal violet이 다 씻겨 나가게 됩니다. 이어서 safranin 혹은 fuchsine으로 두 번째 염색을 하면 그람 음성균만 빈 도화지였기 때문에 붉게 염색이 됩니다.

자, 그럼 그람 양성균과 그람 음성균을 더 살펴보기로 합시다.

### 1) 그람 양성균

그람 양성균은 가짓수가 무궁무진합니다. 그러므로 우리가 해야 할 일은 뭐다?
또 다시 크게 둘로 갈라치기를 합니다. 이젠 이런 접근법이 익숙하죠?
깊게 생각하지 말고 일단 포도알균(Staphylococcus)과 사슬알균(Streptococcus)으로 나눕니다.
사실 이 둘에 해당하지 않는 균들이 좀 더 있는데, 그 잔당들은 조금 나중에 챙기도록 하겠습니다.

이름의 항렬이 '알균(coccus)'인 것에서 알 수 있듯이 알 모양을 하고 있습니다. 포도알균은 다시 *Staphylococcus aureus*와 *coagulase-negative Staphylococcus*(CoNS)로 대별합니다.
특히 *S. aureus*는 워낙 유명하지요?
그 위상만큼이나 얘기할 것이 많은데, 이는 나중에 각론에서 자세히 다루겠습니다.
사슬알균은 분류가 완전하지는 않습니다.
먼저 랜스필드 할머니의 분류법이 적용됩니다.
이는 사슬알균의 세포벽에 있는 항원의 carbohydrate 성분을 기반으로 구분한 것입니다.

먼저 group A가 있는데 여기에 해당하는 것이 '살 파먹는 세균'으로 좀 과대평가되어 유명한 *Streptococcus pyogenes*입니다. Group B는 *S. agalactiae* 입니다. 이름 안에 'galact'가 있는 것에서 유추할 수 있듯이 주로 산모나 아가들에서 나옵니다만 실제 임상에선 꼭 그렇지만은 않더군요. 그리고 group D에 해당하는 것이 *Enterococcus*입니다.
그러나 이 랜스필드 분류법이 전혀 먹히지 않는 종도 있는데, 그 유명한 폐렴알균이 대표적입니다.

이는 용혈 여부과 정도에 따른 분류로 상호 보완됩니다.
적혈구를 부분 용혈시키는 것을 alpha, 완전 용혈시키는 것을 beta, 용혈 안 되는 것을 gamma로 판정합니다.
랜스필드 분류 group A, B, C, G는 beta-hemolysis, group D가 gamma, 그리고 랜스필드 분류에 해당 안 되는 폐렴알균이 alpha-hemolysis를 보입니다.

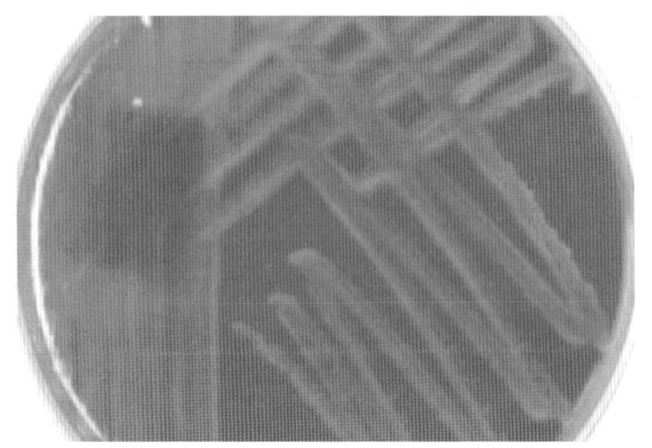

beta-hemolysis의 예

이는 진단 검사실 분들만 알면 되는 게 아니고 우리 임상의들도 알아야 합니다.

'아니, 임상의가 왜 굳이 이걸 알아야 해?'하고 의아해하시는 분들도 계시겠지만, 실전에서 의외로 유용하기 때문입니다. 우리가 배양 검사를 보내고 그 결과를 받는 데에는 평균 3일이 걸립니다. 그런데, 보통 하루 전에 '뭔가가 자랍니다'라는 메시지가 날아오죠. 그럼 검사실로 달려갑니다. 그리고 용혈 검사를 시행한 배지를 보여달라고 청하죠. 완전히 용혈돼서 투명한 모양이면 '아, group A 균이겠구나'하고, 부분 용혈된 모양이면 '아, 폐렴알균 가능성이 높아졌네?'하고 미리 추정을 할 수 있습니다. 하루 일찍 적을 파악하는 게 얼마나 유리한 고지를 점하는 것인지는 더 이상의 설명이 필요 없을 겁니다.

자, 나머지를 정리해 봅시다.

그람 양성균이지만 사실 '알균'이 아닌 놈들도 꽤 있습니다.

그 중에서 우리는 임상적으로 리스테리아만 알면 됩니다.

*Listeria monocytogenes*, 이 놈은 면역저하환자, 노인, 산모 등에서 가끔씩

나타나서 우리를 괴롭히는 놈이며, 예후가 썩 좋았던 기억이 별로 없습니다. 특히 노인이나 이식 후에 생긴 수막염일 경우 일차적으로 의심을 하는 게 좋습니다. 사흘 정도 걸리는 뇌척수액 배양 결과를 기다리기에 앞서서, 역시 검사실에 하루나 이틀 일찍 가서 그람 염색 양상을 확인해서 손해 볼 일 없습니다. 분명히 시퍼런 그람 양성균인데, 알균이 아니고 막대균이다? 이건 영락없는 리스테리아입니다.

굳이 이렇게 미리 파악하려고 극성을 떠는 이유가 뭘까요?

그 이유는 앞서 밝힌 바 있습니다.

치료할 무기를 선택하기 위함입니다.

나중에 각론에서도 나오겠지만, 리스테리아는 다른 그람 양성균들과 비교해서 ampicillin이 잘 듣습니다.

이게 바로 그 이유입니다.

검사 결과를 대하는 데 있어서 우리 임상의의 궁극적인 목표는 치료에 있다는 사실을 초지일관 잊지 말아야겠습니다.

### 2) 그람 음성균

그람 음성균은 거의 모두가 막대 모양입니다.

편의상 녹농균(*Pseudomonas aeruginosa*)과 녹농균 아닌 걸로 나눕니다.

왜?

이제 여러분은 그 이유를 압니다.

치료로 꺼내 들 무기가 달라지기 때문에.

각론에서 또 자세히 설명하게 되겠지만, 녹농균에 듣는 항생제가 있고 아닌 항생제가 있습니다.

녹농균 아닌 것들은 사실상 창자에 서식하는 균입니다.

이를 문자 그대로 장내 세균, 즉 Enterobacteriaceae라 합니다.

대표적인 게 *Escherichia coli, Klebsiella pneumoniae* 등입니다.
이들은 임상적으로 흔하기도 하지만, 특히 내성에서 큰 비중을 차지하고 있습니다.
이들 또한 각론에서 자세히 다루겠습니다.

역시 이 집단에서도 외모가 다른 놈들이 있습니다. 그람 음성균 대부분을 차지하는 막대균과 달리 '알균'모양을 하는 놈들로는 *Neisseria gonorrheae*(임질균)와 *N. meningitidis*(수막알균)이 대표적입니다. 특히 수막알균은 치명적이기 때문에 역시 위에서 언급한 리스테리아처럼 배양 결과에 앞서 하루라도 빨리 그람 염색을 확인해야 합니다. 사실 리스테리아보다 더 중요합니다. 환자도 환자지만, 밀접 접촉했던 남들에게도 전염되니까.
이상으로 세균에 대해 가장 기본적인 상황을 파악해 보았습니다.
사실 이게 다는 아니며, 나머지 적지 않은 부분이 다뤄지지 않았습니다.
대표적인 것이 결핵균이며, 또한 레지오넬라를 비롯한 비정형균, 리켓치아 등.
이는 임상적으로 중요한 영역을 차지하고 있기 때문에 나중에 각각 별도의 단원으로 다루도록 하겠습니다.

자, 그럼 다음은 바이러스로 넘어갑시다.

더 관심 있으시다면 추천할 읽을 거리

뉴욕 타임즈 과학기자 칼 짐머(Carl Zimmer)의 'Microcosm'을 추천합니다. 국내엔 '마이크로코즘'이란 제목으로 번역서가 나왔지만 현재 절판입니다. 저는 킨들로 구입해서 온라인으로 읽었습니다. 영어 자체가 그리 어렵진 않으니 일독을 권합니다. 세균에 대한 내용뿐 아니라 분자 생물학 수준의 지식들을 알기 쉽게 전달해 주고 있습니다. 나중에 또 소개하겠지만, 칼 짐머 기자는 그의 글과 저서를 읽을 때마다 감탄하게 됩니다.

바이러스를 훑어보기에 앞서서 분류 체계에 대하여 기본적인 지식을 숙지해 보기로 합시다.
일단 다음 일곱 글자를 더도 말고 열 번만 암송해서 외웁시다.

계문강목과속종

겨우 일곱 글자입니다. 이 정도는 외울 수 있죠?
그런데, 제가 교과서나 논문을 읽을 때 대개는 영어로 접하게 됩니다.
그래서 위의 '계문강목과속종'을 각각 영어 단어로 매칭해야 합니다.
저는 다음과 같이 해결해서 머리 속에 넣어 갖고 다닙니다.

- '과속종'은 family, genus, species로 감염 전공하는 입장에선 그리 어렵지 않죠.
- '목(目)'은 order인데 문자 그대로 order는 잘 정돈된 것을 연상시킵니다. 여기서 일'목'요연이란 용어를 같이 연상하면 '목'과 'order'는 자연스럽게 매칭됩니다.
- '강(綱)'은 class인데 조금 억지로 매칭시킵니다. - Class에서는 '강'의를 하셔야죠. - 역시 억지입니다. 뭐 어때요? 목적은 수단을 정당화하는 법이거늘. 외우면 장땡입니다.
- '문(門)'은 phylus입니다. phylus 자체가 무슨 가'문'의 영광이니 뭐니 할 때 쓰는 어원입니다. 그러니 이 둘을 매칭시키는 건 일도 아닙니다.
- '계(界)'와 kingdom은 마지막으로 남은 것이라 자연스럽게 매칭이 됩니다(참고 사항이지만, 제가 익히려고 정리한 겁니다. 여러분은 신경 쓰지 마세요).

-Viridae로 끝나면 family를 의미하며 -virales로 끝나면 이보다 한 단계 위인 order에 해당됩니다. 예를 들어 Bunyaviridae는 예전엔 family에 해당됐습니

다. 하지만 2017년 말에 바이러스 분류법이 개정되어 Bunyaviridae는 Bunyavirales, 즉 Order로 격상되었습니다. 이에 근거하여 hantavirus는 Order Bunyavirales, Family Hantaviridae, Genus Orthohantavirus, Species Hantaan River virus (species 중 하나), Prospect Hill virus, 혹은 Puumala virus로 세분화됩니다.

SFTS는 Bunyavirales-Phenuiviridae-Bandavirus-Dabie bandavirus입니다. 같은 가문에 속해 있는 또 다른 유명한 바이러스로는 Rift valley fever virus가 있습니다. 골치 아프지만 정확하게 이해하려면 어쩔 수 없어요.

## 2. 바이러스를 알자

바이러스 또한 종류도 많아서, 어느 바이러스가 어디에 속하는지 매우 헷갈립니다.
그런데, 그 많은 바이러스들 중에 사실 우리 임상의들이 알아야 할 건 생각보다 많지는 않습니다.
물론 미생물학 선생님들은 다 숙지해야 하겠지만 말이죠, 흐흐.
그래서 저는 꼭 필요한 바이러스만 평소에 요렇게 정리해두고 있습니다.

* 일단 DNA virus와 RNA virus로 나눕니다. 또 양쪽으로 갈라치기 나왔습니다.

* DNA 바이러스는 딱 한 놈만 팹니다. 다름 아닌 Herpes Viruses.

1강

간염 바이러스도 있고 유두종 바이러스도 있지만 소화기/간 내과나 산부인과 선생님들 영역에 더 가깝고, 우리 임상 감염 분야에서는 herpes만 신경 쓰면 됩니다. 물론 herpes 외엔 꼭 다 무시해야 하는 건 아니지만, 앞으로 언급할 RNA 바이러스만 해도 버거운데 DNA 바이러스를 이렇게 정리해 놓으니 얼마나 편리해요?

그리고 나머지는 다 RNA 바이리스와의 싸움입니다. 의외로 간단하죠?

그 유명한 코로나 19, 메르스, 홍역, 독감, 에이즈까지 다 RNA 바이러스라구요.

### 1) DNA 바이러스 - 사실상 헤르페스 바이러스만

우선 DNA 바이러스인 human herpes virus (HHV)를 간단히 요약 정리하고 RNA 바이러스로 넘어가지요.

Herpes 바이러스만 해도 임상적으로 차지하는 비중이 매우 크므로 나중에 면역저하 환자나 중추신경계 감염 등에서 자세히 다루도록 하겠습니다.

Herpes 바이러스 가족은 어떤 놈들이 구성하고 있는 지만 이번 단원에서 익히도록 하지요.

Herpes virus 가족은 총 여덟 식구로, 일련 번호와 더불어 alpha-, beta-, gamma- 세 종류로 분류됩니다.

숫자 분류는 우선 1,3 - 5,7 -4,8로 외웁니다.

1, 3은 alpha, 즉, HHV 1-3.

5, 7은 beta, 즉, HHV 5-7

4, 8은 gamma, 즉 HHV-4 & 8

이들 중에서 3, 5, 4, 8은 이름이 붙는데, 유명한 순서로 배열됩니다.

먼저, 이들 중 가장 흔하게 생기는 놈에게 3을 부여합시다. 그럼 당연히 수두 바이러스인 varicella-zoster가 당첨됩니다.

자연스럽게 5번은 cytomegalovirus (cytomegal오virus)가 차지합니다.

남은 4와 8은 사람 이름입니다.
이들 중에서 가장 유명한 이름이 Epstein-Barr이므로 4번을 받습니다.
마지막으로 8번은 Kaposi가 됩니다.

이들의 행태를 보면 mRNA를 만들어내는 게 시간차 공격의 양상을 띠는 것이 특징입니다.
우선 초기에 나오는 것이 early mRNA인데, DNA 증식을 기본으로 깔면서 regulatory protein 기능을 합니다.
CMV를 예로 들자면 immediate early antigen, early antigen입니다.
이는 잠복하고 있던 바이러스가 드디어 활동을 개시했다는 의미이므로 진단에 있어서 핵심입니다.
실컷 증식하고 나면 슬슬 더 넓은 세상을 향해 떠날 준비를 마쳐야 하겠죠?
그래서 좀 늦게 나오는 mRNA 산물은 조기와는 다른 걸 만들어 냅니다. 이를 late mRNA라 부르고, 바이러스의 구조를 이루는 단백질을 만들게 됩니다.

HHV는 인체 세포 내에서 잠복을 하는 것이 특징인데, 흔히 오해하듯이 인체 유전자 속으로 파고드는 것이 아니고, plasmid처럼 별도의 공간을 차지하면서 잠을 자는 것입니다. 그러므로, HHV가 무슨 인체 유전자의 돌연변이나 암을 일으키는 일은 불가능합니다.
이게 같은 잠복이라 해도 에이즈 바이러스(HIV)와 다른 점입니다.
나중에 에이즈 단원에서 다루겠지만, 결국은 integrase가 있고 없고의 차이라 할 수 있습니다.

또 하나 차이점은 HHV는 진짜배기 잠복이고 HIV는 사이비 잠복이라는 것입니다.
전자는 진짜로 잠을 자는 반면, 후자는 잠을 자는 척 하면서 몰래 몰래 체내 면역체계 파괴 공작을 잠행하고 있습니다.

### 2) RNA 바이러스

RNA 바이러스엔 어떤 것들이 있는지 간단히 훑어봅시다.
저는 RNA 바이러스는 우선 다음 3가지만 기본적으로
신경씁니다.

- HIV(에이즈) virus ← Retrovirus
- Influenza virus ← orthomyxovirus
- Measles ← paramyxovirus (mumps와 parainfluenza도...)

여러분은 여기까지만 하고 종결해도 되겠지만, 조금 더 욕심을 내 볼까요?
먼저, 절지동물이 옮기는 바이러스가 있습니다.
첫째로, 모기가 옮기는 Flaviviridae
: 모기는 날아다니니까(Fly), 자연스럽게 Flavi-가 운율이 맞아서 혀 끝에 잘 감깁니다.
 모기가 옮기는 바이러스는 황열이 원조입니다. 원래 Flavi-가 노랗다는 뜻이어요.
그리고 Dengue와 Zika가 있습니다. Chikungunya요? 그건 Togavirus로 이쪽 영역은 아닙니다.
모기가 옮기는 대표적인 바이러스가 또 하나 있지요? 바로 뇌염입니다.
예를 들어 일본 뇌염 바이러스, West Nile 바이러스.

또 다른 절지동물로는 진드기가 있습니다.
이것이 옮기는 바이러스가 Bunyavirales입니다.
Severe fever with thrombocytopenia syndrome (SFTS)가 대표적입니다.
그리고, 진드기와는 상관없지만 유행성 출혈열도 잊지 마세요.

암기하시려면 전 이렇게 합니다.

Bunya - 하면 토끼인 벅스 버니가 연상됩니다. → 풀밭이 뒤따라 연상됩니다. → 풀밭에서 옮는다. → 자연스럽게 위의 두 질환이 잇달아 연상됩니다.

### Arbovirus는 그럼 뭐냐?

사실은 분류법에 의한 명칭이 아니고, ARthropod BOrne virus, 즉 벌레가 옮기는 바이러스의 약자입니다.

그래서 Flaviviridae, Bunyavirales, 그리고 Togaviridae, Reoviridae가 다 포함되지요.

같은 이치로 Rodent borne virus는 Robovirus라고도 불리며, Bunyavirus + arenavirus를 통칭합니다.

Reoviridae는 좀 독특한 특징이 하나 있는데, RNA virus인 주제에... double stranded RNA를 갖고 있습니다. Rotavirus가 여기에 속합니다.

앞서 언급했듯이 Togaviridae에는 Chikungunya 바이러스가 속하는데, 정식 분류체계는 Togaviridae-Alphavirus-chikungunya virus입니다.

한때 여기에 속했던 Rubella는 Matonaviridae-Rubivirus-rubellae로 분류됩니다. 바이러스 분류 학자 선생님들이 너무나 열심히 일하셔서 후학들이 애를 먹습니다.

### 내친 김에 조금 더 살펴볼까요?

신종 혹은 외국산 감염 질환에 해당하는 바이러스입니다.

먼저 떠오르는 건 MERS-CoV와 SARS.

일단 MERS-CoV. 어디서 왔다? → 사우디 아라비아

사우디는 누가 통치하는 나라인가? → 왕

왕은 무엇을 쓰는가? → 왕관

왕관은 영어로 뭐다? → Crown → corona

그래서, coronavirus입니다.

SARS & SARS-CoV-2 (COVID-19)는 MERS와 사촌지간이므로 자연스럽게 따라옵니다.

다음은 아프리카의 Ebola & Marburg.

Ebola는 마치 담배 Filter처럼 생겼습니다.

Filter로 연상되는 단어는 뭐다? → Filoviridae

하다 보니 꽤 많죠?

이 정도만 머리 속에 넣고 다닙시다.

### 3) 바이러스 구조 기본 지식

바이러스 종류들을 나열하고 보니 조금 정신이 없을 겁니다.

다시 정리하는 의미에서 기본적인 지식인 바이러스의 구조를 짚어보기로 하겠습니다.

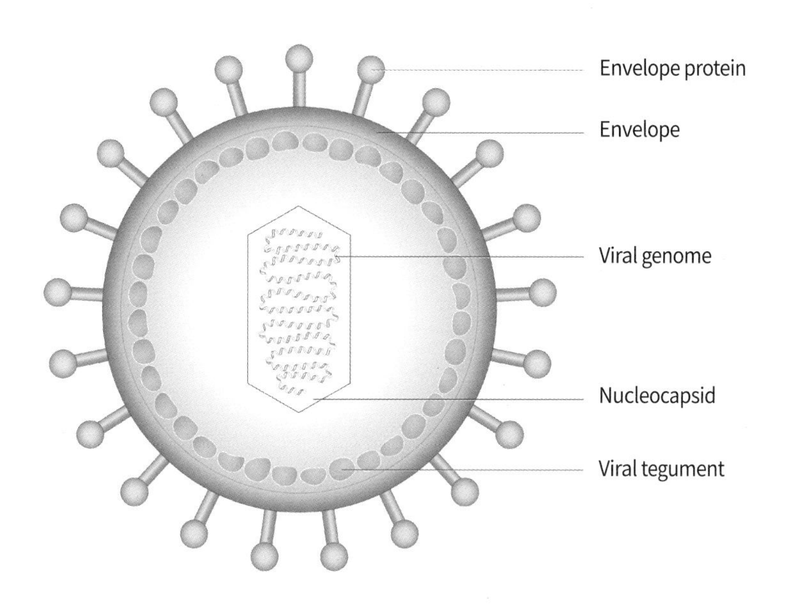

먼저 genome을 이루는 핵산(nucleic acid)이 기본입니다. 이것은 그대로 벌거벗고 있으면 금방 파괴됩니다. 그래서 자가 보호를 위해 단백질이 붙는데 그게 바로 nucleocapsid입니다. 이는 사람으로 비유하자면 일종의 속옷으로, 기본적으로 입어서 최소한의 품위는 갖추는 셈입니다.

하나하나의 단위가 capsomere. 여럿 모여서 capsid가 되는데, 그렇게 DNA 혹은 RNA를 감싸게 되면 나선 모양(helical symmetry)이나 icosahedral 모양(정이십면체로 축구공을 연상하면 된다) 혹은 spherical 모양이 됩니다.
Helical symmetry 구조는 오로지 RNA 바이러스에서만 볼 수 있습니다. 여기에 해당하는 것이 코로나와 독감(coronaviridae, ortho-, para-myxoviridae), 그리고 filoviridae입니다.
한편, DNA 바이러스는 pox virus만 제외하고 모두 icosahedral 구조입니다.

그리고 envelope을 주목합시다. 이는 인체 세포의 막과 본질적으로 동일한 구조입니다.
이게 있으면 최소 호흡기 감염은 일으키겠구나하고 추측하면 거의 틀림없어요. 없으면 대개는 소화기 질환을 일으킨다고 예상하면 됩니다.
대표적인 것이 picornaviridae(소아마비 바이러스), caliciviridae, 즉 노로바이러스, 그리고 Reoviridae, 즉 로타바이러스입니다. 나머지는 다 envelope이 있다고 보면 됩니다.

특히 RNA 바이러스의 경우 positive sense mRNA, 혹은 SS(+) vs. negative sense mRNA, 혹은 SS(-) 바이러스의 처신을 구분해서 파악해야 합니다.
이게 증식과정에서 미묘한 차이가 나거든요.
SS(+)는 translation & replication이 순차적으로 일어납니다.
SS(-)는 동시에 일어난다고 보시면 됩니다.
SS(+)에 해당하는 것은 coronaviridae, flaviviridae picornaviridae, togaviri-

dae, 그리고 Norwalk과 rubella 바이러스 등입니다.

SS(+)란 한 마디로 mRNA 자체를 뜻합니다.
그래서 인체의 세포 내로 진입하자마자 곧장 ribosome으로 가서 그 곳 시설을 자기 것인 양 무단 점거 및 사용합니다. 그래서 곧장 translation까지 가서 polyprotein을 만듭니다. 여기서 protease가 중요한 역할을 하며, 우리가 항 바이러스 제제를 쓸 때 중요한 표적이 됩니다. 이 protease가 polyprotein을 적절히 잘라서 자잘한 proteins로 만드는데, 각 proteins는 여러 쓰임새를 가지게 됩니다. 그 중 하나가 RNA-dependent RNA polymerase (RdRp)입니다. 이렇게 RdRp가 확보된 순간부터(+)-sense mRNA는 증식을 시작하게 되고, 그 결과(-)-sense RNA가 생성됩니다. 이 SS(-) RNA가 바로 틀이 되어 비로소 수많은 SS(+) RNA로 증식이 진행됩니다.

SS(-)에 해당되는 것은 독감 둘과 막대기 둘이라고 외우면 됩니다.
즉, orthomyxo- & paramyxoviridae, filo- & rhabdoviridae.
이 바이러스 RNA는 한 마디로 mRNA를 거울로 비춘 모양인 셈입니다. 그러므로 그 자체로는 혼자서 아무것도 할 수 없습니다. 그래서 항상 RdRp를 휴대하고 다니며, 인체 세포에 침투할 때 당연히 RdRp도 같이 쥐고 들어옵니다. 즉, transcription에 있어서 남의 시설을 무단으로 사용하는 것이 아니라, 최소한의 양심은 있어 가지고 자체 조달한 RdRp를 사용하여 SS(+) mRNA를 생성합니다. 이렇게 mRNA가 만들어지면 그때부터는 각종 바이러스 구조 성분 만들기와 바이러스 RNA 자체 증식을 동시에 펼칩니다.

여기서 잠깐!

자체 조달 RdRp를 갖고 있지만, 처음 시작할 때 기본적인 RNA 쪼가리가 시작 물질용 바람잡이로서 필요합니다. 어디서 조달할까요?

정답은 host mRNA로부터 일부를 슬쩍 끊어다가 훔쳐오는 것입니다.
이를 cap snatching이라 합니다.
그래야 ribosome에게 인지되어 translation이 시작될 수 있습니다.
이런 짓을 하는 대표적인 바이러스가 바로 influenza, 즉 독감 바이러스입니다. 최근 개발된 치료제인 baloxavir (XoFluza)는 바로 이 시작 기전을 막습니다.
또 하나 주목할 것은 바이러스 RNA가 분절화되어 있는지(segmented) 여부입니다.
즉, RNA 가닥 내에서도 실제로 transcription되는 부위와 그냥 조용히 지나가는 죽은 부위가 혼재하느냐는 것.
예를 들자면 influenza는 transcription 가능한 부위가 여덟 조각으로 분절화되어 있습니다.
반면에 coronavirus는 마치 몸빼 바지처럼 분절화되어 있지 않은 통짜입니다(nonsegmented).
Segmented RNA라면 아닌 경우보다 돌연변이가 더 다양하게 나타날 수 있습니다.
비유하자면 화투패가 여러 장이라, 이를 다양하게 섞듯이 RNA 조각들도 다양한 조합을 무궁무진으로 낼 수 있습니다. 반면에 몸빼 바지는 섞는 것이 원천적으로 불가능합니다. 그냥 nucleotide 자체의 mutation에 의지해야 하지요.

코로나 19 팬데믹 시대에 변이종이 큰 위협이긴 합니다. 하지만 델타니 오미크론이니 하며 우리를 위협해도 사실 influenza에 비하면 돌연변이가 잦다고 할 수는 없습니다. 그나마 불행 중 다행인 셈입니다.

다음은 진균에 대해 훑어보기로 하겠습니다.

바이러스에 대해 더 알고 싶으시면 칼 짐머의 'A planet of Viruses'를 권합니다.
국내에선 '바이러스 행성'으로 번역되어 출간되었습니다.
이재열 저 '바이러스, 삶과 죽음 사이'도 바이러스 전반에 대해 잘 정리되어 있는데, 유감스럽게도 현재 절판 상태입니다.

## 3. 진균을 알자

진균은 그 자체가 Fungi Kingdom이라는 거대한 왕국입니다.
흔히 볼 수 있는 시퍼런 곰팡이들부터 임상에서 악전고투하게 되는 상대인 진균 질환까지 다 포괄하는 세력입니다. 우리는 이 세력들 중에서 질병을 일으키는 놈들을 파악해야 합니다.
진균 감염은 해부학인 기준으로 보면 피부점막 감염과 심부 진균증이 있습니다.
피부점막 감염은 소위 말하는 무좀이지요.
잘 치료되지 않아서 골치 아픈 무좀 사례가 많지만 목숨을 위협하는 경우는 희박합니다. 그리고 이 질환은 피부과 선생님들의 영역이라 제가 더 다룰 생각은 없어요.
반면에, 심부 진균증은 면역저하 환자에서 호발하기 때문에 치명적이며, 제가 다루려는 범주는 여기에 국한할 것입니다.
오랜 장마 뒤에 벽지에 피어난 곰팡이까지는 제가 신경 쓸 여력이 없거든요.

면역저하 환자에서 합병되는 심부 진균증은 기회 감염입니다.
기회 감염은 나중에 별도의 단원으로 다루겠지만, 개요를 말하자면 평소엔 무해할 수도 있었던 놈이 숙주의 면역 반응이 바닥을 치는 '기회'를 틈타서 배신과 반란을 일으키는 상황을 일컫습니다.

*Aspergillus*를 예로 들면, 지금 이 시각에도 우리 주위 공기에 최소 몇 마리는 둥둥 떠다니고 있을 겁니다. 그러나 그렇다고 해서 우리에게 무슨 해코지를 하지는 못합니다. 우리의 기본적인 면역 방어 체계가 원천적으로 봉쇄하니까요. 하지만 바로 그 기본 수비진이 붕괴된다면? 아마 제지도 받지 않고 우리 몸 속으로 침입할 것입니다.
이에 대처하여 가동하게 되는 일차 방어선은 대식세포 및 식세포로, 이들은 진균의 포자(spores)나 hyphae를 저지 및 파괴합니다. 그럼에도 불구하고 이를 극복하고 나온 놈들은 호중구가 제2차 방어선으로서 담당하여 파괴합니다. 이 두 단계의 방어선이 붕괴된 면역 저하 상태라 제대로 작용을 못하게 되면 감염이 이루어지게 되는 것입니다.

Aspergillus가 외부로부터 침입하는 놈인 반면, Candida는 내부의 반란 세력입니다. 보통 위장관 점막 같은 정상적인 서식 부위에서 조용히 살다가, 숙주의 면역이 바닥을 치는 '기회'를 틈타 반란을 일으킵니다.
*Candida*의 경우에는 식균작용에 의한 방어기전 이외에 T 세포에 의한 방어기전도 작용하게 되며 주로 점막표면에서 *Candida*를 제거하게 되어 있습니다. 따라서 T 세포에 의한 방어기전에 결핍이 생기면 주로 장점막에 *Candida*의 정착이 이루어지며 translocation 등에 의해 혈류로 흘러 들어가게 되고 침습성 칸디다증으로 발전하게 됩니다.

최근 항암 치료나 장기 및 조혈모 세포 이식이 활발해지면서 면역 저하자들이 증가함에 따라 기회 감염도 따라서 많아지고 있으며, 이들 중에 진균 감염의 비중도 커지고 있습니다. 그래서 세균이나 바이러스 못지 않게 진균 감염에도 우리는 집중해야 합니다.

진균도 크게 둘로 나눠서 봅니다.
Yeast와 mold (mould).

Yeast는 동그란 떡 모양입니다. budding하면서 번식합니다.
*Candida*와 *Cryptococcus*가 대표적입니다.

반면에 mold는 빼빼로 과자 같은 나뭇가지 모양입니다.
이걸 hyphae라고 하는데, 가지를 치면서 번식. 이들이 잔뜩 모이면 mycelium이라 부르고, 뭉친 모양은 영락없는 공 모양입니다. 그래서 이를 fungus ball(혹은 mycetoma)이라고도 부릅니다.

여기에 해당하는 놈들이 *Aspergillus*와 *Mucor*입니다.
이 둘은 현미경으로 보면 유사한 외양이지만 구별점이 있습니다(치료제 선택에 있어서 미묘하게 갈리는 경우가 있기 때문에 감별을 하긴 해야 합니다). 예리한 45도 각도로 분지를 하면서 hyphae에 격벽이 보이면(septate hyphae) *Aspergillus*, 가지를 치는 각도가 보다 둔각이고 non-septating hyphae를 보이면 Mucor로 간주합니다.

임상적인 면에 대해서는 이식이나 에이즈 등의 면역저하 환자를 다루는 단원들에서 보다 자세하게 공부하도록 하겠습니다.

사실 진균들은 반드시 yeast파와 mold파로 확실하게 나뉘는 것은 아닙니다.
인체 밖에 있을 때는 감염에 유리한 mold 형태로 있다가 인체 내로 들어와 정착하면 yeast 형태로 변신하는 놈들도 꽤 많습니다. *Candida*가 이런 처신을 보이고, 그 밖에 *Histoplasma*, *Blastomyces*, *Coccidioides* 등도 대표적인 예입니다. 다행히도 *Candida*를 제외한 이들 진균들은 우리나라에 서식하지는 않기 때문에 적어도 제게는 관심 밖입니다. 그래서 이들은 더 이상 다루지 않을 겁니다. 수많은 지식들 중에 그나마 이거라도 덜어내니 좋기만 합니다.

*Pneumocystis jirovecii*는 yeast, mold와는 별도로 언급해야겠습니다.
한때 기생충으로 오인받았을 만큼 하는 짓이 곰팡이라기보다는 낭종형, 영양형 등으로 변신하면서 다니는 꼴이 영락없는 원충(protozoa)의 생활사 그 자체였거든요. 제가 전공의하던 시절까지만 해도 기생충 질환이었습니다. 하지만, 여러 가지 근거들로 인해 뒤늦게 곰팡이 가문으로 편입됩니다. 이는 특히 에이즈 환자에서 비중이 큰 합병증의 주범이므로 진균 단원에서 자세히 다루기로 하겠습니다.

마지막으로 기생충에 대하여 개요를 익혀보도록 합시다.

곰팡이에 대해 흥미가 생기신 분들께 권하는 책들
멀린 셸드레이크 '작은 것들이 만든 거대한 세계(원제: Tangled)'
신현동 '곰팡이가 없으면 지구도 없다'입니다.
둘 다 심부 진균과는 별 관계는 없는, 즉 의학과는 관련이 없는 나머지 곰팡이 이야기들을 다룹니다만, 나름 곰팡이에 더 흥미가 있으시면 일독을 권합니다. 특히 신현동 교수의 책은 생활 밀착형 곰팡이들, 다시 말해 우리 주변에서 볼 수 있는 친숙한 바로 그 시퍼런 곰팡이들을 다루고 있어서 강력 추천합니다.

## 4. 기생충과 친해보자

의과대학 예과 2년을 무사히 마치고 본과로 진입하면 해부, 생리, 생화학, 병리학, 약리학, 미생물학 등 소위 기초 의학을 약 1년 반 동안 배우고 나서야 임상 과목으로 진입합니다. 공부의 난이도로 보면 기초의학보다 양이 많아서 그렇지, 차라리 임상 과목이 상대적으로 낫습니다. 기초 의학은 전반적으로 많이 버거웠죠. 그래도 기초 과목들 중에 그나마 부담이 덜하던 과목이 기생충학이었습니다. 아마 어딘지 모르게 실생활적이고 친근감이 들었던 탓입니다. 사실 1960년대에 어린 시절을 보낸 저의 세대에 한정해서일지도 모르겠습니다. 우리 세대에서는 회충을 비롯한 기생충을 한두 가지 정도는 걸리는 게 흔했습니다. 저만 해도 요충(제가 아기일 때 걸렸었다고 해서 제 개인적으로는 기억이 없습니다)과 촌충에 걸렸었거든요. 학창 시절 응원 구호만 해도 "회충, 요충, 십이지장충, 갈고리 촌충, 민촌충! XX 빅토리야!"가 아직도 귀에 울릴 정도로 기생충은 우리 세대 정서에서도 기생을 하고 있습니다. 요즘 아이들에게는 회충, 요충만 해도 저 멀리 아득한 옛 이야기이겠죠.
각설하고, 기생충에 대한 개요를 짚어보기로 합시다.

기생충도 역시 둘로 나눠서 봅니다.
Helminth(연충), 그리고 Protozoa(원충)

**1) 먼저 Helminth**
그리스어로 벌레(worm)라는 단어에서 유래했습니다.
다세포 생물입니다. 쉽게 말해서 미생물 범주인 주제에 육안으로 충분히 보입니다.
흙 등으로 오염된 음식을 먹고 감염되는 경우가 흔합니다.
따라서 주로 소화기계 장기에서 놉니다. 그것도 몇 년씩.
예외적으로 Schistosomes는 피부를 뚫고 혈관 내로 침투합니다만, 다행히 우리나라엔 없어요.
소화기에서 놀다가 알을 잔뜩 낳지요. 그게 대변을 통해서 밖으로 나갔다가 또 다른 숙주에게 섭취되면서 그들의 삶은 계속됩니다.
여기에 해당하는 놈들이 Nematodes, Cestodes, Trematodes입니다.

### (1) Nematodes

Nem는 그리스어로 thread(실, 섬유)를 뜻합니다. -odes는 영어로 -oid, 즉, 실 모양을 닮은 벌레라는 뜻입니다. 그래서 선충류(線蟲類)로 번역됩니다.
여기에 속하는 것으로는 회충(*Ascaris lumbricoides*)으로 대표되는 장 회충(Intestinal roundworms)이 있습니다. 그 밖에 *Trichuris trichiura* (whip-worm, 편충), *Ancylostoma duodenale*(십이지장충), *Necator Americanus* (hookworm, 구충), *Strongyloides stercorales* (threadworm, 분선충), *Enterobius vermicularis* (pinworm, 요충)이 이 집단에 속합니다. 우리가 60년대에 흔히 접하던 기생충의 대부분이 이놈들입니다.

그리고 조직 내에 기생하는 Tissue roundworms가 있습니다. 이는 유충에 오염된 음식을 섭취했다가 걸리며, 장 내에서 성숙하고 교접을 거쳐 알을 낳으면 이를 깨고 나온 유충들이 전신, 특히 근육으로 파고들게 됩니다. 이에 해당하는 것으로 *Trichinella spiralis*(선모충)가 있습니다. 피하 조직을 파고 드는 tissue filariasis를 일으키는 사상충으로 *Mansonella streptocera*, *Onchocera volvulus*, 주로 눈을 침범하는 *Loa loa*가 있습니다만 국내에서 볼 수 있는 것이 아니라 다행입니다. 림프 조직을 침범하는 사상충으로 *Wuchereria bancrofti*(반크로프트 사상충), *Brugia malayi* (lymphatic filariasis), *Brugia timor*가 있는데, 이 중 *B. malayi*는 한때 국내(제주도, 흑산도)에서도 발병하였습니다만, 2008년 이후로 더 이상의 발생이 없습니다.

### (2) Cestodes

이름의 유래는 라틴어 cestus에서 왔는데, 이는 girdle 혹은 belt를 뜻합니다. 성충의 외모를 보면 진짜 테이프를 늘어 놓은 것 같아서 Tapeworm이라 부릅니다. 과거에는 분절들로 이루어졌다는 의미로 마디 촌(寸)자를 써서 촌충이라 불리기도 했지만, 사실 마디보다는 긴 띠 모양이 더 정확한 표현이므로 1995년에 대한기생충학/열대의학회에서 끈 조(條)자를 써서 조충으로 명칭을 공식 교정하였습니다.
장에서 사는 놈이 Intestinal Cestodes인데 여기에 속하는 놈으로 민촌충 혹은 무구조충(*Taenia saginatta*, beef tapeworm), 갈고리촌충 혹은 유구조충(*T. solium*, pork tapeworm), 아시아조충(*T. asiatica*) 그리고 광절열두조충(*Diphyllobothrium latum*, fish tapeworm)이 있습니다. 이놈들은 기나긴 덩치가 주는 위압감과는 달리 의외로 장 안에서 얌전히 살아갑니다. 문제는 이 놈들이 낳아대는 알에 있습니다. 더 정확히 말하자면, 그 알을 깨고 나온 유충이 문제아입니다.
Larval tapeworms에 해당하는 것이 특히 유구조충의 유충인데, 이 놈이 인체를 돌아다니면서 여기저기 틀어 박히면 말썽이 일어납니다. 보통 근육에 가서 틀어박혀 일생을 마치지만, 뇌로 들어가면 진짜 큰일납니다. 이를 통틀어 cysticercosis라 합니다. 유명한 의학 드라마 닥터 하우스 시즌1의 첫 화가 바로 cysticercosis를 다뤘습니다. 거기서 cysticercosis 환자는 간질 발작을 일으켜서 입원하게 되지요.

사실 저도 그런 위험을 한 끗 차이로 모면했습니다.
60-70년대 국민학교(초등학교) 시절에는 정기적으로 채변 봉투에 똥을 담아 제출해서 기생충 감염 여부를 점검받곤 했습니다. 며칠 후 그 채변 봉투엔 각자의 이름과 무슨 기생충에 걸렸는지 표시되고, 구충제가 동봉되어 돌아옵니다. 그러면 담임 선생님은 그 채변 봉투로 출석을 부르지요. "1번, 회충! 봉투 받아가." "2번 요충!"하는 식으로요. 물론 교실은 호명 때마다 웃음바다.
보통은 회충, 요충, 십이지장충 중에 하나가 걸리는데(급우들 대다수가 걸려 있습니다), 어찌된 셈인지 저만 "촌충!"하고 부르는 겁니다.
급우들은 "와, 역시 반장은 다르네?"하며 감탄(?)을 합니다.
저는 괜히 의기양양해서 자랑스럽게 봉투를 받고 제자리에 앉아 내용물을 봅니다. 다른 급우들과는 전혀 다른 알약들이 들어 있더군요.

아마 다른 애들은 albendazole인 반면 저는 praziquantel이었을 겁니다.
어딘지 모르게 선택받은 듯한 뿌듯함이라니, 참!
그날 저녁을 먹고 그 약을 복용 후 몇 시간쯤 지나서 배가 굉장히 아파옵니다.
그래서 허겁지겁 화장실로 달려가 용변을 보았고(당시엔 푸세식이었습니다), 일어나서 내용물을 보니 허연 대가리에 몸체는 분홍색을 띤 긴 뱀 모양의 기생충 한 마리가 축 늘어져 있었습니다.
직감적으로 '이제 다 나았구나'하는 안도감이 들었습니다.
그러나, 나중에 의대 들어와서 기생충학을 배우며 식은 땀이 흘렀습니다.
알고 보니 저는 운이 좋았던 겁니다.
아마도 내 몸에 들어온 놈이 무사히 성충까지 되어 제 장 속에 얌전히 있었기에 망정이지, 자칫 유충들이 자유롭게 제 몸을 헤집었다면?
생각만 해도 소름이 끼칩니다.
촌충 알을 먹었느냐 유충을 먹었느냐에 따라 달라지는 운명인 셈이라, 천우신조라고 할 수밖에 없습니다.

### (3) Trematodes (flukes)

Trematodes는 flukes라고도 부르는데, 영어로 flattened라는 뜻이고, 비슷한 외모로 넙치나 도다리 같은 flounders를 뜻하기도 합니다.
Trema는 그리스어인데, 영어로 aperture, 즉 장으로 통해있는 조그만 구멍을 뜻합니다. 이걸 흡반이라 부릅니다. 즉, 납작한 외모에다 숙주의 피를 빨아대는 구조를 갖고 있음을 나타내는 용어입니다.

폐나 간 조직에 기생하는 Tissue flukes와 혈관을 돌아다니는 blood flukes로 나뉩니다.
Tissue flukes에 해당하는 놈으로 *Paragonimus*(폐흡충, 폐디스토마)가 있고, Clonorchis(간흡충, 간디스토마), 그리고 *Fasciola hepatica*(간질)이 있습니다. 우리에겐 Fluke보다는 디스토마라는 명칭이 더 친숙한데, 이는 distoma,

즉 입이 두 개라는 뜻입니다. 입과 배에 하나씩, 총 2개의 흡반을 갖고 있기 때문에 붙은 명칭이었지만, 사실 복흡반은 입이 아니고 단순한 흡반이고 실제 입은 구흡반 하나이기 때문에 이것도 잘못된 명칭이었습니다. 그래서 학회 차원에서 1995년에 "흡충(吸蟲)"으로 공식 정정됩니다.
Blood flukes에 해당하는 게 *Schistosoma*인데, 우리나라엔 없지만 꽤 흥미로운 기생충입니다. 자세한 얘기는 나중에 열대 감염질환 단원에서 다루겠습니다.

**2) 그리고 Protozoa**
이놈들은 unicellular, 즉, 단세포 생물입니다. 따라서 육안으로 보일 리가 없고, 떼거지로 다닙니다.

여기서 잠깐!

Helminth에 걸리면 eosinophilia를 보이지만, Protozoa에서는 아닙니다. 그 이유를 짚고 넘어갑시다.
왜냐하면 helminth의 경우는 세포 면역이 Th2로 작용하기 때문에 eosinophilia가 우세하게 됩니다. 그러나 protozoa는 Th1이 주로 작동합니다.
솔직히 protozoa는 같은 기생충이라 해도 helminth와는 전혀 다른 놈으로 간주하는 것이 속 편할 겁니다.

끄덕

대표적인 protozoa가 바로 말라리아의 원인인 *Plasmodium*입니다. 이는 워낙 역사적으로나 세계적으로나 매우 중요한 위치를 차지하는 놈이기 때문에 나중에 따로 한 단원을 할애해서 다루기로 하겠습니다.

나머지 원충들도 말라리아와 유사한 생활사를 보입니다.
말라리아와 가장 유사한 임상 양상을 보이는 protozoa 감염증이 Babesiosis

인데, 우리나라에도 보고가 있긴 했지만 그냥 외국 사례로 보시면 됩니다. 오염된 물이나 음식 섭취로 걸릴 수 있는 것으로 *Giardia*, *Cryptosporidium*, 그리고 *Cyclospora*가 있습니다. 특히 후자 둘은 에이즈 덕택에 대두되는 기생충이기도 합니다. 국내에서도 제법 나오는 놈이니 주목은 하실 필요가 있습니다. *Toxoplasma* 역시 에이즈 덕택에 유명해진 놈이며, 나중에 에이즈 단원에서 비중 있게 다루겠습니다.

그 밖에 *Trichomonas*, *Entamoeba histolytica*, *Trypanosoma*가 있습니다. 특히 *Trypanosoma*는 초창기 항생제 개발의 동기를 부여해 주기도 했습니다. 그리하여 나온 것이 Salvarsan 606입니다. 엉뚱하게 매독에 쓰이지만 말이죠. 주로 일으키는 질환이 Chaga's disease, African sleeping sickness 등이 있습니다. 그리고 국내에는 없지만 유명한 놈으로 *Leishmania*가 있습니다. 이는 기생충학뿐 아니라 세포면역 연구에 있어서 인기있는 대상이기도 합니다. 이들 역시 열대 감염질환 단원에서 다루겠습니다.

기생충에 대해 좀 더 알고 싶으시면
서민 교수의 '기생충 열전'과
정준호 저 '기생충, 우리들의 오래된 동반자'를 권합니다.
같은 분이 번역한 로버트 데소비츠의 '말라리아의 씨앗'이 있는데, 안타깝게도 절판되었습니다.
제 개인적으로는 칼 짐머의 '기생충 제국'을 가장 좋아합니다.
칼 짐머가 벌써 세 번이나 소개되었는데, 사실 제가 선호한 탓도 있습니다.
뉴욕 타임즈 과학 담당기자인데, 지나 콜라타, 나탈리 앤지어와 더불어 과학/의학계의 스타급 기자이며, 제가 정말로 좋아합니다.
특히 2020년부터 시작된 코로나 19 팬데믹에 맞추어 뉴욕 타임즈 홈페이지에 코로나 바이러스와 백신 등의 고급 정보들을 빼곡히 채운 'virus tracker'나 'vaccine tracker' 등의 웹사이트들을 개설하여 전세계 방역에 큰 도움을 주기도 했습니다.

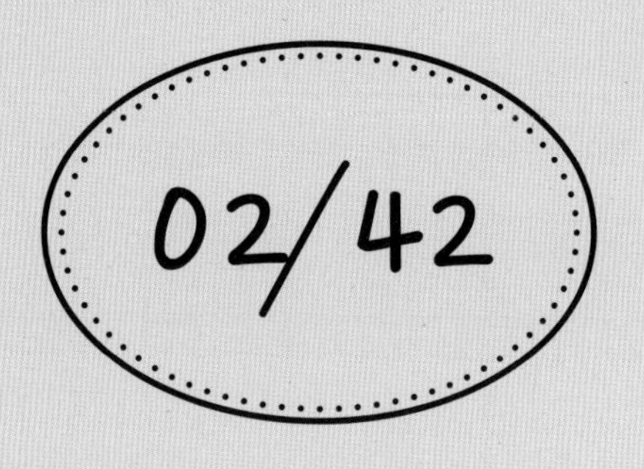


제2강

# 나를 알자

# 나를 알자

## 1. 염증

나와 미생물이 어우러지면 무슨 일이 생길까요?

뭔가 우리 몸에 원래 있어서는 안 되는 것이 우리 몸에 들어오면 우리는 반응을 하며, 그 결과로 조성되는 것이 염증입니다.

### 1) 염증이란 무엇일까요?

한자로 풀이하자면 '炎'症으로 불(火)이 다른 불을 무등 태우고 있지요.
같은 불이라도 최소한 곱빼기는 되니, 매우 큰 불이라 할 수 있습니다.
영어로도 inflammation의 어원은 라틴어 inflammatio에서 기원했는데, 이 역시 큰 불을 의미하는 셈이죠.
이렇게 동양이나 서양이나 염증은 몸에 큰 불처럼 뜨거운 것이 생긴 것으로 표현합니다.
염증은 다음과 같은 단계를 밟습니다.

'뜨겁고, 시뻘겋고, 붓고, 그러다 보면 결국 아프다.'
그래서 기원전 로마의 Celsus는 염증을 Calor(열 나고) → Rubor(시뻘겋다가) → Tumor(붓고) → Dolar(돌라 아프다; 욕 아닙니다. 기억 잘 되라고 한 겁니다.) 라고 기술하였으며, 이것이 염증의 고전적인 정의입니다. 이는 눈에 보이는 그대로 기술한 것이지만 오늘날에도 간편하게 사용할 수 있는 훌륭한 관찰의 산물이라고 할 수 있습니다. 하지만 염증은 육안으로 보이는 것이 모든 게 아니며, 그 이면은 훨씬 복잡하게 돌아가는 사건들의 총합입니다.
오늘날 염증의 정의는 6하원칙에 의거하여 꼼꼼하게 내립니다.

*누가
혈관들이 분포하고 있는 조직이 일으킵니다.
('혈관'이 필수 조건임을 절대 잊지 말아야 합니다. 도로 시설이 안 되어 있으면 아무런 공급도 안 되고 아무 일도 안 일어나듯이, 혈관이라는 전제 조건이 없으면 아예 염증 자체가 시작될 수도 없지요.)
*언제
이 조직들에게 무언가가 해를 끼칠 때. 예를 들어 감염이 되었거나 조직이 손상된 경우들
*무엇을
우리 몸을 지켜주는 방위군들, 예컨대 백혈구나 항체, 보체 등에게 구원 요청을 해서
*어디서
그들이 주둔하고 있던 혈관 내 혈액 속에서 문제가 생긴 조직으로 끄집어 내어 동원해 와서
*어떻게, 왜?
해를 끼친 원인들을 제거하여 다시 이전 정상적이던 때로 돌아가고자 합니다.

**2) 병리 기전 - 혈관이 배후다.**



이 모든 사단의 배후이자 중심은 사실은 겉으로는 방관자처럼 보이는 혈관입니다.

염증에서 해를 가져오는 존재들인 백혈구, 항체, 보체 등은 원래는 혈관 안에서 혈액을 타고 잘 살고 있었습니다. 평화 시에 혈관을 떠나지 않는 이유는 조직에 와서 실력을 발휘하면 정상 조직조차 상하니까 그렇거든요. 물론 이들 중 일부, 예건대 대식세포(macrophage)나 수지상 세포(dendritic cell) 등은 조직에 잔류해서 척후병 역할을 하며, 해로운 것들이 포착되면 이를 체포해서 백혈구나 항체 등에 넘기는 임무를 수행하고 있긴 합니다. 그러나 거의 모두는 혈관 내에 격리되어 일종의 대기 상황에 있습니다.

한편, 같은 단어이지만 이 경우의 '격리'는 'isolation'이 아니고 'sequestration'이라는 단어를 써야 합니다.

Sequestration 혹은 sequester는 의학 이외의 분야에서는 격리나 추방, 압류 등의 부정적인 의미로 쓰이지만, 염증일 경우는 정상 조직과 격리되어 있으되 혈관 내에서 할 짓 다 하며 지내다가 위기 상황이 되면 혈관을 벗어나 달려간다는, 다시 말해서 언제라도 활동 무대를 이동할 수 있다는 의미를 가지고 있습니다. 반면에, Isolation 또는 isolate라는 단어를 쓰면 혈관을 영원히 못 벗어난다는 뉘앙스를 풍깁니다.

이런 세포들에 더하여 보체(complement), cytokine 등이 마구 작동하고 혈액 응고 과정(coagulation cascade)과 동시에 섬유소를 녹이는(fibrinolysis) 기전도 공존하면서 염증 부위는 갈수록 난장판이 되어 갑니다.

원천적으로 염증이란 우리 몸에 해를 입히겠다는 의도로 시작된 것이 아니며, 실제로는 우리 몸을 지키고 살아남겠다는 정당 방위를 하다가 본의 아니게 우리 몸에 해를 끼친 것이죠. 즉, 처음엔 선의로 시작했다가 가해로 끝나는, 참으로 역설적인 상황인 셈입니다. 선의가 꼭 좋은 결과를 가져오지는 않는 대표적인 사례라 할 수 있습니다.

Calor → Rubor → Tumor → Dolar라는 고전 개념은 훗날 Functio laesa(탈 나서 기능 상실)이라는 것까지 추가되어 5대 특징으로 완성됩니다. 이 다섯 번째 요소는 Galen이 먼저 추가하기도 했지만, 19세기에 등장한 병리학의 아버지이자 거물인 Rudolf Virchow가 확립한 개념이기도 합니다.

**3) 염증의 끝은 무엇일까요?**

우리 다 같이 파멸하자는 것으로 오해하기 쉬운데, 사실은 이러한 대소동을 극복하고 손상된 조직을 재건하려는 데에 최종 목표를 두고 있습니다.

그런데, 실제로는 그 좋았던 옛날로 감쪽같이 되돌아가는 경우는 거의 없고 무언가 후유증을 남기게 됩니다. 전쟁으로 비유하자면, 시가전으로 변한 전투로 적을 섬멸하더라도 그 와중에 인가가 파괴되고 무고한 백성들 중에서도 사상자들이 생기는 등의 피해가 발생합니다. 게다가 한 번 피 맛을 본 아군들이 적과 자기 편을 구분 안 하기 시작한다면?

그 결과는 치유되기는커녕 고름이 잔뜩 자리잡는 농양(abscess) 같은 최악의 상황이 되거나, 그나마 수습이 되어서 섬유화로 덮여버리는 흉터가 됩니다. 사실 농양 못지 않게 좋지 않은 결말은 만성 염증으로 이탈해버리는 상황입니다. 만성 염증이란 마치 휴전 상태의 두 나라처럼 끊임없는 소규모의 국지전이 지속되는 겁니다. 호중구가 주도하던 급성 염증과는 달리 대식세포나 림프구가 주도권을 쥐는 양상인데, 그 결과 거대 세포(giant cell)나 육아종(granuloma)으로 병변이 유지됩니다. 참으로 찜찜한 결말이지요.

요약하자면 염증이란 혈관이 공급되는 인체 조직에서 방어를 위해, 혈관 안에 있는 군사 조직을 끌어와서 초래된 모든 나쁜 결과를 말합니다.

**4) 염증의 지표들**

우리가 임상에서 염증의 지표로 삼는 진단 검사 항목들이 몇몇 있습니다.
먼저, erythrocyte sedimentation rate (ESR; 적혈구 침강속도)입니다.
염증으로 인하여 혈액 응고과정이 진행되면 섬유소원(fibrinogen)이 잔뜩 생깁니다. 이 섬유소원들이 적혈구에 잔뜩 내려와 쌓입니다. 그러면 적혈구가 무거워집니다. 추락하는 것은 날개가 있지만 그보다는 무거워서 추락합니다. 무거우면 무거울수록 더 빨리 추락할 것입니다. 따라서, 염증이 심하면 심할수록 적혈구는 더 빨리 추락할 것입니다. ESR은 바로 이것을 측정하는 것입니다. 하지만, 임상 선생님들은 감염 등에 의한 염증 여부를 보는 지표로는 이보다는 CRP를 더 선호들 하십니다.

CRP는 C-reactive protein의 약자입니다. 염증 상황에서 미쳐 날뛰는 대식세포와 T-cell이 interleukin-6를 내면 간에서 이를 받아 만들어내는 단백질로, 소위 말하는 acute phase reactant protein의 대표적인 물질입니다. 세포가 죽었거나 죽어가는 경우 세포막 구성 성분도 손상을 입고 파괴되기 시작합니다. 그 성분들 중에 phospholipid에 해당하는 phosphatidylcholine은 이를 분해하는 phospholipase A2에 의해 붕괴가 되는데, 구성분 중에서 fatty acid 가 떨어져 나가면서 lysophosphatidylcholine (LPC)가 됩니다. 바로 이걸 CRP가 인지해서 달라붙습니다. 그 결과 complement cascade가 시작되어 선천 면역(innate immunity)을 선동함으로써 더욱 난리가 나게 되는 것입니다. 다시 정리하자면, 염증과 파괴가 있는 곳에 CRP가 있는 것입니다.

CRP의 C는 C-polysaccharide를 뜻합니다. 이는 특히 그람 양성균의 세포 구조인 peptidoglycan과 teichoic acid를 합쳐서 부르는 capsular polysaccharide를 줄인 말입니다. 특히 폐렴알균의 C-polysaccharide에 잘 반응해서 그런 이름이 붙었습니다.

CRP는 염증의 지표이지만, 임상가들은 이를 감염과 쉽게 연관시키는 경향이 높습니다. 사실은 CRP가 높다고 해서 감염이라고 단정하면 안되지요. CRP가 높은 것은 '염증이 있구나'라는 의미이지, '감염이 생겼습니다'라는 뜻은 아닙니다. 물론 확률적으로는 감염의 가능성이 낮지 않습니다만.
특히 외과계 선생님들이 우리 감염내과에 환자 의뢰를 할 때 흔한 사유가 바로 '아무 이유 없이' CRP가 높으니 감염 아니냐는 것입니다. 사실 우리 감염전문의들은 CRP에 그리 크게 반응하지는 않습니다. 그것 때문에 외과 선생님들과 의견 차이가 발생합니다. 우리 입장은 이렇죠: 수술이라는 것은 어쨌든 불가피하게 인체 조직에 손상을 주는 행위입니다. 따라서 죽거나 죽어가는 세포들이 수두룩하기에 CRP가 올라가는 것은 당연합니다. 이는 의외로 오래 가기도 하구요. 예를 들어 고관절 수술하고 나면 평균 3주, 무릎 수술하고 나면 2개월 정도 갈 수 있습니다. 그렇다고 해서 감염이라고 간주하는 건 좀 성급하고, 일단 기본적으로는 '아, 염증이 있구나'라고 해석하면서 감염이 원인인지 여부는 배양과 임상적 양상으로 판단하는 게 정석입니다.
어떤 분들은 highly sensitive CRP (hs-CRP)를 감염의 지표로 삼으시는 분들이 있는데, 죄송하지만 그것은 우리 감염과는 아무 상관이 없습니다. 오로지 심근 경색증이나 뇌졸중 같은 질환에서만 유의미합니다.

그래도 CRP보다는 좀 더 감염에 가까운 지표가 procalcitonin입니다.
이는 이름 그대로 칼슘 대사에 관여하는 calcitonin의 전구체입니다.
Procalcitonin은 정상적으로는 갑상선의 parafollicular cell과 폐와 장의 neuroendocrine cell에서 분비되며 매우 극미량만 나옵니다. 그런데 염증 상황이 되면, 특히 세균 감염의 상황이면 IL-6 및 TNF-alpha와 함께 지방 세포를 자극하여 비정상적으로 많이 분비가 되게끔 합니다. 바이러스의 경우는 인터페론의 방해로 상쇄되어 procalcitonin의 증가는 기대할 수 없습니다.
이렇게 분비된 procalcitonin은 정상적으로 분비된 procalcitonin과는 근본이 다르기 때문에 calcitonin까지 변환이 되지 못하고 혈액 내에서 계속 버티고 지냅니다. 그래서 procalcitonin은 세균 감염 여부를 판단하는 데에 좋은 참고가 됩니다.

그러나, 항상 강조하지만 완벽한 검사 지표란 없습니다. Procalcitonin이 높게 나왔다고 해서 덮어놓고 세균 감염으로 성급히 판단하는 우를 범하면 안되겠습니다. 그나마 신뢰성이 가장 높은 건 호흡기 계통 감염이 의심되는 경우라 할 수 있습니다. 그냥 호흡기 염증일지, 호흡기 감염일지 모호한 경우에는 꽤 유용한 지표가 될 것입니다.

더 읽을 거리

염증에 대해 좀 더 공부하고 싶으면 정통적으로는 Robbins 병리학 교과서가 가장 좋고, 저의 졸저 '열, 패혈증, 염증'도 나쁘지 않습니다.

## 2. 나 vs. 미생물

자, 우리 몸은 어떻게 알아서 발끈하는지 감을 잡았으니, 이제부터 싸움 상대인 미생물의 독성(virulence)에 대해 이야기 좀 해 봅시다.

### 1) Virulence

Virulence의 어원은 라틴어 virulentus에서 비롯되었습니다.
이는 독(毒)이라는 의미를 담고 있습니다.
따라서 virulence가 우리 말로 독성(毒性)이나 병독성(病毒性)으로 번역되는 것은 당연하지만, 문제는 이 용어에 독(毒)이라는 글자가 들어가기 때문에 뭔가 대단히 파괴적인 물질들이 인체를 헤집는다고 생각하기 쉽습니다.

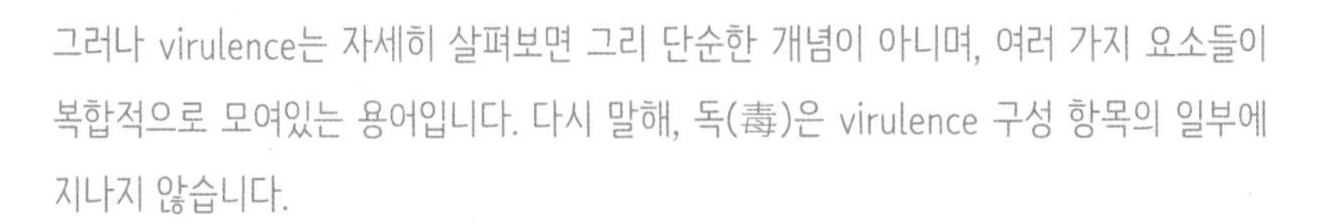

그러나 virulence는 자세히 살펴보면 그리 단순한 개념이 아니며, 여러 가지 요소들이 복합적으로 모여있는 용어입니다. 다시 말해, 독(毒)은 virulence 구성 항목의 일부에 지나지 않습니다.

Virulence는 다음과 같이 미생물이 인체와 인연을 맺는 과정들이 모인 구성입니다.

Adhesion(달라 붙기),
Evasion(단속을 피하기),
Colonization(서식하며 버티기),
Infection(서식하다가 '성장'을 하고 슬슬 더 움직일 채비를 갖추기)
Invasion(침략),
Damage/disease(파괴, 그리고 질병 발생 - 인체로부터 영양분을 약탈하고 교란 및 파괴하기. 이 단계에서는 인체의 염증 반응이 가세해서 상황이 악화됩니다).

미생물이 인체로 처음 들어오는 흔한 경로는 각종 점막입니다. 입으로 섭취하여 구강 점막과 식도를 거치거나, 이를 들이 마셔서 호흡기 점막으로 입장하거나 혹은 성 접촉으로 성기 점막을 통해 들어옵니다. 그리고 피부가 손상되는 모든 경우에 들어올 수 있습니다. 칼에 베이거나, 곤충에게 혹은 바늘로 찔리거나, 화상을 입거나 하면서 말이죠. 물론 드물지만 schistosomiasis 처럼 예외적으로 손상되지 않은 피부를 통해 들어올 수도 있습니다만 우리나라에선 해당 사항이 아니죠.
일단 입장하셨으면 충분한 기간 동안 혹독한 환경을 견디어 냅니다. 그게 바로 adhesion과 존버입니다.

Adhesion은 달라붙는 능력이며, 모든 병독성의 시작이자 필수 불가결한 요소입니다.
제 아무리 파괴력이 강력한들 일단 상대방에게 달라붙지 못하면 아무것도 시작되지 않습니다.

그래서 병독성을 논할 때 가장 먼저 다룸과 동시에 가장 중요한 것이 바로 이 adhesion 능력이며, 파괴력보다는 사실상 이 능력을 병독성의 주 요소로 간주합니다.

가만히 주저앉아 있는 게 아니고 달라 붙어서 버티는 이유는, 그러지 않으면 인체는 어떻게 해서든 이 불청객을 쫓아내기 때문입니다. 사실 달라 붙고 버티는 건 미생물 혼자만의 능력으로는 안 됩니다. 인체 내부에서 본의 아니게 동조해줘야 합니다. 그게 바로 host receptor입니다. 즉, 미생물이 발현하는 adhesin과 궁합이 딱 맞는 host의 receptor입니다. 대표적인 예로 코로나 19 바이러스의 spike protein에 맞춰주는 ACE2 (angiotensin converting enzyme 2)가 있지요. 뭔가 확 와 닿죠?

열심히 오랫동안 버티는 능력은 이러한 끈끈한 결속력이 중요하지만, 이에 못지않게 또 중요한 것은 인체의 일차적인 방어 기제를 교묘히 피하는 능력도 필요합니다. 이를 Evasion이라 합니다.
Evasion의 사전적인 뜻은 '회피'인데, 좀 더 자세히 설명하자면, 마땅히 받아야 할 검증을 부정한 수단으로 피한다는 의미입니다. 예를 들어 탈세 행위는 tax avoidane가 아니고 tax evasion이라 해야 맞습니다.
미생물과 인체와의 관계로 보자면 evasion은 아무리 인체의 면역 체제가 순찰을 돌고 단속을 하더라도 각종 위장 전술과 무력화 전략으로 어떻게 해서든 회피를 하는 것입니다.
단속을 피하고 나면 어딘가에 정착해서 수를 불리고 최대한 오랜 시간을 불법 체류하면서 지내되 아직 말썽을 일으키지는 않습니다. 이것이 colonization(무리를 짓고 살기, 서식)입니다. 그러다가 어느 정도 세력을 키우고 충분한 힘을 확보하면 드디어 행동에 나섭니다. 이때까지 살던 서식지를 벗어나 더 넓은 세상으로 나아가는 것이지요. 이를 invasion(침략)이라 합니다.

2강

Invasion(침략)이란 절대로 들어가서는 안 되는 곳에 무단으로 들어가는 행위입니다. 예를 들어 혈관에는 세균이 들어가 있으면 안됩니다. 혈액에 세균이 있다면 그게 바로 침략입니다.
침략이 시작되면서 질병도 본격적으로 시작이 됩니다. 왜냐하면 이 시점부터 그 동안 숨겨온 본색을 드러내며 약탈과 파괴를 시작하기 때문입니다.
특히 세균의 경우는 약탈이 중요합니다. 도대체 우리에게서 무엇을 약탈하는 것일까요?

바로 철분입니다.
철분이 있어야 세균 세포 자체가 대사를 하며 생존할 수 있는 것입니다.
문제는 인체 세포 또한 미토콘드리아에서 철분을 연료로 하여 생존 행위를 한다는 점입니다.
따라서 양자간에 경쟁이 불가피합니다.
그래서 철분 쟁탈전은 세균이 질환을 일으키는 병리기전에서 중요한 핵심입니다. 전 세계에서 벌어지는 전쟁이 결국은 석유로 대변되는 에너지 쟁탈전이듯이 세균이 인체에 들어와서 치르는 전쟁은 결국 철분 쟁탈전이라 할 수 있겠습니다.
비극의 출발은 철분이 자연에서는 3가 ferric이라 녹지 않는다는 데에 있습니다.
녹으려면 2가 ferrous로 변환돼야 하며 이를 운반하는 것이 transferrin이고, ferritin으로 인체 내에 보관됩니다. 세균은 바로 이걸 뺏어야 합니다. 그래서 사용하는 매개체가 siderophore이며, 세균은 이를 무기로 사용하여 인간의 transferrin이나 ferritin과 경쟁하면서 철분을 앗아가는 것입니다. 철분을 빼앗기면 세균은 행복해지겠지만, 그때부터 인간은 죽을 맛이 됩니다. 심한 패혈증 때 체내 ferritin이 바닥을 치는 이유가 바로 이것입니다. 나중에 다룰 highly variable *Klebsiella pneumoniae*나 *Pseudomonas aeruginosa*(녹농균)가 지독한 질환을 초래하는 이유의 기저에 철분 쟁탈전이 있습니다. 녹농균하면 연상되는 초록색의 고름은 pyoverdin에 의한 것인데, 바로 이 pyoverdin의 정체가 siderophore인 것입니다.

다음으로 파괴를 짚어봅시다.
파괴는 문자 그대로 뭔가를 부수는 행위입니다.
이 또한 인체 내 구조물, 예컨대 단백질 등의 결합 구조를 끊어 버리는 화학물질들(주로 효소)이 주도합니다.
세균들 중에 파괴에 관한 한 최고 수준을 보이는 3대 마왕은 *Streptococcus pyogenes*, *Staphylococcus aureus*, *Pseudomonas aeruginosa*입니다. 이는 나중에 각론에서 다시 자세히 다루겠습니다.

파괴에 관련되는 물질은 여러 가지가 있지만 크게 봐서는 화학적인 물질, 즉 toxin(독소)가 전반적으로 지배합니다. Toxin은 endotoxin(내독소)와 exotoxin(외독소)로 나뉩니다.
Endotoxin은 내(內)독소이지만 사실은 외란(外亂)을 유도합니다.
예를 들어 lipopolysaccharide (LPS)는 인체의 CD14에 결합하고 면역 세포를 도발해서 TLR(특히 TLR4)의 유도 하에 cytokine storm이라는 대형 사고를 초래합니다.
Exotoxin은 외(外)독소이지만 사실은 내란(內亂)을 유도합니다.
전반적으로 인체 세포의 생화학적인 경로를 막거나 교란함으로써 세포 내의 질서를 어지럽힙니다.
콜레라 독소가 대표적인 예입니다. 이 독소는 ADP ribosylation이라는 과정을 통하여 장에서의 정상적인 점막 단백질을 무력화시켜 인체 세포의 각종 물질 교환 통로를 교란함으로써 대량 설사를 유발합니다. *E. coli*나 그의 사촌인 *Shigella*, 장티푸스균, 포도알균 등이 내는 enterotoxin도 유사한 기전으로 설사를 초래합니다.

Staphylococcal enterotoxin이나 toxic shock syndrome toxin-1 (TSST-1), *Streptococcus pyogenes*의 exotoxin 같은 경우는 더 큰일날 짓을 저지르는데, 소위 superantigen으로 작용하여 비정상적으로 어마어마한 규모의 과도한 면역 반응을 초래하여 shock에 빠지게 만듭니다. 이 또한 각론에서 다시 자세히 다루겠습니다.



**2) 우리는 어떻게 대항하는가?**

여기에 대처하여 인체는 어떻게 반응하는지는 이 단원의 서두에 있는 염증에서 이미 설명하였습니다. 조금 더 설명을 해 보겠습니다.

우리 인체는 낯선 불청객들에 대처하는 데 있어서 우선 인상착의가 고약한지 여부부터 따지면서 일을 시작합니다. 이 고약한 인상착의는 병원체가 아니면 가질 수 없는, 그렇게 생겨 먹은 '패턴'입니다. 이 '패턴'을 병원체가 가진 분자 구조 패턴(pathogen-associated molecular patterns, PAMPs)이라 합니다.

이렇게 하여 다음과 같은 상황이 차례 차례 진행됩니다.

병원체가 들어오면 평소에 우리 몸을 순찰하던 자경단인 대식세포나 수지상 세포들이 이 고약한 범죄형 인상을 한 놈들을 인지합니다.

체포를 하기 위해 사용하는 수갑이 바로 Toll-like receptor (TLR)나 nucleotide-binding oligomerization domain (NOD)-like receptor (NLR)입니다. 이들을 통틀어 pattern recognition receptor (PRR)라 합니다.

이를 매개로 하여 자경단 내부에서 inflammasome이 잔뜩 집결하여 이 놈을 처리할 cytokine(예를 들어 tumor necrosis factor-alpha나 interleukin-1, IL-6)을 뿜어 냅니다. 또한 염증을 유발하는 매개체로서 예를 들어 histamine이나 arachidonic acid 대사물들, kinins, complement activation의 산물 등이 같이 어우러지게 됩니다.

그 결과 혈관이 확장되어 혈압이 떨어지고 심하면 전신 장기의 부전이 동반됩니다.

한편, 외부의 침략으로 세포가 깨지면서 그동안 숨어 있던 반역 분자들이 정체를 드러냅니다. 이들의 인상 착의 또한 매우 고약해서, 이를 손상과 연관된 분자 구조 패턴(damage-associated molecular patterns, DAMPs)이라고 합니다. 이 DAMP도 PAMP와 동일하게 NLR 등에게 인지되어 PAMP와 다를 바 없는 과정으로 체포되고, 대동소이한 과정을 거쳐서 염증으로 갑니다.

결국 감염으로 인하여 초래되는 '질병'이라는 상태는 미생물 병원체가 침략하고 파괴하는 것뿐 아니라 우리 인체 또한 '과도'하게 반응을 함으로써 완성이 되는 일종의 쌍방과실인 셈입니다.

요약하자면, 염증을 조성하는 각종 cytokine들이 분비되면서 complement cascade, coagulation pathway, kinin system 활성화 등이 동시다발로 서로 꼬리에 꼬리를 물고 얽히면서 대혼돈의 상황이 초래됩니다. 이는 침략한 미생물을 제거하겠다는 순수한 동기로 시작된 것이지만, 이에 따른 collateral damage도 상당합니다. 따라서 인체가 얼마나 반응하느냐에 따라 감염 질환이 위중하게 되는 정도가 결정됩니다. 만약 도가 지나치게 반응해서 '다 같이 죽자'는 수준까지 간다면? 그게 바로 중증 패혈증입니다. 한마디로, 패혈증이란 참으로 역설적인 결과물입니다. 이는 향후 패혈증 단원에서 다시금 다루도록 하겠습니다.

그리고 cytokine, PAMP, DAMP, PRR 등이 어우러지는 기전은 앞으로 이어지는 단원들에서도 잊을만하면 수시로 반복하여 튀어나올 것이니, 여기서 확실히 개념을 정립해 놓으시기 바랍니다.

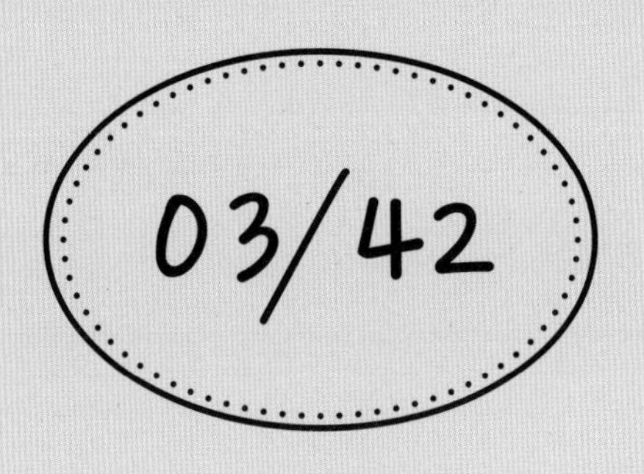


제3강

# 열이 난다네

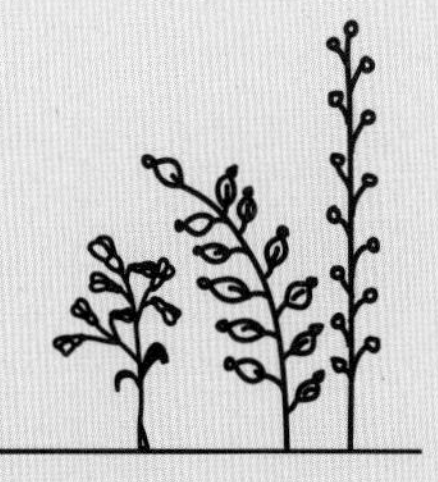

# 열이 난다네

## 그대가 열이 나는 이유

### 1. 열의 정의

발열(fever)이란 무엇인지 정의부터 내려 봅시다.
발열이란, 정상 체온보다 더 높게 측정되는 체온입니다.
그럼 그렇게 뜨끈하면 다 발열이냐, 하면 다 그런 게 아닙니다.
여기에는 또 한 가지 필수 조건이 있어야만 합니다.

반드시 '열을 올리게 하는 물질'이 매개를 하여야 합니다.
이 물질을 통틀어 발열 물질, 혹은 발열원(pyrogen)이라 부릅니다.

만약 pyrogen이 개입되지 않은 채로 체온이 비정상적으로 높다면 발열이 아니고 고체온(hyperthermia)입니다. 그리고 pyrogen과 무관하므로 시상하부 체온 조절 중추(hypothalamic thermoregulatory center)도 무관합니다.

고체온의 대표적인 예가 일사병 혹은 열사병(heat stroke)입니다. 이는 더위 등에 의해 체온이 올라갈 때 정상적으로 작동되어야 할 체온 낮추기 기전이 제대로 작동 못한 결과입니다. 쉽게 말해 몸에 열은 치솟는데, 땀을 제대로 흘리지 못해 그대로 과열되는 것이지요.
고체온은 pyrogen과 무관한 현상이므로 우리가 흔히 사용하는 해열제가 듣기 어렵습니다. 왜냐하면 해열제는 바로 pyrogen을 겨냥한 약이기 때문입니다. 그래서 온갖 물리적인 방법으로 어떻게 해서든 몸을 식혀야 하며, 그것이 고체온을 치료하는 원칙입니다.

다시 열로 돌아옵시다.

정의를 이렇게 내렸으니 꼭 챙겨야 하는 게 있습니다.
그렇다면 정상 체온은 얼마나 되어야 할까요?
교과서적인 기준으로는 입 속에 체온계를 물리고 측정했을 때 이른 아침에는 화씨 99도(섭씨 37.2도) 이상이고 낮이나 밤에는 화씨 100도(섭씨 37.8도) 이상인 경우를 발열로 정합니다.

굳이 입 속에서 측정했다는 전제를 달았다는 데 주목합시다.
이 단서에서 추측할 수 있듯이 체온은 신체 부위에 따라 미묘하게 다름을 알 수 있습니다.
사실 체온은 우리 몸의 중심부로 갈수록 높아지므로(생존에 중요한 장기에 우선권이 있으니까) 되도록 몸의 중심부에서 재야 합니다.

그래서 가장 정확한 측정 부위는 다름아닌 똥꼬입니다. 점잖은 말로 직장(rectum)이라 하지요.
하지만 체온을 잰다고 루틴으로 직장에 체온계를 꽂아 넣을 수는 없기 때문에 간편한 방안으로 택한 것이 구강 체온 측정인 것입니다.
그래서 체온을 정확하게 파악하고 싶다면 직장 체온을 기준 삼아 다른 측정 부위에서의 측정치를 비교해서 마음 속으로 보정합니다.
직장과 구강은 섭씨 약 0.4도가 차이 납니다. 직장과 겨드랑이는 0.8도로 조금 더 차이 납니다.

다행히도 요즘 많이들 사용하는 고막 체온 측정기는 직장 못지 않게 신체 중심부 온도를 잘 반영합니다. 이는 나중에 언급할 체온 조절 중추인 시상하부를 철썩철썩 때리는 혈류를 가장 가까운 데서 반영하기 때문입니다.
그래서 고막 체온으로 다시 발열의 정의를 내리면 섭씨 37.6-38.2도 이상으로 잡으면 되겠습니다.
단, 실전에서 발열 여부는 이렇게 너무 숫자에 구애받지는 말고, 해당 임상의가 임상적으로 잘 판단해야 할 것입니다.

## 2. 그럼 열이 왜 날까?

자, 그럼 열이 왜 나는지 한 번 공부해 봅시다.
사실 넓은 의미에서 우리 몸은 정상적인 상태에서도 지금 이 시각 끊임 없이 열을 만들어내고 있습니다.
왜냐하면 우리는 살아있기 때문입니다. 그래서 세포 하나하나가 항상 일을 하고 있습니다.
이를 일컬어 기초 대사량(basal metabolic rate, BMR)이라 합니다.

그리고 우리는 살겠다고 매일 무언가를 먹습니다. 그렇게 배 속에 들어온 음식들이 흡수되면서 glycolysis, Krebs cycle, oxidative phosphorylation의 일련 과정을 거쳐서 ATP가 대량 만들어져서 에너지로 저장됩니다.
그런데, 세상에 공짜는 없어서 섭취한 음식의 1/3은 세금으로 쓰여져 ATP가 되지 못합니다. 저장이 안 되었다는 것은 소비되었다는 것이며 이는 당연히 '열'이라는 형태로 소비된 것입니다. 그래서 음식을 먹고 나면 대사를 치르는 대가로 열이 발생합니다.

그리고 정상적으로 열을 발생시키는 경우가 또 하나 있습니다.
바로 추위입니다.

우리 몸은 추위에 노출되면 빨리 체온을 올려서 수습하는 반응을 합니다.
일단 오들오들 몸을 떱니다(shivering).
Shivering이란 체온이 내려가면 근육 구성 단위인 근방추(muscle spindle)가 일제히 봉기하여 파르르 떠는 반사적인 현상입니다. 각각의 단위들이 쭉쭉 스트레칭하기를 반복하는데, 그 과정에서 격하게 마찰을 하여 에너지를 소모함으로써 열이 발생하는 것입니다. 이는 기초 대사로 발생하는 열에 비하여 대략 다섯 배 정도 더 많은 열을 짧은 시간에 발생시킵니다.

한편, 소름도 돋지요? 이는 힘들게 만들어 놓은 열이 체표면으로 흩어져버리지 않도록 하기 위해 털들을 곤두세워 한 올이라도 악랄하게 잡아 놓는 몸부림입니다.
사실 열 발생에 있어서 이 '마찰'이 바로 핵심인데 shivering뿐 아니라 혈액에서도 작용합니다.
발열 과정으로서 교감 신경 작용이 작동한 결과로 혈관이 수축됩니다. 열 손실을 최소화하기 위해서죠.

그렇게 되면 상대적으로 혈관 내부는 좁아지고, 그곳을 통과하는 혈액이 그만큼 좁은 데서 만원 버스 안의 승객들처럼 부대끼게 됩니다. 게다가 혈액은 굉장히 빠르게 지나가며, 빠른 와중에도 적혈구, 백혈구 등의 세포 성분들 때문에 끈적거리면서 웨하스 과자 한 올 한 올처럼 납작한 판들이 제각각 다른 속도를 가지고 흐릅니다. 이를 층류(laminar flow)라고 하지요.

이 층들 하나하나가 더 좁아진 혈관 속에서 만원 버스 승객들처럼 서로 부대끼며 흐른다면?
층들끼리 서로 마찰을 해 댈 뿐 아니라, 혈관 벽도 엄청 빠른 속도로 마찰을 해 가면서 씽씽 지나갑니다.
따라서 열이 발생할 수밖에 없습니다.

추가로, 교감 신경 활동이 올라가 잔뜩 분비된 norepinephrine이 미토콘드리아의 oxidative phosphorylation 고리를 끊음으로써 shivering 없이도 열이 발생합니다. 고리를 끊으면 원래 ATP 등으로 저장되었어야 할 과정이 막히므로 그 에너지는 산산이 흩어질 수밖에 없습니다. 그게 바로 열이라는 형태로 발산되는 것이죠. 이것을 non-shivering thermogenesis라 합니다.

이렇게 대사와 shivering, 그리고 내부의 마찰로 열을 내부적으로 만들어 내면서 체온을 유지하고 생명을 유지하는 것입니다.

그렇다면 열, 다시 말해 발열이란 왜 비정상적인 상황일까요?
밥을 먹었거나, 추위에 노출된 그런 정상적인 원인이 아닌, 있어서는 안 될 일이 우리 인체에 가해진 것이기 때문입니다. 그 가해자들이 바로 pyrogen입니다.

그 결과, 체온 조절 본부인 시상 하부가 항상 정상 체온 범위를 벗어나지 않도록 잘 유지해야 함에도 불구하고 이를 어기고 체온 기준점을 올리게 된 상황이 발열입니다. 이게 정상일 리가 없고 뭔가 안 좋은 질병 상황이 되어 어쩔 수 없는 외압에 의해 초래된 것입니다. 그래서 새로이 올린 기준점을 달성하기 위하여, 시상 하부는 체온을 올릴 수 있는 온갖 조치를 하도록 신체 구석 구석에 지시를 하달합니다. 그렇게 되면 실제로는 추위를 접한 것이 아님에도 불구하고 우리는 춥다고 착각을 하여 떨기 시작합니다. 이게 바로 오한입니다.

## 3. 미생물을 만나 생기는 발열

이런 모든 사단을 가져오는 pyrogen은 우선적으로는 외부에서 오지만(exogenous pyrogen) 내부에서도 호응하여 합작을 합니다(endogenous pyrogen).

일단 병원체 미생물이 인체로 들어옵니다.
자, virulence를 발휘할 시간입니다. 내가 병원체 미생물이라면 무엇부터 먼저 해야 할까요?
독소를 잔뜩 발사할까요? 아니죠.
앞 단원을 잘 공부하셨다면 금방 정답을 내놓으실 겁니다.

다름 아닌 '달라붙기' 신공부터 최우선으로 해야죠.
그렇게 하면 인체 면역 세포들이 달려와서 고약한 인상인 PAMP를 인지합니다. 이게 바로 exogenous pyrogen이며, 이를 인지하는 수단이 PRR이라고 앞선 단원에서 설명한 거 안 잊으셨죠? 그리하여 각 세포마다 내부에서 유전자 공장이 활발하게 돌아갑니다. 그 결과 cytokine (IL-1, IL-6, TNF-alpha, inter-

feron-gamma), adhesins, lipid mediators 등이 잔뜩 생성되는데, 이게 바로 endogenous pyrogen입니다. 이들이 온 몸에서 염증과 열을 초래합니다.



가장 전형적인 예로 lipopolysaccharide (LPS)의 경우 TLR-4와 결합하면서 간과 폐에서 cyclooxygenase-2 (COX-2)를 대량 생산하게끔 합니다. 그 결과 progstaglandin E2 (PGE2)가 대량 생성됩니다. 이는 혈류로 나가 중추 신경계로 들어가며, 체온 조절 중추인 시상하부에 도달합니다. 거기서 특히 pre-optic nucleus 에 작용합니다. Preoptic nucleus에는 prostaglandin receptor가 있어서 PGE2를 받아주며, 그로 인하여 체온 조절 상한선 스위치를 한 단계 위로 찰칵 올리게 됩니다. 그러면 교감신경계가 항진되어 발열이 시작됩니다. 한편, 폐나 간뿐 아니라 중추신경계에서도 PGE2를 생산합니다. 주로 혈관내피세포에서 분비하며, 같은 물질이므로 그 작용 기전은 폐나 간에서 온 PGE2와 동일합니다.

## 불명열(Fever of Unknown Origin, FUO)

### 1. 불명열의 정의

발열 원인을 규명하는 것은 상당히 피곤한 일입니다.
열 나는 환자에게 어떻게 접근해야 하는지는 불명열의 원인 규명을 기반 삼아 익혀보기로 합시다.
Fever of unknown origin (FUO, 우리는 장난 삼아 UFO라고 부르기도 합니다), 즉 불명열 혹은 수수께끼의 발열 질환은 지금도 의료진들의 골치를 아프게 하는 질환 집단입니다.

원인이 무엇인지 명확하지 않기에(불명) 감염 전공자 이외에는 이 용어를 좀 남용하는 감이 있습니다.
타과 선생님들께서 제게 원인 모르게 열나는 환자에 대해 '불명열'이라면서 조언을 구하지요. 대개는 적게는 하루, 많아야 4-5일 열이 나는 경우, 즉 하나같이 급성입니다. 강조하겠습니다만, 불명열은 급성 질환이 아니고 만성 혹은 아급성 질환입니다.

이 참에 불명열의 정의를 확실하게 익혀봅시다.

이 질환군이 체계적으로 정리된 것은 1961년 Petersdorf와 Beeson이 100명의 증례들을 정리해서 발표한 'Fever of unexplained origin: Report on 100 cases' 논문에서부터 시작됩니다.
이 논문이 발표되기 이전에도 불명열 사례들에 대한 보고들은 꽤 있었으나, 체계적으로 정리된 것은 이 논문이 처음입니다.
이 1961년 논문에서 두 저자는 두 가지 중요한 사항을 정리했습니다.
하나가 불명열의 정의입니다: 섭씨 38.3도(화씨 101도)의 체온이 3주 이상 지속되며, 2주일간 열심히 온갖 검사를 해도 원인을 알 수 없을 때.
나머지 하나가 불명열의 원인들을 감염에 의한 것과 아닌 것들(암, 자가면역 질환 등)로 분류를 하였습니다.
이렇게 함으로써 향후 불명열에 대해 체계적으로 선별하며 접근할 수 있는 길을 연 것입니다.
불명열의 정의(고전적 정의)는 이후에도 조금씩 다듬어집니다.

한동안은 다음과 같은 정의로 쓰였습니다.
1) 섭씨 38.3도(화씨 101도) 이상의 열
2) 이게 3주동안 해결이 안 된다.
3) 1주일동안 열심히 원인을 찾아도 성과가 없다.

혹은 외래에서 3번, 혹은 3일간 입원해서 원인을 찾아도 실패.
사실 이 정의는 그 범주가 매우 넓어서, 더 다듬을 필요가 있었습니다.
그래서 다음과 같이 나누게 됩니다.
Classic FUO, nosocomial (healthcare-associated) FUO, neutropenic (immunocompromised) FUO, HIV-related FUO 입니다.
이렇게 넷으로 나눔으로써 원인 규명에 들어갈 우리의 부담이 각각 1/4로 줄어듭니다.
하지만, 최근 이러한 정의는 다시 갈아 엎어지게 됩니다.

일단, 1주일간 열심히 찾는다는 항목을 제외하고, 면역저하 환자의 FUO도 완전히 빼 버렸습니다.
그 근거는 어차피 열나서 입원하는 것이므로 굳이 1주일로 규정을 할 필요가 없다는 것이고, 면역저하 환자는 완전히 다른 환자 집단으로 봐야 한다는 것입니다. 면역 저하환자에서의 발열 원인, 특히 감염은 양상이 전혀 다르고 매우 거대하므로 불명열과는 별도로 빼 놓자는 의도가 깔려 있습니다.

그렇게 해서 재정비한 정의는 다음과 같습니다.
- 섭씨 38.3도(화씨 101도) 이상의 열
- 이게 3주 동안 개선이 없다.

여기까지는 같고, 이제부터 다릅니다.
- 면역저하 환자가 아니어야 한다.
- 다음 검사들을 대대적으로 하고도 아무 단서가 안 나온다.
  : CBC, BC, UA, ESR/CRP, ferritin, Rheumatologic or immunologic markers, protein electrophoresis, 배양(혈액과 소변), chest PA, 복부 초음파, 그리고 tuberculin test.
솔직히 이 정의가 더 현실적으로 와 닿는 게 사실입니다.

그럼 넷으로 나눠서 보는 것은 구식 취급?

적어도 저는 아니라고 생각합니다.

실전에서 논리적 전개를 할 때 생각의 틀 면에서 저는 이게 더 좋아요.

큰 문제 덩어리를 4등분하여 그 중 하나만 집중 공략하는 겁니다. 업무 부담이 25%로 줄어드는데 왜 그걸 마다하겠어요?

그런 연유로 비록 구식이지만 저는 아직도 이 방식을 선호하며 현장에서 머리를 굴립니다.

### 1) Classic FUO

Classic FUO는 원래는 다음 다섯 가지로 나눠서 접근을 합니다:

감염, 암, 자가면역질환, 기타, 그리고 정말로 해결되지 못한 미스테리.

일단은 처음 3개를 염두에 두고 시작해야겠죠?

아무래도 감염이 차지하는 비중이 가장 많겠지만, 65세 이상의 노인층으로 갈수록 다른 원인들의 비중이 적지 않게 잠식해 들어옵니다. 특히 종양이 그러하죠. 따라서 어르신의 불명열일 때는 젊은이 대하듯이 하면 안 되며, 감염 못지 않게 악성 종양의 가능성을 배제해서는 안 됩니다. 주로 림프종이 많지만, 간이나 폐, 신장, 그리고 대장암도 꽤 됩니다. 자가 면역 질환 중에서는 역시 스틸씨 병이죠. 제 경험으로는, 이것 저것 온갖 수색을 다 해 보았는데 아무것도 건지지 못했을 때 남는 건 결국 결핵 아니면 스틸씨 병이더군요. 어르신들은 temporal arteritis나 polymyalgia rheumatica syndrome이 가끔 나옵니다만.

그리고 외국 여행력이 있는지 여부도 잊지 말아야 합니다. 나중에 별도의 단원에서도 다루겠지만, 말라리아나 뎅기열, 장티푸스 등을 비롯하여 우리에게 익숙하지 않은 외국의 풍토병에 걸렸을 가능성도 있기 때문입니다.

### 2) Nosocomial or healthcare-associated FUO

원내 감염 등의 문제로 생기는 불명열은 고전적인 것보다는 좀 미스테리 성격이 덜하다는 게 제 생각입니다. 아무래도 원내 입원 중인 환자니까 고전적 불명열 환자보다는 좀 더 사전 정보가 많을 것이고, 하다 못해 주사라도 하나 꽂았을 테니 가능한 요인을 적어도 하나는 갖고 있으니까요.

보통은 도뇨관이나 기관지 삽관, 주사, 투약, 그리고 수술이 원인일 가능성이 높습니다.

한 마디로 침습성 시술이나 약물로 범위가 좁혀질 수 있다는 것이지요.

그래서 이 영역의 원인으로는 수술 후의 합병증이나 drug fever, 수혈, 오랜 기간 누워있다 보니 생길 수 있는 각종 합병증(욕창이나 폐 색전증, septic thrombophlebitis 등), 그리고 *Clostridioides difficile colitis*가 대다수를 차지합니다. 폐렴이요? 그거야 눈에 확실하게 보이니 불명열일 수가 없지요. 그냥 진단과 치료에 들어가는 거니까.

### 3) Neutropenic or immunocompromised FUO

이것도 면역 저하라는 확실한 전제 조건이 있기 때문에 고전적 불명열보다는 조금이나 더 명확합니다. 다만, 면역 저하라는 특수성 때문에 고전적인 것보다는 원인 질환들의 양상이 달라도 매우 다릅니다.

일단 조혈모 세포 이식이나 신 이식, 항암 치료 등을 받고 인위적으로 조성된 호중구 저하증인 경우는 가장 기본적인 1차 면역(innate immunity)이 안 되는 것이라 이 방어선이 주로 막아주던 진균이나 화농성 세균 감염이 상식 이상으로 많이 발생합니다. 한 마디로 지금 막 태어난 신생아의 면역 상태와 동일하다고 봐도 무리가 없습니다.

호중구 저하 환자의 불명열은 2/3 정도는 감염, 나머지는 암 그 자체라고 보시면 되겠습니다. 물론 drug fever는 항상 일정 지분을 차지하고 있습니다.

호중구 저하라는 것은 염증 반응 자체도 불량함을 의미하기 때문에 정상 면역 상태였다면 보였을 임상 양상이 제대로 안 나타나곤 해서 우리를 곤란하게 합니다. 예를 들어, 누가 봐도 심한 폐렴일 것 같은데 막상 X-선 촬영을 해 보면 폐렴 소견이 노골적으로 나타나지 않는 일이 빈번합니다. 그래서 항상 감염을 염두에 두고 판단을 해야 합니다. 당연히 광범위 항생제는 기본으로 깔고 들어가야 하며, 이는 과도한 것이 아닙니다. 특히 진균 감염은 한시라도 배제해서는 안 됩니다. 이 분야도 별도의 단원에서 다루도록 하겠습니다.

#### 4) HIV-related FUO

같은 면역 저하라 하더라도 에이즈 환자의 경우는 그 결을 달리합니다. 이 경우는 체내 면역 체계가 오랜 세월에 걸쳐 서서히 파괴된 결과이기 때문에, 특히 림프구가 집중적으로 망가진 상태라서 1차 면역보다는 적응 면역(adaptive immunity) 쪽이 더 심각하게 손상됩니다. 그러므로 적응 면역이 주로 담당하는 감염 질환에 취약합니다. 그래서 잠복하고 있던 감염이 재활성화되는 경우가 잦습니다. 호중구 저하증 환자의 면역이 신생아와 같다면, 에이즈 환자의 면역 저하는 면역능이 늙어버린(immune senescence) 노인과 거의 같다고 보시면 됩니다. 감염 초기에 에이즈 환자의 불명열은 보통은 mononucleosis-like illness일 가능성이 높습니다. 아직 여러 기회 감염에 시달릴 때는 아니죠. 어느 정도 무르익고 나서야(사실 몇 년이 흐른 후입니다) 본격적인 문제들이 빈발합니다. 이때부터는 우리에게 익숙한 기회 감염 내지 기회 질환(림프종이나 백혈병)이 주요 원인을 차지합니다. 또 하나 우리를 당혹하게 하는 불명열이 있습니다. 분명히 에이즈 치료가 잘 되고 있는 와중에 위중하게 고열에 시달리는 경우입니다. 이는 immune reconstitution inflammatory syndrome (IRIS)일 가능성이 높습니다. 개요는 이 정도로 하고, 향후 별도의 에이즈 단원에서 더 자세하게 다루도록 하겠습니다.

## 2. 불명열의 진단

3강

확실히 제가 전공의하던 시절보다 불명열이 요즘은 많이 줄었어요.
진단 기법이 눈부시게 발달했기 때문이죠.
특히 복강 내 농양 같은 것은 거의 다 잡아내기 때문에 그것만 해도 상당히 많은 양을 불명열 질환 모임으로부터 덜어냈습니다. 그래도 미스테리는 계속됩니다.
어쨌든 영상으로 진단하는 방법을 최우선으로 해서 접근을 시작합니다.
불명열의 원인을 규명하는 것은 의사라면 누구나 갖고 있는 로망입니다. 마치 셜록 홈즈처럼 자기의 지식과 추리력, 그리고 진찰 능력으로 고난이도의 미스테리를 해결합니다.
이 얼마나 멋있습니까?

우선은 환자 혹은 환자 보호자로부터 병력을 하나하나 철저히 취재를 하면서 추리를 시작함과 동시에 머리끝부터 발끝까지 꼼꼼하게 진찰을 하면서 사소한 소견 하나도 놓치지 않고 다 따져 봅니다.

이러한 정성스러운 과정을 거쳐서 얻는 정보들을 통칭하여 '끝내 진단을 해낼 수 있는 잠재적인 단서(potential diagnostic clues, PDC)'라고 합니다.
하지만, 어렵사리 모아 놓은 PDC라 해도, 이를 수집하는 과정에서 의료인 개개인마다 가진 기량에 따라 정보의 질이 천차만별이 됩니다.
같은 심장음을 듣더라도 누구는 심잡음과 심지어는 심장 종양까지 잡아내는 수준의 절대 음감을 가진 반면, 누구는(그리고 대부분은) '아, 심장 소리 잘 들린다' 수준에서 벗어나지 못합니다.
누구는 환자의 목에서 림프절을 칙칙폭폭 여러 개 만져내는 반면, 누구는(역시 대부분은) 자기의 손가락 끝이 무디다는 사실만 몰래 재확인합니다.
그리고 우리 모두는 인간인 이상, 제 아무리 신의 경지에 이른 기량을 가졌다 하더라도 일정 비율로 실수를 하기 마련입니다.

다시 말해서, PDC는 완전하지 못합니다.
프랜시스 베이컨이 말했지만, 사실 우리의 지적인 능력과 감각은 우리 자신마저 기만하는 경우가 많습니다.
따라서 이를 너무 믿고 미스터리를 푸는 유일무이한 열쇠로 간주하는 것은 매우 위험한 생각입니다.

그러면 어떻게 해결해야 할까요?
도구를 사용해야 합니다.

발열 원인의 미스터리를 풀기 위한 과정에서 PDC가 도저히 잡히지 않으면(혹은 잡지 못하면) 도구를 사용하는 데 서슴지 말아야 합니다. 이것이 바로 표적 수사의 성격을 가진 각종 피검사와 더불어 CT나 동위원소 같은 촬영 기법들입니다.

PDC가 하나도 없는 상황에 처하면 복부 CT나 대장 내시경 등으로 직접 확인하는 것이 진단 과정의 주류였으나, 최근 들어 FDG-PET/CT (FluDeoxyGlucose Positron Emission Tomography)가 대두되면서 이러한 틀에도 변혁이 왔습니다. 이제는 PDC가 안 잡히면 FDG-PET/CT를 먼저하고, 거기서 안 잡히면 복부나 흉부 CT를 하는 것으로 순서가 달라졌습니다.



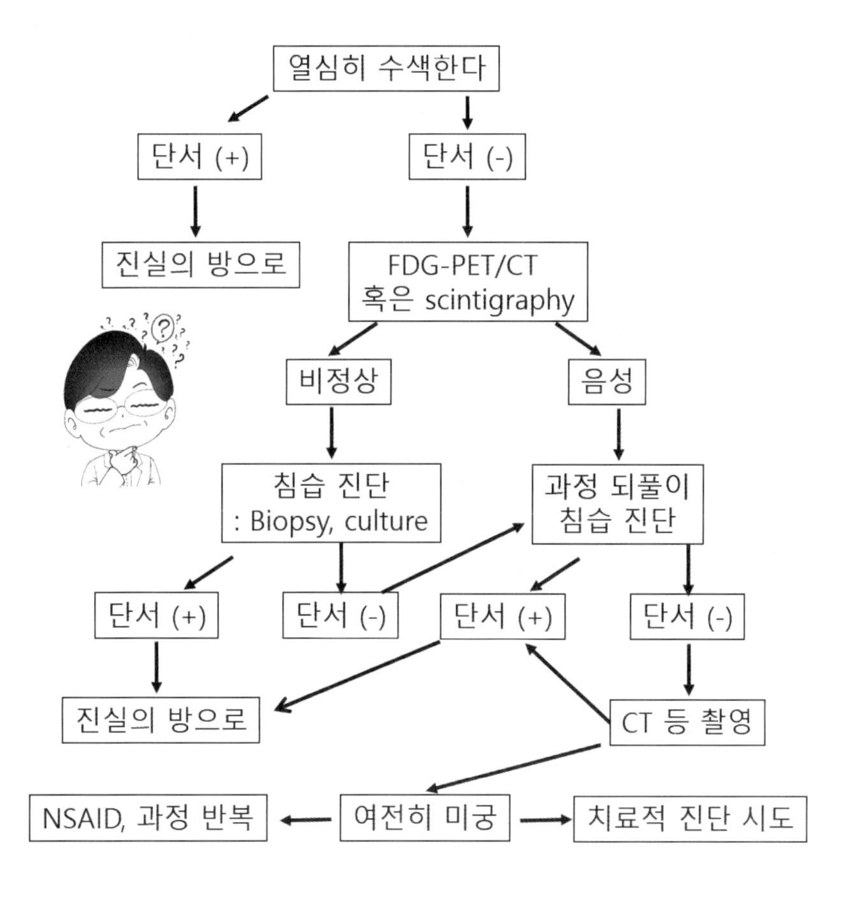


FluoroDeoxyGlucose는 좀더 정확히 묘사하자면 Glucose의 2번 탄소에 붙어있던 hydroxyl (-OH) 기가 하나 탈락되고 대신 Fluorine이 붙은 구조를 하고 있어서 정식 명칭은 2-deoxy-2-[$^{18}$F]-fluoro-D-glucose입니다.

본질적으로 당, 즉 glucose니까 몸 속에 주입하면 glucose의 운명을 그대로 밟아가게 되어 있는 물질입니다.

FDG는 당을 잔뜩 쓰는 세포, 예를 들어 염증이나, 뇌, 암 세포, 갈색 지방세포, 신장 등이 악착같이 잡는다는 점을 이용하고 있습니다. 여기에 CT까지 동행하여 FDG-PET/CT가 되어 imaging까지 거뜬히 해내는 겁니다.

이리하여 불명열에 있어서 열이 나는 지점을 잡아내는 데에 쓰입니다.

문제는 감염 병소, 염증 병소, 그리고 악성 암을 감별할 수가 없다는 것이 약점입니다.

또한 동맥 경화증이 있는 경우 거짓 양성이 나올 수 있고, 스테로이드 제제 등을 복용하면 거짓 음성이 나올 수 있습니다.

따라서 불명열 원인을 거르는데 유용하기는 하지만 해석에 주의를 요합니다.

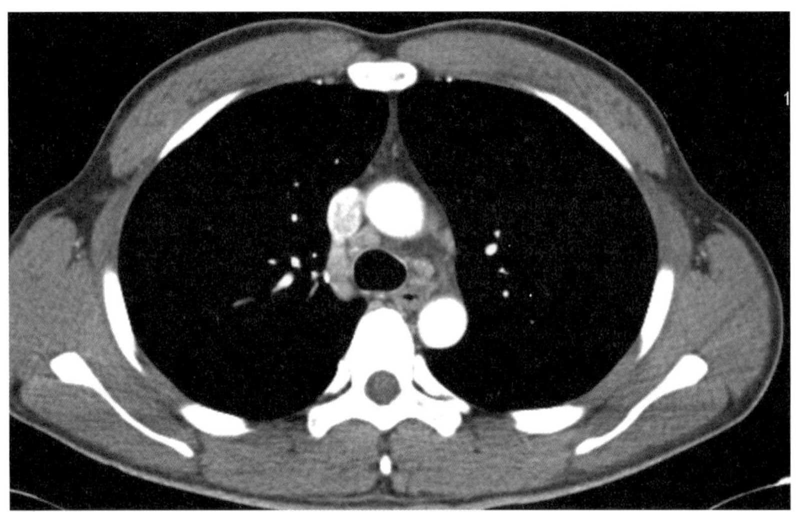

불명열로 온 청년인데 원인 찾느라 고생하다 흉부CT에서 종격동 림프절 종대가 발견되어 조직 검사를 했습니다. 결과는 결핵. 결국 결론은 결핵으로 나오는 일이 많더군요.

## 3. 진단 목적의 치료 시도



이상 기술한 바와 같은 온갖 수단을 다 동원했음에도 불구하고 끝내 원인 병소를 못 찾아내는 경우가 있습니다. 그때는 경험적으로 약을 주면서 반응이 있는지 여부를 가지고 판단하게 됩니다.
앞서 언급한 바 있지만 마지막에 남는 게 보통은 결핵이나 스틸씨병 같은 자가면역 질환입니다.
이때부터는 담당 임상의사의 판단에 좌우됩니다.
결핵 쪽으로 마음이 기울면 항결핵제를, 아니라면 소염제나 스테로이드를 시도하겠지요.

저는 감염 전공자라 스테로이드는 선뜻 손이 안 가고, 항결핵제를 우선 시도합니다.
다행히도 항결핵제 시도 후 해열이 되는 경험이 적지 않아요.
안 되면 그때부터는 류마티스 선생님께 도움을 청하게 되고 보통은 거기서 환자는 정착을 하게 됩니다.
그런데, 이래도 저래도 안 되는 분이 1-2년에 한 번씩은 나옵니다.
그런 분들은 잊을 만하면 열이 나곤 하는 일이 보통 6개월 이상 계속된 경우가 대부분이었습니다.
다행히도 이렇게 6개월 이상된 불명열은 거의 다 예후가 좋습니다.
아직은 제가 운이 좋아 그런 분들 중에 목숨이 위험한 단계까지 간 분은 없었습니다.
제 개인적인 생각으로는 우리나라에는 없지만 마치 familial Mediterranean fever 같은 일종의 자연 발화 같은 유형의 미지의 질환이 아닐까 하고 추정도 하고 있습니다. 어디까지나 개인적인 생각입니다. 아니면 제가 결국 원인 규명에 실패한 것이죠.

가끔 손을 바꿔보면 해결되는 경우도 있기 때문에 다른 병원에 계신 저보다 훌륭하신 감염내과 선생님께 보내드리기도 합니다(사실 아직 진단 못한 암, 예를 들어 림프종 같은 것이 아닐까 하는 미련이 남아 있긴 했습니다). 대개는 그 선생님도 헤매긴 마찬가지입니다만, 하하하.
그래도 이것이 환자분께 제 선에서 마지막으로 해드릴 수 있는 최선의 성의라고 생각합니다.

열에 대해 좀 더 흥미가 있으시다면

열의 본질에 대해 더 알고 싶으시다면 내과학 교과서보다는 좀 엉뚱하지만 곽영직 저 '열과 엔트로피는 처음이지?'라는 자그마한 책자를 권합니다. 열 역학에 대한 내용을 다루고 있는데 겁먹을 필요 없습니다. 최소 고등학생 눈 높이에 맞춰서 친절하게 설명하고 있습니다. 제 개인적으로는 정말 훌륭한 서적이라고 생각합니다. 열을 꼭 질병이라는 범주에서만 보지 않고 본질적으로 이해하는 계기가 될 것입니다.

## 중환자의 발열

3강

중환자실에 입원하는 환자들은 감염 질환에 이환되기 쉬운 소지를 누구나 적어도 한 가지씩은 가지고 있습니다. '중환'이라는 용어가 시사하듯이 문자 그대로 방어기전이 상당 수준 저하되어 있거나, 거기에 더해서 중심 정맥관이나 도뇨관, 기관지 삽입 내지는 인공 호흡기를 달고 있는 등, 병균 감염에 대처해야 할 일차적 방어벽이 무용지물화되어 있는 경우가 많기 때문입니다. 따라서 중환자실 환자의 발열 시 이러한 전제된 요인들을 감안해서 원인 규명에 접근하여야 할 것입니다.

그런데, 실제 상황에서 발열의 원인을 정확하게 짚어낸다는 것은 매우 어려운 작업입니다.

발열이 생긴 원인 병소가 명확히 파악되는 경우가 흔치 않으며 비 감염성 원인에 의한 발열도 상당 부분을 차지하기 때문이죠.

그러나 일반 병실의 환자들과는 달리 중환자실의 환자들에서의 발열은 생명을 위협할 수 있는 심각한 질환일 가능성이 높기 때문에, 될 수 있는 한 빨리 진단을 내려서 치료에 들어가야 합니다. 이를 위해서는 중환자실 환자의 발열 시 가능한 모든 원인들에 대해 전반적임과 동시에 세세하게 파악을 하고, 이러한 지식들을 토대로 신속히 대처해야 할 것입니다.

### 1. 우선적으로 감안해야 할 사항들

**1) 비감염성 요인에 의한 발열은 아닌가?**

중환자실 입원 환자의 발열 원인은 대개는 감염질환인 경우가 가장 흔하지만, 비감염성 요인들도 적지 않다는 사실도 고려해야 할 것입니다. 예를 들어 뇌

졸중이나 심근경색, 일부 악성종양, 약제 등에 의해서도 발열이 일어날 수 있습니다.

**2) 102°F (38.8°C)를 넘어가는가?**

발열이 있되 어느 정도 수준의 발열인지에 따라 원인 질환의 감별진단에 도움이 될 수 있습니다.

Burke A. Cunha가 제안한 소위 102°F (38.8°C)의 법칙에 따르면 이 체온을 전후해서 중요한 발열 원인 질환들이 구분이 된다고 합니다. 또 한 가지 유용한 쓰임새는 102°F 미만의 범주에 드는 질환을 앓는 환자에서 이보다 높은 체온이 기록될 경우 또 하나의 질환(주로 감염질환)이 합병되어 있을 가능성을 생각해 볼 수 있습니다. 예를 들어 확진된 급성 췌장염 환자에서 40°C의 발열을 보일 때, 급성 췌장염 자체로 인한 발열로만 치부할 것이 아니라 다른 감염성 합병증이 동반되었을 가능성에 주목해야 할 것입니다.

물론 이 원칙이 모든 경우에 맞는 것은 아니겠지만, 적어도 비 감염성 발열질환에 있어서, 만에 하나라도 동반되어 있을 수 있는 감염질환을 놓치는 일이 없도록 하는 데에 더 큰 의미가 있다고 볼 수 있습니다.
102°F 법칙이 꼭 들어맞지는 않기 때문에 이에 더하여서 또 한 가지 감안해야 하는 것이 극단적인 고열과 저체온의 경우입니다.
41°C 이상의 극단적인 고체온을 보이는 경우에는 대개는 중추신경계와 연관된 원인인 경우가 많으며, 저체온인 경우에는 이미 상당히 진행된 패혈증 외에도 내분비적 질환이나 다른 외부적 원인에 의한 경우가 많습니다.
사실 이 잣대는 강력한 evidence-based rule로 보기는 어렵고, 하나의 opinion입니다.
하지만 실제 임상에서 부딪혀 보면 의외로 잘 들어맞기 때문에, 나름의 수단으로 취할 가치가 있습니다.

거기에다 개인적으로 제가 Cunha의 fan입니다, 하하.
그는 실험실 논문보다는 철저하게 임상적인 주제로 유용한 tip(본인은 pearl 이라고 표현하더군요)을 많이 제시했습니다.
음, 학자라기보다는 쪽집게 강사의 이미지랄까?
제가 감염 전공을 처음 하던 젊은 시절에 정말 많은 도움이 되었었고, 현재도 후학들에게 쓸만한 족보가 되고 있습니다. 지금쯤 은퇴하셨겠네.



**3) 딱 한 번만 발열이 있었던 경우라면?**

중환자실 발열 환자들을 진료할 때 의외로 자주 접하는 상황 중 하나가 단시간 동안 잠깐 열이 올랐다가 별 치료도 없이 저절로 좋아진 경우일 것입니다.
대개 이런 경우는 임상적으로 별 의의가 없을 가능성이 높습니다.
실제로 활발히 진행되는 감염 질환 치고 단 한 번만 체온이 튀었다가 별다른 조치도 없이 자연 소실되는 경우란 없기 때문이죠.
이러한 상황은 주로 방광세척이나 수혈, 수술 창상의 처리 작업, 기관지 suctioning 등과 같이 일시적 균혈증이나 피부 및 점막조직을 건드림으로써 endogenous pyrogen이 흘러나오도록 유도하는 일련의 작업들과 자주 연관됩니다. 따라서 일시적인 발열만 있었던 환자들에 대처할 때에는 이러한 경우들을 감안함으로써 쓸데없이 과도한 항생제 치료를 행하지 않도록 유의하는 것이 좋겠습니다.

**4) Relative bradycardia에 대한 잘못된 통념**

감염 질환의 원인을 찾고자 하는 방법 중의 하나로 Harold Neu(이 분도 Cunha 만큼이나 옛날 분입니다)가 제시한 추론 방법인 세포 바깥쪽 감염(extracellular infection)과 세포 내 감염(intracellular infection)으로 나누어서 감별해 나가는 법이 있습니다.
전자의 경우는 흔히 접할 수 있는 화농성 세균(pyogenic bacteria)에 의한 것이 주종을 이루고 있으며 후자의 경우는 결핵균이나 리켓치아, 비정형 폐렴의 원인균들, 바이러스, 진균 등이 원인균 집단을 구성하고 있습니다.

Intracellular infection의 특징으로는 발열 정도에 비해 백혈구 숫자가 별로 증가하지 않았거나(relative leukopenia), 맥박수가 그리 빨라지지 않은 점(relative bradycardia)을 들 수 있습니다. 특히 relative bradycardia의 경우는 비 감염성 원인에 의한 발열 시에도 좋은 단서로 삼을 수 있는 지표 중 하나입니다.

그런데, 이 relative bradycardia는 맥박수가 분당 100회 미만이라는 식의 그릇된 통념으로 인해 오판하는 경우가 적지 않습니다.

예를 들어, 40℃의 고열을 보이는 환자에서 맥박수가 분당 120회를 기록하면 relative bradycardia 양상을 보이고 있지 않다는 식으로 판단할 수도 있어요.

그러나 relative bradycardia는 101℉ (38.3℃)부터는 매 1℉ 올라갈 때마다 분당 맥박수 100회에 10회씩 더해 주어서 이 수치 보다 적을 경우를 relative bradycardia로 보아야 합니다.

보다 정확한 산출 공식은 아래와 같습니다.

Relative bradycardia의 산출 공식

Predicted pulse rate = (화씨 온도 − 100 − 1) × 10 + 100

= (섭씨 온도 × 9 ÷ 5 − 69) × 10 + 100

**5) 약제에 의한 열은 아닌가?**

약제가 발열의 원인이 되는 경우는 공식적인 통계에 의하면 입원환자의 약 10% 미만이라고 알려져 있으나 과소평가된 감이 어느 정도 있으며 실제로는 제대로 판정되지 않은 모호한 증례들이 더 많을 것이라는 주장이 우세합니다.

발열이 약제에 의한 것인지 여부를 결정짓는 일은 매우 어려우며, 의심가는 약제를 투여 중단했다가 다시 투여해 보는 식의 진단 방법은 위험성뿐 아니라 시간적인 면에서도 득보다는 실이 더 클 가능성이 높은 이상 항상 시도해야 할 일은 아닐 것입니다.



또한 섣불리 약제에 의한 발열이라고 판정했다가 치명적일 수도 있는 감염질환을 놓치는 우를 범하지 않기 위해서라도 가능한 원인 질환 리스트에서 맨 마지막 순서에 놓아야 합니다.
그러나, 만일 진정한 약제에 의한 발열일 경우 불필요한 과다 치료를 지양하고 발열을 더 조장할 수 있는 약제의 투여를 중지시키기 위해서 다음과 같은 사항들을 지표로 삼아서 정확성 있게 판단할 수 있도록 노력을 아끼지 말아야 합니다.

우선, 병력을 보면 아토피성 체질을 가진 사람인 경우가 적지 않으며 자주 발열의 원인이 되는 약제들 중 어느 하나를 꽤 장기간 복용하고 있었을 가능성(즉, sensitization)이 있습니다.
진찰 소견상에서 체온은 극단적으로 높은 고열을 보이는 경우도 종종 있지만 대개는 38.8℃에서 40℃ 미만 사이인 경우가 많고, 분당 맥박수는 대개 relative bradycardia 양상을 보입니다.

또한 발열 정도에 비해 비교적 증세가 경미하고 잘 견디어요.
피부 발진 병변은 중요한 결정적 단서가 되지만, 불행히도 나타나는 경우는 의외로 흔하지 않습니다.
검사 소견상 백혈구 숫자가 증가하며 약 25% 정도에서 호산구 증가증을 보입니다.
적혈구 침강속도(ESR)는 꽤 높이 증가하여 보통 60 내지 100 mm/hr 이상을 기록하는 경우가 많습니다.
간 기능 수치(AST, ALT, alkaline phosphatase)가 정상 수치의 1.5 내지 2배 정도 증가된 경우도 빈번합니다.

발열을 조장하는 약제들로는 역시 항생제가 많은 비중을 차지하고 있으며, 이뇨제 계통과 설파 성분이 포함된 변비 치료약제, 부정맥 치료제, 중추신경계 작용 약물 등도 다수 포함됩니다.
피부 발진이 동반되어 있을 경우는 좀 더 오래 갈 수도 있는 예외도 있지만, 진정한 약제 유발성 발열인 경우 해당 약제를 중단하면 72시간 내로 해열이 되어야 합니다.
만약 그 이상의 기간 동안 지속된다면 약제에 의한 발열 가능성은 낮아지며, 즉시 다른 원인을 찾아야 합니다.
만일 72시간 내로 해열이 되었더라도 임상적으로 감염 양상이 아직 해결이 안 되었다면 동일한 치료 범위를 지니고 발열을 일으킬 확률이 적은 항생제들로 잘 선택해서 대체 사용하도록 합니다.
비교적 발열을 잘 안 일으키는 항생제로는 aminoglycosides, macrolide, doxycycline, monobactam, clindamycin 등을 들 수 있습니다만 신중히 고르셔야 합니다.

### 6) 설사를 하고 있지는 않은가?

정도의 차이는 있겠지만 중환자실 입원 환자들이 설사에 시달리는 경우는 생각보다 흔한 일입니다.
위장관 튜브를 통해 공급되는 음식물의 농도나 성분, 한 번에 지나치게 많이 주거나 너무 빨리 주는 식의 투여 방식 등이 원인이 되어 설사가 유발되는 경우도 많지만 무엇보다 주의를 기울여야 하는 것은 항생제와 연관된 설사, 특히 *Clostridioides difficile*에 의한 장염의 여부를 반드시 판단해야 합니다.

### 7) Central fever와 posterior fossa syndrome(신경외과 중환자실의 경우)

신경외과 중환자실 입원 환자의 발열 원인들은 내과나 외과 중환자실 환자의 발열 원인들과 거의 유사하지만 중추신경계를 수술받은 환자들이라는 점에서 몇 가지 더 고려해야 할 것들이 있습니다.

감염성 원인으로는 수술 창상의 감염과 수막염이 가장 흔하며 피부의 정상 균총 구성원인 포도알균과 사슬알균이 주 원인균이기 때문에 항생제의 선택도 이 균들에 맞춰서 사용합니다.

3강

감염성 원인 못지 않게 많은 비중을 차지하는 비 감염성 원인으로서 특히 유의해야 하는 질환이 central fever와 posterior fossa syndrome입니다.
Posterior fossa syndrome은 임상적인 양상이 수막염과 매우 흡사해서, 경부강직 및 뇌척수액의 당 감소, 다형백혈구의 증가 등을 보이기 때문에 진단에 많은 어려움이 있습니다. Posterior fossa syndrome은 뇌 수술 후 뇌척수액에 잔존한 적혈구에 의해서 생기는 것이기 때문에 뇌척수액 세균 배양이 음성이면서 뇌척수액내 적혈구 수가 줄어듦에 따라 수막염 증상이 조금씩 호전되는 양상을 보이면 진정한 세균성 수막염과 감별을 하도록 합니다.
Central fever는 체온조절 중추가 인접한 뇌 기저부나 시상하부 부위에 영향을 줄 수 있는 모든 뇌 수술의 경우 발생할 수 있습니다. 이로 인한 발열은 극단적인 고열 양태를 보여서 41℃를 거뜬히 넘기는 경우가 흔하며 하룻동안 별 변동 없이 꾸준히 고열을 유지하고, 해열제를 투여해도 아무런 효력이 없는 것이 특징입니다. 또한 엄청난 고열에도 불구하고 식은 땀을 흘리지 않는 경우가 많아서(즉 체온조절 기전이 망가졌음을 시사), central fever 가능성을 높여주는 유용한 단서이기도 합니다.

다시 강조해서 언급하지만, 지금까지 기술한 감염성 원인 및 central fever, posterior fossa syndrome까지 원인에서 확실히 배제되면 항상 약제에 의한 발열 가능성을 꼭 염두에 두어서 가능한 모든 약제를 중단해 보는 것이 좋습니다. 다만 항경련제만은 지속해야 하는데, 되도록이면 phenytoin 계통보다는 barbiturate 계열을 사용하는 것이 좋겠습니다.

### 8) 수술 후의 발열

수술 후 초기에 생기는 발열의 원인은 비 감염성인 경우가 더 많으며 어떤 보고에 의하면 수술 후 48시간 내에 생기는 발열의 30% 미만만이 감염성이었다고 합니다.
균의 감염이 없이 발열이 생긴 이유로는 아마도 수술 과정에서 여러 조직들을 건드림으로써 endogenous pyrogen들이 혈류로 나오게 되어 일시적인 발열이 생겼을 가능성을 추정해 볼 수 있지만 확실하게 규명되지는 않았습니다.
비록 감염성 원인이 소수를 차지하더라도 수술 후 하루하루가 지날수록 감염의 위험도는 점차 높아지기 때문에 항상 감염의 위험성을 염두에 두고 있어야 합니다.

각 환자가 가지고 있는 기저질환 외에도 어떤 종류의 수술을 받았는지에 대한 정보도 매우 중요합니다.
예를 들면 흉부나 상복부 수술을 받은 경우 호흡기 계통에 감염이 생길 확률이 높고 하복부 수술을 받은 경우 비뇨기계 감염이 많습니다. 특히 복부수술을 받은 환자에서 일주일이 넘도록 발열이 지속되면서 원인 병소를 찾아내지 못할 경우 어딘가에 농양이 숨어 있을 가능성을 놓쳐선 안 됩니다. 이를 위해서 복부 단층화 촬영이나 초음파 검사의 실시를 주저하지 말아야 합니다.

### 9) 세균배양 결과에 대한 해석 시 유의할 점들

만약 세균배양 검사 결과 양성으로 나올 경우, “드디어 원인균을 찾았다!”하고 성급하게 환호를 하기에 앞서 다음 사항들을 고려해 보고 나서 기뻐해도 늦지는 않습니다.
먼저, 정상적으로는 무균성인 검체- 예를 들어 혈액이나 뇌척수액-에서 균이 배양되어 나왔다면 일단은 의미가 있다고 볼 수 있습니다. 그러나 배양되어 나온 균과 환자가 보이는 임상증세 사이에 관련성이 있는지 여부를 반드시 확인해 보고 판정을 내리도록 합니다.

비록 드문 일이지만 혈액을 채취하는 과정에서 환자의 피부 세균총에 의해 검체가 오염되었을 가능성도 고려해 보아야 합니다. 만일 혈액배양이 양성임에도 불구하고 환자는 별 증세가 없다면 pseudobacteremia일 가능성이 높습니다.



검체들 중에서도 가장 믿을 수 없는 것이 객담이라고 할 수 있습니다. 객담은 해당 환자의 구강 및 인두의 세균총이 반영되는 경우가 대부분이기 때문에 폐렴 환자에서 객담 배양으로 나온 균이 반드시 폐렴의 원인균이라고 단정할 수는 없는 것입니다.
이러한 단점을 보완하기 위하여 protected specimen brush나 protected bronchoalveolar lavage 등 객담 검체의 채취 방법에 개선을 꾀하는 노력이 행해져 왔지만 이들 방법들도 완벽하지는 않아요.
또 흔히 접하게 되는 상황중의 하나로, 객담에서 *Candida*종이 나올 경우에 fluconazole 등의 항진균제를 사용하고 싶은 유혹을 떨치기가 쉽지 않은데, 확실한 면역저하 환자가 아니라면 일단은 원인균이 아닐 것으로 간주하여 불필요한 항진균제의 남용을 지양하는 것이 좋겠습니다. *Candida*가 객담에서 나오는 것이 실제 임상적으로 문제가 되려면 면역저하와 더불어서 이미 폐 이외의 다른 장기에도 병변이 생겨 있어야 의미를 부여할 수 있습니다(disseminated candidiasis). '*Candida* 폐렴은 없다'라는 다소 과격한 어조의 격언도 있듯이 다른 장기의 병변이 없이 객담에서만 이 진균이 검출될 경우에는 colonization 이상의 의미를 두지 않아도 무방할 것입니다.

소변 배양 검사 결과의 해석에도 주의를 요하는데, 역시 마찬가지로 환자의 임상증세가 동반되어 있을 경우에 의의가 있는 것으로 간주하도록 합니다. 두 가지 이상의 균이 동시에 배양되어 나올 경우에는 오염 내지는 colonization의 가능성을 생각해 보도록 합시다.

이와 같이 균 배양 검사 결과의 해석은 해당 환자의 임상증세와 맞물려서 행하여야 하며, 이는 어느 정도 임상의사의 주관도 개입하는 작업이기 때문에 해석에 매우 주의를 기울여야 합니다.

**10) 해당 중환자실에서 평소에 자주 출현하는 균은 무엇인가?**

마지막으로, 해당 중환자실별로 어떤 균들이 주로 분리되는지 등의 정보에 대하여 정확히 파악하고 있어야 합니다. 이는 경험적 치료의 약제 선택에 중요한 정보적 토대가 되기 때문입니다. 이러한 기반을 마련해 두기 위해서는 평소에 중환자실의 균 배양 양상에 대한 통계를 정기적으로 내고 있는 것이 좋겠습니다.

## 2. 감염성 요인에 대한 접근

지금까지 기술한 바와 같이 중환자실 입원 환자의 발열 요인은 매우 다양하기 때문에 원인규명 작업이 용이하지 않습니다. 그러나 크게 대별해서 볼 때 감염에 의한 발열이 비감염성인 경우보다 임상적으로 더욱 심각하기 때문에 이 분야에 대해서는 철저하게 규명해야 합니다. 수없이 많은 감염 질환들 중에서 원인 질환을 보다 효율적으로 찾아내기 위해서는 장기별로 발열 병소일 가능성 여부에 대해 차례차례 검토해 보는 것이 좋겠습니다.

**1) 가장 먼저 생각해 보아야 할 질환 다섯 가지**

우선, 중환자실 환자의 감염 합병증으로 흔한 종류를 다섯 가지 들면 비뇨기계 감염, 폐렴, 혈관감염, 창상감염, 패혈증을 생각해 볼 수 있습니다.

이들 질환의 범주에 과연 환자의 발열 원인이 해당하는지를 판단해 보기 위해서 우선적으로 기관지 삽관 내지는 인공호흡기를 달고 있는지, 중심 정맥관이 삽입되어 있는지, 요 카테터를 삽입하고 있는 상태인지를 검토합니다.
감염의 원인 중 으뜸을 차지하는 것이 비뇨기계 감염인데, 이는 요 카테터가 삽입되지 않은 환자의 경우에는 예외겠지요.



그 다음으로 높은 빈도를 차지하지만 가장 치명적인 것이 폐렴입니다. 이 경우도 기관지 삽관 상태에서의 흡인에 의한 경우가 많으므로 인공 호흡기로 인한 폐렴 여부의 판단에 매우 중요한 단서입니다.
중환자실 환자에서 생기는 패혈증의 대다수는 중심 정맥관과 연관되어 생깁니다. 따라서 흉부, 복부, 비뇨기 등의 장관에서 아무런 병소를 못 찾아낸 환자의 경우 중심 정맥관이 삽입되어 있다면 이를 의심해 볼 가치가 있습니다.
상대적으로 적지만, 중심 정맥관 이외의 패혈증의 원인 병소로는 소화기계와 비뇨기계를 들 수 있기 때문에 패혈증의 발생 시 이들 기관에서 간과한 병소가 있었는지를 추적해 보는 것도 의미가 있습니다.

다음 단계로 환자의 각 신체 부위별로 감염 병소가 있는지 여부를 조사해 보면서 포위망을 좁혀 보도록 합시다.

### 2) 감염 병소가 어디인지를 찾아 봅니다.

#### (1) 호흡기

가장 치명적이라고 할 수 있는 폐렴의 진단은 그리 간단하지가 않습니다.
폐렴의 특징적인 증상이라고 할 수 있는 발열, 백혈구 증가, 객담 배출, 흉부 엑스선 사진상 폐 침윤이 보이는 등의 소견들은 사실 다른 비 감염성 질환들인 심부전 및 폐 부종, 성인성 호흡장애 증후군(ARDS) 등에서도 동일하게 나타날 수 있기 때문입니다.
게다가 앞에서 기술한 바와 같이 객담의 배양 결과는 감별진단에 그리 큰 도움을 주지 못합니다.

오염을 최소화한 조건에서의 침습적 방법으로 객담 검체를 얻어서 배양을 했다고 하더라도 감염 여부의 판단에 100% 신뢰도를 지니고 있는 것은 아니며, 이미 항생제가 투여되고 난 이후의 시점에서 행해진 것이라면 호도된 결과를 얻을 수도 있습니다. 그렇다 하더라도, 이러한 모든 악조건들을 다 고려해서 폐렴 여부를 신중히 판단함으로써, 폐 침윤을 보인다는 이유 하나만으로 무조건 항생제 투여에 들어가는 식의 성급한 결정은 가능한 한 지양하는 것이 좋겠습니다. 결론적으로, 인공호흡기를 하고 있는 중환자실 환자들의 발열 및 폐 침윤은 폐렴뿐 아니라 다른 원인들도 가능성이 있습니다. 원내 폐렴 여부를 판단하는 기준은 나중에 나올 원내 감염 단원에서 더 자세히 다루겠습니다.

그리고, 흔히 간과하기 쉬운 감염 병소들 중 하나가 부비동인데, 어떤 보고에서는 중환자실 환자들의 5%에서 부비동염이 생긴다는 보고도 있습니다. 부비동염이 잘 생길 수 있는 선행 조건들로는 인공호흡기를 달고 있거나, nasotracheal tube, nasogastric tube, nasal packing 등이 되어 있는 환자들이나 안면골 골절, 스테로이드 사용력 등을 들 수 있기 때문에 이러한 선행인자들이 있을 경우 부비동에 대한 방사선과적 검사를 해 보는 것이 좋겠습니다.

### (2) 카테타와 연관된 세균뇨와 감염과의 관계

비뇨기계 감염에 대해서도 나중에 나올 원내 감염 단원에서 더 자세히 다루겠습니다.

### (3) 심혈관

중환자실 환자에서 생긴 균혈증 혹은 패혈증은 주로 혈관 카테타의 감염과 연관되어서 발생합니다.

따라서 중환자실의 패혈증 환자들을 대할 때는 모든 경우에서 혈관 카테타의 감염 여부를 반드시 검토해야 합니다. 먼저, 주사 부위에 염증 소견이 있는지를 잘 관찰해야 하는데, 약간의 발적이나 경결이 발견되면 일단은 카테터를 제거하고 끝을 잘라서 배양을 보내도록 합니다. 염증을 시사하는 소견이 없다고 해서 카테타의 감염이 완전히 배제되는 것은 아니기 때문에, 그런 경우에도 일단 guidewire를 사용해서 새 혈관 카테타로 대체하여 줌과 동시에 기존의 카테타는 역시 배양을 보냅니다. 반 정량적 배양을 통하여 15개 이상의 colony가 자라면 카테타를 다른 새 부위에 삽입합니다.

3강

항생제 치료는 카테타를 제거한 직후의 시점에서 시작합니다. 만약 카테타 염증 소견이 없고, 특별히 발열 병소가 될 만한 곳이 발견 안 되었지만 카테타의 삽입 기간이 기한을 넘겼을 경우에도 일단은 카테타 감염으로 간주하고 제거 후 치료에 들어가도록 합니다.
얼마동안 치료해야 하는지에 대해서는 아직까지 확정된 안이 없으나 대략 1-2주 정도, 면역저하 환자의 경우에는 적어도 2주간은 투여합니다.

카테타 제거 및 치료 시작 이후에도 열이 난다면?

이때는 보다 심하게 카테타 감염에 합병증이 생겼다고 간주해야 하는데, 예를 들어 심내막염, septic phlebitis, endarteritis 등을 고려해 봅니다. 따라서 이러한 질환들에 맞춰서 진단 과정을 밟음과 동시에 치료 방침을 강화하는 방향으로 개선해야 합니다.
혈관 카테터 감염에 대해서도 나중에 나올 원내 감염 단원에서 더 자세히 다루겠습니다.

### 3) 아무런 발열 병소도 찾아낼 수 없을 경우

이게 바로 healthcare-associated FUO인데, 아무런 병소가 없다고 해서 최종적으로 약제에 의한 발열이라고 단정하지는 말고, 다시 한 번 환자에게 시술되어 있는 모든 카테타들을 비롯한 의료기구 및 장치들을 재검토해 봅시다. 적어도 혈관 카테타와 요 카테타는 가능한 한 일단 제거하는 것이 좋겠으며 약제에 의한 발열 여부는 앞에서 기술한 기준들을 엄격하게 적용시켜서 가장 마지막까지 진단을 보류하도록 합니다. 또 한 가지 진단 방법으로서 naprox-ene 투약을 시도해 보는 것을 종종 볼 수 있는데, 내분비 및 대사성 혹은 자가면역성 발열 여부를 판정하는 데 사용한다고 그릇되게 알고 있는 경우가 의외로 많습니다. Naproxene은 오로지 악성 종양에 의한 발열 만을 감별하는 데 쓰이는 방법이며, 진단적 신뢰도 면에서 타당성 있게 검증된 것은 아니기 때문에 섣부른 판단 기준으로는 삼지 않는 것이 좋겠습니다.

## 3. 접근 논리 전개할 때 고려할 것들 몇 가지

마지막으로 발열의 규명과 해결을 위해 접근할 때 전개할 논리의 운용에 대하여 몇 가지를 짚어보도록 하겠습니다. 머리 속에서의 논리 전개에 대한 이야기니까, 꼭 감염 분야에만 국한된 것뿐이 아니라 다른 모든 분야에도 해당하는 것이겠군요.

**1) 귀납이냐, 연역이냐?**

일단 논리 전개의 기본은 귀납적 사고와 연역적 사고부터 들 수 있습니다(더 있겠지만 이거면 됐어요. 변증법이니 뭐니 하는 건 언급하고 싶지도 않습니다).

임상의의 입장에서는 단서들이 잔뜩 주어지고 거기서 보편적 핵심을 뽑아내려는 이상, 아무래도 귀납적인 접근이 주가 될 것입니다. 여러 단서들에서 감별 진단 목록이 펼쳐질 것이고, 이것들을 하나하나 지워나가면서 최종적으로 하나를 남기려는 것을 목표로 할 겁니다. 이런 식의 접근을 가장 잘 하시는 분들이 내분비나 신장내과 선생님들입니다. 그분들의 논리 전개를 따라가 보면 신기할 정도로 정답이 딱 하나 남습니다. 워낙 검사가 정량적이고 딱딱 떨어지는 분야라 그럴 겁니다.

하지만 감염은 하나하나 지워가면서 감별 진단을 하다 보면 단 하나도 안 남고 모조리 다 지워지는 참사가 빈번히 일어납니다. 정말 환장할 노릇입니다. 감염 분야는 정량적이지 못한 요소가 많은 탓에 그럴 겁니다.
그래서 감염의 경우는 기본적으로는 귀납적 방향으로 전개해 나가되, 종점이 가까워질수록 연역으로 점프를 할 태세를 하고 있어야 합니다. 이 결정의 순간을 소위 moment of truth라고 하지요. 이건 어떤 확실한 지침이 있는 게 아니고, 역시 연륜과 내공이 필요합니다.
쉽게 말해서 평소에도 공부를 게을리 하지 말아야 한다는 뻔한 결론입니다. 슬프지만 사실입니다.



### 2) Heuristics

Heuristics는 그리스어 Heutiskein, 영어로 'To find' 즉 '발견한다'는 의미입니다. 일명 rules of thumb이라고도 불립니다. 직역하면 '주먹구구'쯤 되겠지만, 좋게 봐서는 어떤 질환을 규명하는 데 있어서 정석적으로 하나하나 절차를 밟으며 오랜 시간을 걸리는 게 아니고, 중요한 핵심 단서 몇 개만 가지고 후다닥 빨리 진단을 해내는 능력이라 할 수 있습니다. 한 마디로 내공이자 '지름길'이지요.

문제는 중요한 핵심 단서 '몇 개'라는 데 있습니다.
이걸 제대로 구사하면 명의지만, 엉뚱하게 구사하면 정말로 '주먹구구'가 되어 오진에 이르는 진짜 '지름길'이 됩니다.
그런데 우리는 진짜로 그런 실수를 많이 합니다.
그런 경우, heuritstics라기보다는 편견, 즉 bias라고 부릅니다.
우리가 임상에서 흔히 저지르기 쉬운 bias 몇 가지를 들어보겠습니다.

먼저 representativeness heuristics가 있습니다.
환자에 임해서 그가 보이는 몇 가지를 접하게 되면 의사들은 자기 머릿속에 넣어둔 어느 특정 질환에 대한 지식들 중에서 그 질환이 갖고 있는 대표적인 특징들(representativeness)과 자기도 모르게 매칭을 하게 됩니다. 그러면 가장 매칭이 잘 되는 질환이 딱하고 맞게 되며, 그 순간 '바로 이것이다!'하고 결론을 내리게 되지요.

사실 각 질환별로 유병률을 감안해야 함에도 불구하고 그걸 간과하는 데서 모든 실수가 시작됩니다.

예를 들어 발열, 흉통, 호흡곤란으로 내원한 환자를 본다고 합시다.

감염내과 의사라면 폐렴, 패혈증, 심내막염의 순서로 추론을 할 겁니다.

순환기내과 선생님이라면 심근 경색, 심내막염의 순서로,

호흡기내과 선생님이라면 폐렴, 폐 색전증의 순서로 추론을 할 것입니다.

정답은 이들 중 하나였겠지만, 각자가 갖고 있는 편견으로 인하여 오진의 위험성이 항상 도사리고 있는 것입니다. 자기 자신만의 아집에서 벗어나는 것이 무엇보다 필요하겠습니다.

다음으로, availability heuristic이 있습니다.

가장 최근에 매우 인상적인, 그리고 드문 질환을 가진 환자를 접했을 경우, 머릿속에 강력하게 각인이 되어 다른 질환을 고려해 볼 만한 여유가 없게 됩니다. 그 질환이 흔하지 않은 것임에도.

그래서 그 다음부터 만나는 환자들에 대해서 확률상 가장 흔한 질환부터 떠올려야 함에도 불구하고, 드문 질환부터 먼저 기억에서 떠올리고, 그 질환으로 몰아가는 오류를 범하게 됩니다.

예를 들어, 피부 발진으로 응급실에 내원한 환자가 성인 홍역으로 진단되었다고 합시다. 홍역은 요즘 보기 드물기 때문에 당시 저는 응급실 인턴들, 전공의들을 모두 불러서 환자분의 양해하에 피부 발진을 비롯한 특징적인 소견을 보여주며 가르쳤습니다. 문제는 그 다음부터 응급실에 피부 발진으로 환자가 내원하면 하나같이 다 홍역이라고 감염내과에 보고하기 시작했다는 겁니다. 홍역 유행기가 아니었음에도 불구하고. 사실 이후 응급실에 온 피부 발진 환자

들의 대다수는 두드러기였지요.

또 하나 예를 들자면 anchoring heuristic이 있습니다. 문자 그대로 닻처럼 뭔가에 꽂히면 좀처럼 거기서 빠져 나오지 못하는 오류입니다. 예를 들어 어느 발열 환자가 내원했는데 procalcitonin이 음성이었다고 합시다. 그렇게 되면 초장부터 '이 사람은 적어도 세균 감염은 아니야!'하고 머릿속에 각인이 됩니다. 사실 너무 일찍 내원했으면 검사가 얼마든지 음성일 수 있지요. 이후 각종 세균 감염의 증거들이 속출함에도 불구하고 일단은 이에 대해 부정적인 선입견을 갖고 대하기 쉬우며, 이를 극복하는 데에 저 또한 애를 먹습니다.

우리는 신이 아닌 인간이니까, 아무리 조심하려 해도 이런 실수는 언제라도 저지를 수 있고, 실제로 저지르고 있습니다. 이 정도 잘못된 bias 사례들을 잘 인지하여, 실제 임상에서 실수를 최소화하도록 노력해야 하겠습니다.

### 3) 제1종과 2종 오류

제1종, 제2종 오류는 통계학에서나 다룰 법하다고 생각하시겠지만, 임상뿐 아니라 각종 실생활에서 판단의 지표가 되곤 합니다.
어떤 미지의 상황에 처하면 우리는 본능적으로 추정을 하게 됩니다.
통계학적으로 표현하자면 소위 말하는 가설을 세우게 되지요.
가설은 두 가지가 자동으로 세워집니다.
아닐 것이라는 귀무가설과 그럴 것이라는 대립가설입니다.
귀무가설을 기각하는 것이 제1종 오류이고, 채택하는 것이 제2종 오류입니다.
실생활에서의 예를 들어 볼까요?

법정에서 판사가 어느 살인 혐의자에 대해 판결을 내리려 합니다.
귀무가설은 '그는 범인이 아니다'입니다. 그가 범인이라고 판정할 충분한 증거가 '없다.'

소위 무죄추정의 원칙이죠.
대립가설은 '그는 범인이다'입니다.
제1종 오류를 감수하고 귀무가설을 기각한다면 그는 꼼짝없이 살인죄로 판결받습니다.
만약 판사가 제1종 오류를 2종보다 더 선호한다면?
어쩌면 억울하게 옥살이를 하는 사람들이 늘어날 것입니다.
그래서 인권을 중시한다면 일단 무죄추정의 원칙, 즉 제1종 오류를 최소화하는 것이 바람직하다는 게 사회적인 통념입니다.

그런데 말입니다.
임상에 임할 때는 정 반대로 임하는 게 옳습니다.

다시 예를 하나 더 들어 보지요.
당신은 야수들이 득실대는 정글 속을 걷고 있습니다. 어디선가 바스락대는 소리가 갑자기 들렸어요. 야수가 낙엽 등을 밟아서 난 소리일까요?

- 귀무가설: 아니다. 바람이 스친 소리일 것이다. 그게 야수 때문이라는 충분한 근거가 '없다.'
- 대립가설: 야수가 근처에 있다. 피해라!

설마 귀무가설을 채택하는 제2종 오류를 선택하는 멍청이는 없겠지요?
그럼 임상에서의 예를 들어보겠습니다. 참고로 이건 실화입니다.
Meningococcemia 환자가 입원하면서 치료 시작과 동시에, close contact한 의료진과 가족들에게 예방적 항생제를 투여하기로 했습니다. 그런데, 아직 확진이 아님에도 예방적 항생제를 복용해야 하냐는 문의가 왔어요.
이 환자는 meningococcemia가 맞을까요, 아닐까요? 아닐 가능성이 있으니 확실한 결과가 나올 때까지 의료진들에게 예방적 항생제 복용시키는 걸 중지시키는 게 옳을까요?

- 귀무가설: 이 환자는 meningococcemia가 아니다. 그런 진단을 내릴 충분한 근거가 '없다.'
- 대립가설: 맞다. 예방약 복용 밀어 붙여!

임상에서는 항상 최악의 경우를 상정하고 임합니다. 당연히 귀무가설을 기각해야죠.
실제로 그 환자는 결국 meningococcemia가 확진되었습니다.

요약하자면,

병원 밖 사회에서는 제1종 오류를 최소화합니다. 가급적이면 귀무가설을 수용합시다.

병원 안에서, 혹은 정글 속에서는 가급적이면 귀무가설을 기각하는 성향으로서 제1종 오류를 최대화합니다. 불필요한 비용이 들 것을 감수하면서 말이죠.

**4) 발품**

마지막으로 언급하려는 건 논리의 영역이 아니라 부지런함의 영역입니다.
아무리 논리 전개를 잘 하더라도 책상물림만으로 때우려고 하면 안 됩니다.
환자를 직접 보고 관찰하면서 단서를 잡아내는 것이야말로 가장 기본이자 필수임을 잊지 맙시다.

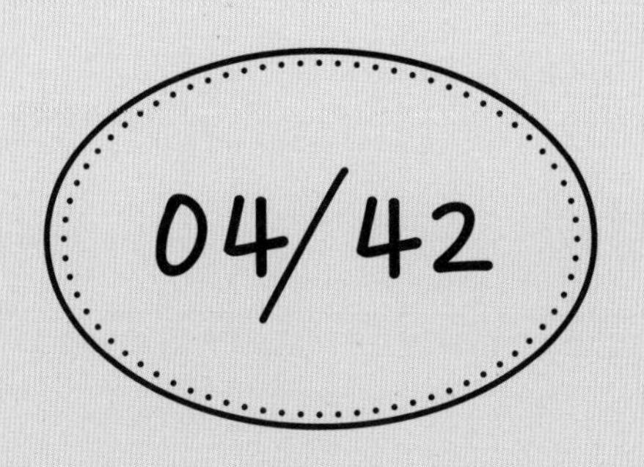


제4강

# 내가 가진 무기 - 항생제

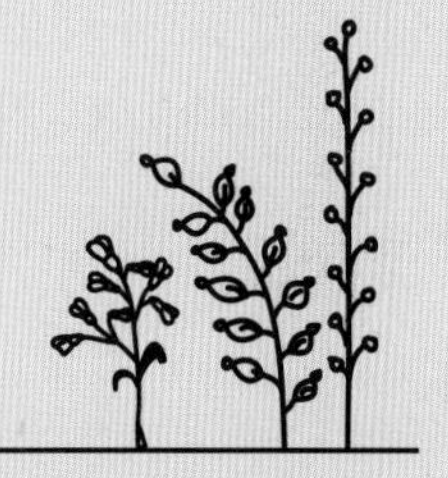

# 내가 가진 무기 - 항생제

내가 미생물에 대항하기 위해 마련할 무기는 항생제입니다.
항생제(antibiotics)는 antibiosis(항생), 즉 다른 생명을 억제하거나 죽인다는 의미이며, 1942년 Selman Waksman이 처음 사용한 용어입니다. 좁은 의미에서는 미생물이 내는 물질로 다른 미생물의 성장을 억제하거나 죽이는 물질을 통칭합니다. 넓은 의미에서는 이들 물질뿐 아니라 화학적으로 합성된 약물, 혹은 기존 항생제 구조를 일부 변형해서 다시 만든 반 합성 약물 등도 포함됩니다. 항생제라는 용어는 원래는 항바이러스제, 항진균제까지 포괄합니다만, 통상적으로 세균을 치료하는 약제에 국한시켜 사용하는 경향이 있습니다. 세균만 해당해서 쓴다면 항균제라는 용어가 더 정확하다고 할 수 있습니다. 혼동을 피하기 위해 항균제, 항바이러스제, 항진균제, 항기생충제 등을 통틀어서 항미생물 제제(antimicrobial agents)로 부르며, 항생제는 원래보다 좁은 범위의 의미가 되겠지만 편의상 세균에 사용하는 약제를 가리키는 용어로 부르기로 하겠습니다.

## 항생제를 기전별로 훑어봅시다.

### 1. 세포벽(Cell wall)에 작용하는 항생제

조금 어렵겠지만, 세균의 구조에 대해 어느 정도는 자세히 파악하고 있어야 합니다.

그래야 cell wall에 작용하는 항생제의 기전에 대해 이해할 수 있습니다.

조금 힘들더라도 '죽었다' 복창하고 한 번만 잘 따라와 주세요.

기본적으로 peptidoglycan layer가 있는데, 특히 그람 양성균은 음성균보다 더 두꺼우며, teichoic acid까지 가세하여 cell wall이라는 강력한 요새를 구축하고 있습니다.

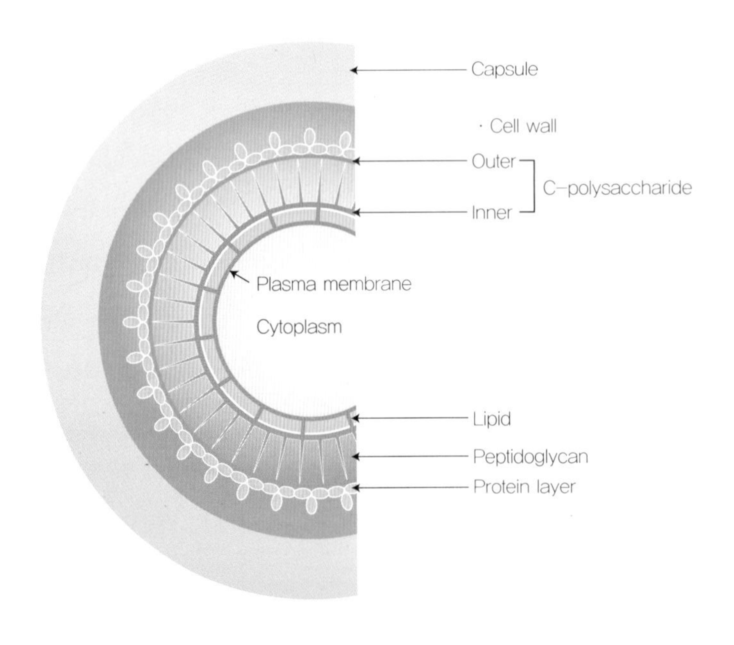

Cell wall 구조를 이해하기 위해서는 다음과 같은 기본 지식들부터 숙지해야 합니다.

먼저, 아미노산 3개의 구조를 종이에 그리면서 손 맛을 기억하세요.

아미노산 구조는 다음과 같은 기본 뼈대를 하고 있습니다.

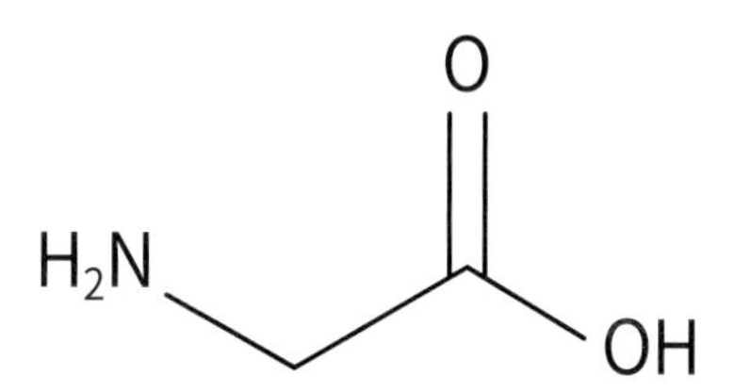


이 뼈대에다가 각종 원소를 추가하면서 다양한 아미노산이 되는 겁니다.

사실 우리 몸을 분자 수준 내지 생화학적으로 이해하려면....

원래는 20가지 아미노산의 구조를 어느 정도는 외우고 있어야 합니다.

하지만 이 강의는 생화학 강의가 아니며, 다 외우라면 그대들은 겁을 먹겠죠.

그래서 딱 3개만 외웁시다.

왜 이 3개를 파악해야 하느냐 하면, 각종 미생물의 구조에 있어서 이들은 레고 블록처럼 어느 부위에서나 출현하는 가장 원초적인 벽돌이기 때문이어요.

먼저, 기본 뼈대로 제시한 아미노산은 자연스럽게 외우겠죠?

그게 바로 glycine입니다.

여기에 탄소 하나 더 붙으면 alanine입니다.

$CH_3$ / O / OH / $NH_2$

거기에다 hydroxyl 기(-OH)가 붙으면 serine입니다.

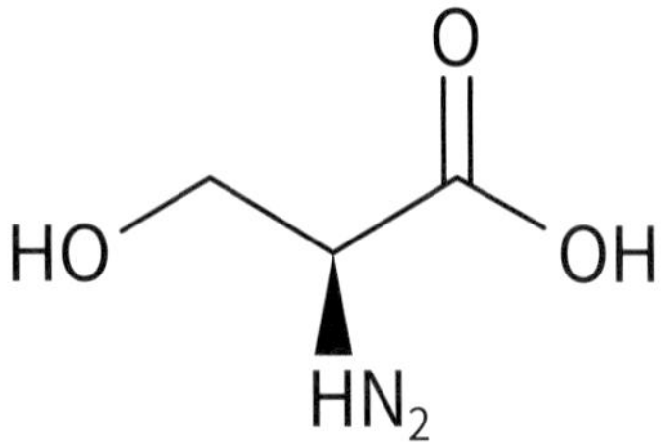

특히 serine은 hydroxyl기 때문에 극성(polar)을 띠게 됩니다, charge를 띠지 않음에도 불구하고. 이게 무슨 뜻인고 하니, 반응력이 좋아서 산지사방에 다른 여러 아미노산에게 시비를 걸고 다닌다는 겁니다. 그러한 행태 중의 하나가 효소(enzyme)로서의 활동이죠. 소위 말하는 serine protease 되시겠습니다. 또 하나 기억해야 하는 게, carbonyl기를 워낙 좋아해서 이걸 갖춘 구조만 보면 환장해서 달려듭니다. 대표적인 게 바로 alanine이고,
또한 beta-lactam 항생제입니다.
이쯤 되면 이들 아미노산들이 왜 중요한지 와 닿기 시작하시죠?
이걸로 충분합니다. 

다음으로 알아야 할 것이 sugar인데,
N-acetylglucosamine (NAG, GlcNAc)과 N-acetylmuramic acid (NAM, MurNAc)입니다.
구조까지 숙지하면 더 좋겠지만, 그냥 이름만 NAG & NAM으로 외워두세요.
(참고로, N-acetylmuramic acid와 N-acetylNeuraminic acid (Neu5Ac)를 혼동하기 쉽습니다. Neu5Ac는 세균이 아니라 mammalian cell에 있는 sialic acid로 Influenza virus의 receptor 역할을 합니다. 인간은 alpha-2, 6-sialyllactose 구조인 반면, 조류는 alpha-2, 3-sialyllactose입니다. 나중에 influen-

za 단원에서 다시 다루겠습니다.)
자, 그럼 이들 사전 지식을 기반으로 cell wall을 구성해 봅시다.

편의상 요약하자면,
Cell wall은 X축, Y축이 씨줄-날줄로 엮이고, 여기에 Z축이 가세하여 쉽게 무너지지 않을 탄탄한 입체 구조로 구성되어 있습니다.

먼저, NAG과 NAM이 손에 손잡고 일렬 횡대로 도열합니다. - X축이라 합시다.

이들 중 NAM에 엮여서 위 아래로 4개의 aminoacids를 씨줄로 늘어뜨립니다.
- 이게 Y축
(4개는 통상 L-alanine, D-glutamate, L-lysine, D-alanine으로 구성되어 있습니다. 이 중에서 D-alanine에 주목하세요.)

이쯤 되면 제법 모양이 갖춰지긴 하지만, 이것만 가지고는 흔들거리는 불안한 사상 누각입니다. 뭔가 이 두 축을 받쳐줄 또 다른 축이 필요합니다.
그래서 보완되는 것이 5개의 glycine입니다. 이게 버팀목인 셈입니다.
- 다시 말해 Z축

이렇게 해서 최종 구조가 완성됩니다.

마지막으로 숙지해야 할 것은 Peptidoglycan 생성 과정에서 앞서 기술한 구조물들을 서로 묶어주는 기능을 하는 DD-transpeptidase 혹은 carboxypeptidase입니다. 세균의 입장에서는 transpeptidase입니다만, 항생제의 입장에서는 소위 penicillin binding protein (PBP)이라 하는 효소입니다. 그래서 앞으로는 PBP라 부르겠습니다.

PBP에서 맨 선두에 나서는 행동 대장은 Serine인데, 앞서 언급했듯이 -OH 기가 붙어있어서 반응하는 걸 매우 좋아합니다. 하긴, 그러니까 효소죠. 특히 carbonyl기를 좋아하는데, peptidoglycan 구성하는 아미노산 4형제 중에서도 끝에 매달린 D-alanine (D-Ala)가 carbonyl기를 serine 앞에서 많이 과시합니다. 따라서 serine은 D-Ala를 선호해서 결합합니다. 이는 일시적인 결합으로, 나중에 다른 쪽 아미노산 4인방의 L-lysine과 pentaglycine에게 D-Ala를 뺏깁니다. 그 결과, 앞서 설명한 XYZ축이 완성되는 것이죠.

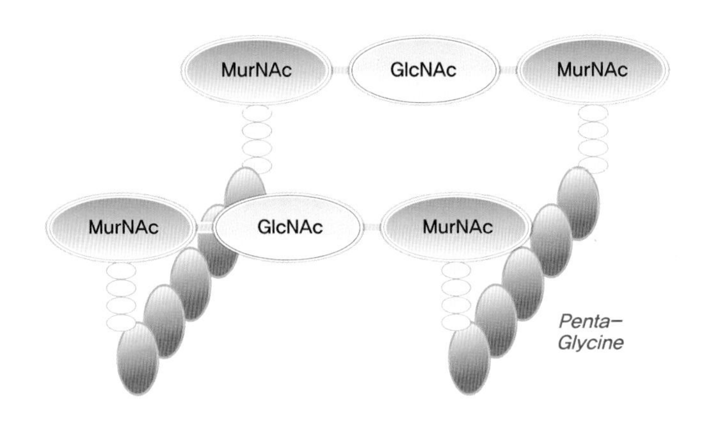


그런데, 하필이면 beta-lactam 구조도 D-Ala 못지않게 carbonyl 구조가 풍부합니다.

여기까지 이해하셨다면 PBP의 입장에서 beta-lactam을 만나면 어떤 일이 벌어질지 충분히 예상하실 수 있을 겁니다.
일단 PBP, 즉 serine은 눈이 없습니다.
PBP의 active site에서 serine이 원하는 carbonyl이 인지되는 이상, 실제로는 beta-lactam임에도 불구하고 그것이 D-Ala인지 여부는 묻지도 따지지도 않고 일단 달라붙고 볼 것입니다.

문제는 D-Ala와 결합했을 때와는 달리, 일시 결합을 끝내고 헤어져야 하는 타이밍인데도 hydrolysis 같은 후속 반응들이 매우 매우 느리다는 것입니다.
그 결과, 진도를 나가지 못하고... 결국 cell wall 생성 과정은 중단되다시피 함으로써, 사상누각처럼 cell wall이 흔들흔들 부실해지고, 거기에다 원래는 세포를 수시로 수리하고 보완하는 용도였던 peptidoglycan을 녹이는 자체 분해효소(autolysin)까지 합세해서 벽이 무너져 균이 죽습니다.
이것이 cell wall-active agent인 beta-lactam의 작용 기전입니다.

이 작용 기전은 그람 양성균과 음성균에서 과정상 약간의 차이를 보입니다. 그람 양성균의 경우는 세포벽이 가장 바깥 구조의 대부분을 차지하지만, 그람 음성균은 이 못지않게 지질로 구성된 outer membrane이 큰 비중을 차지하고 있으며, 이 구조물 자체가 임상적인 감염질환에서의 주요 병리기전인 endotoxin으로 작용하고, 또한 각종 물질이 오가는 통로, 즉, porin을 함유하고 있습니다. 그래서 세포벽에 작용하는 항생제가 그람 음성균에 접근할 때는 porin을 경유하여 세포막과 peptidoglycan 사이에 구성된 공간인 periplasmic space로 들어가 활동을 개시합니다.

### 1) Beta-lactam 항생제

#### (1) Penicillin

어찌된 셈인지 인류 최초의 항생제는 penicillin인줄 알고 있는 분들이 많습니다.
아닙니다.
최초의 항생제는 1910년대 Paul Ehrlich가 만든 비소 함유 화합물인 Salvarsan 606입니다. 지금 시각에서 보면 온갖 독성이 가득한 약이지만 당시로서는 난치병이었던 매독과 아프리카 수면병에 획기적인 치료제로서 선풍을 일으켰던 약입니다.

두 번째로 발명된 항생제는 1935년 Gerhard Domagk의 sulfonamide 계열 항생제인 Prontosil이었습니다. 그리고 비로소 나온 것이 바로 penicillin입니다. Alexander Flemming이 여름 휴가 떠나면서 포도알균을 가지고 실험하던 배지 하나를 제대로 처리 못하는 바람에, 나중에 돌아와 보니 푸른 곰팡이 *Penicillium*이 균들을 몰살시킨 것을 발견한 것이 시초가 되었다는 일화는 워낙 유명하지요. 위인전 열심히 읽는 초등학생도 아는 너무나 유명한 얘기니 더 이상 언급은 안 하겠습니다.

어쨌든 그것이 1928년에 일어난 일이었지만 곧장 임상에 쓰인 게 아니었습니다. 이후 Howard Florey가 그의 연구원들인 Ernst Chain, Norman Heatley와 함께 제대로 된 항생제로서 본격 출시하는 1942년까지의 세월이 필요했지요. 마침 그때가 제2차 세계대전이 한창이던 시기라 전쟁터 곳곳에서 드라마 같은 치료 성과를 거두게 되어, 페니실린은 단숨에 대 스타로 떠오릅니다.
베타 락탐 항생제는 beta-lactam ring과 thiazolidine이 합쳐져서 기본적인 penicillin 구조를 만들며, 이후 다른 베타 락탐 항생제의 기반 구조가 됩니다.

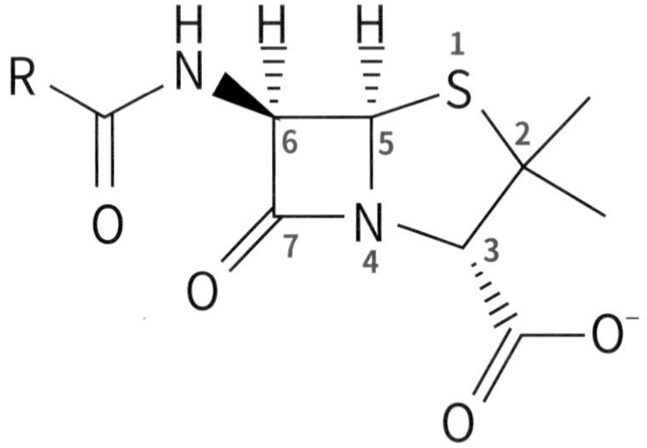

Penicillin은 penicillin A, penicillin B식으로 제제마다 알파벳을 붙여서 부르는데, 원래 개발 초창기에 실험실에서는 페니실린 성분이 포함된 추출물에 임의로 I, II, III, ... 식으로 숫자를 붙여 부르곤 했는데, 어느 시기부터는 알파벳을

붙여서 부르기 시작한 겁니다.

그 중에서 penicillin G가 처음 시판된 benzylpenicillin입니다.
Penicillin V는 phenoxymethyl penicillin으로 경구 복용이 가능한 제품입니다. 고전적인 penicillin 제제는 용량 표시를 현재도 g이나 mg이 아닌 unit으로 표기하고 있는데, 이는 개발 초기에는 100% 순수한 penicillin을 정제할 수는 없었기에 정교하게 mg으로 표기할 수 없었기 때문입니다. 그래서 세균을 죽이는 용량을 편의상 unit로 표기하였었죠. 현재는 훨씬 정교하게 정제를 하기 때문에 g이나 mg으로 표기해도 되겠지만, 관례상 계속하고 있는 것입니다. 이후에 개발된 페니실린 제제들은 모두 g 혹은 mg으로 표기하고 있습니다. Penicillin을 놓고 볼 때, 지금으로 따지자면 1 mg은 대략 1,600단위에 해당합니다.

Procaine penicillin과 benzathine penicillin은 둘 다 결정 형태로 체내로 주입되어 penicillin이 천천히 유리되어 나옵니다. Benzathine은 diamine 구조를 지닌 stabilizer로, 체내에 주입된 penicillin이 장시간 천천히 유리되도록 해 줍니다. 그러므로 이는 근육 주사로만 주입하며, 정맥에 투입하면 위험하므로 절대 안 됩니다.

제가 전공의를 하던 1980년대까지만 해도 penicillin은 거의 모든 감염증에 만능이었습니다.
폐렴에도, 수막염에도, 심지어 패혈증 상황에서도 penicillin을 투여하면 거의 다 나았습니다. 지금 내성이 만연한 시대에 살고 있는 입장에서는 정말 그런 좋은 시절이 있었나 하고 신기해 할 정도입니다.
이제는 어림도 없지요.

Penicillin은 현재 수요가 그리 많지는 않습니다. 그람 음성균에는 수막알균 정도 외에는 거의 언감생심이고(그런데 내성 위험성이 높아요), 그람 양성균들 중에서는 penicillin에 감수성이 있는 경우가 아니라면 사용하기 어렵습니다. 요즘은 매독에 우선적으로 쓰이고, 그 밖에 leptospirosis, actinomycosis, yaws, *Pasteurella multocida* 정도가 적응증입니다. 그런데, 걸핏하면 품절이 돼서 실제 임상에서 매독 환자 치료할 때 곤혹스러움에 처할 때가 잦습니다.

### (2) Semisynthetic penicillins

Penicillin은 Flemming이 발견하고 Florey 등이 본격 완제품으로 내 놓은 것이지만 그 구조는 나중에 규명되었습니다. 사실 penicillin을 제작하기 위해서는 곰팡이 배양이 필수라는 것은 생산에 있어서 핸디캡입니다. 그러나 구조가 규명되었다면 얘기가 달라집니다. 구조를 아니까 배양 과정을 거칠 필요 없이 곧장 화학 합성 기술로 만들어 낼 수 있고, 기본 구조에 여러 가지 변형을 가하여 더 나은 페니실린을 만들 수 있습니다. 그렇게 해서 만들어진 것이 semi-synthetic penicillin입니다.

이는 1957년에 곰팡이를 거치지 않고 순전히 인공적으로 페니실린 제작에 성공하면서 얻은 6-aminopenicillanic acid (6-APA)가 결정적이었습니다.

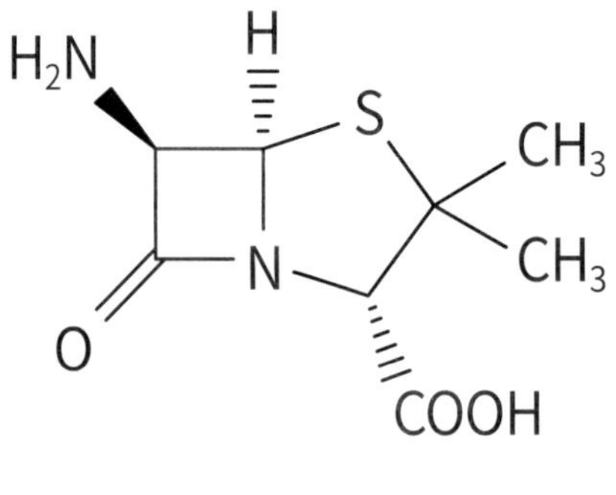

이 구조를 기반으로 하여 6번에 붙는 구조물들을 다양하게 변형함으로써, 페니실린의 후예인 다양한 seimisyntheic penicillin들이 속속 출현하게 됩니다.

그리하여 맨 처음 나온 것이 methicillin (meticillin)이며, 이의 후속으로 nafcillin, 그리고 isoxazolyl penicillins (oxacillin, cloxacillin, dicloxacillin, flucloxacillin)이 나옵니다. 이들은 penicillinase에 잘 견디는 공통적인 특징을 가지고 있습니다. 그 이유는 6번에 붙이는 구조들이 덩치가 커서, penicillinase가 작용하기 힘들게 만들기 때문입니다. 항균 범위는 매우 좁아서, Penicillinase를 분비하는 황색 포도알균을 치료하는 데 주로 쓰였지만, 세균이 곧장 변형된 penicillin binding protein (PBP2a)를 대처 방안으로 내 놓는 바람에 현재 이 종류의 항생제들은 methicillin sensitive S. aureus (MSSA) 감염증 외에는 널리 쓰이지는 않습니다.

4강

특히 methicillin은 penicillinase에 잘 견디는 대신 후속 penicillin 항생제들과 비교해서 가장 약한 편입니다. 또한 신장 독성(interstitial nephritis)이라는 좀 심각한 부작용을 가지고 있어서 오늘날 실제 임상에는 쓰이지 않습니다. 단지 황색 포도알균이 PBP2a로 대응하는(methicillin-resistant)균인지 여부를 표현하는 용어인 MRSA 같은 표현으로만 남았습니다.
그래도 이들 중에서 nafcillin은 주로 oxacillin 감수성, penicillin 내성인 포도알균(MSSA) 감염증에 오늘날에도 사용되고 있습니다.

이후 aminopenicillin으로서 ampicillin과 amoxicillin이 있습니다.
Ampicillin 이전까지의 페니실린들은 작용 범주가 그람 양성균에 치우쳐 있었던 반면에 aminopenicillin은 처음으로 그람 음성균 쪽까지 항균 범위를 넓혔습니다.

또 옛날 얘기 꺼내서 죄송합니다만, 1980년대만 해도 장티푸스 내지 salmonellosis, *Haemophilus influenzae* 감염 등에 ampicillin을 주면 다 나았었습니다. 그러나, 비록 이들 약제들이 항균 범위를 넓히기는 했지만, 얼마 안가 다양한 내성 기전으로 인해 오늘날엔 선뜻 치료제로 쓰기엔 꺼려지는 약제가 되었습니다.

요즘 균 배양 및 감수성 결과를 보면 거의 모든 균종이 최소한 ampicillin에는 내성을 보이고 있지요.
그래서 현재는 *Listeria*, *Enterococcus* (ampicillin 감수성 균에 한해서) 등의 일부 감염증에만 안심하고 쓸 수 있습니다. 그러나 좁아진 항균 범위는 훗날 나오게 되는 beta-lactamase 억제제인 sulbactam이나 clavulanic acid를 붙여줌으로써(UnaSyn, amoxacillin-clavulanate) 해결되고 있습니다.

Carboxy penicillin은 그람 음성균, 특히 난치성 원내 감염의 원인이던 녹농균(*Pseudomonas aeruginosa*)에 처음으로 듣는 항생제로서 개발되어 나온 페니실린 제제입니다. 여기에 해당하는 것이 carbenicillin과 ticarcillin, temocillin입니다. 비록 녹농균에 듣는 항생제로 나왔지만 부작용 문제와 훗날 더 나은 대안들(ceftazidime이나 fluoroquinolones)이 속속 출현하여, 오늘날은 거의 사용되지 않습니다.

Ureidopenicillin은 ureido-, 즉 urea를 붙인 구조를 지닌 penicillin입니다.
이에 해당하는 제품으로 azlocillin, mezlocillin, piperacillin이 나왔는데, 지금은 piperacillin이 주로 사용됩니다. Piperacillin은 이름 그대로 urea에 piperazine ring을 붙인 구조입니다.
녹농균에 작용하긴 하지만, 역시 penicillinase에 잘 부서지기 때문에 오늘날엔 tazobactam을 붙인 piperacillin/tazobactam으로 사용되고 있습니다.

### (3) Cephalosporins

Cephalosporin이 나온 것은 1948년 Giuseppe Brotzu가 하수에서 얻은 검체에서 기른 *Cephalosporium acremonium*(훗날 *Acremonium chrysogenum*으로 개명)에서 얻은 추출물이 *Salmonella typhi* 균에 매우 효과가 있었다는

보고를 한 것이 시작이었습니다. 이를 받아 영국의 Florey가 성분을 연구하던 끝에 cephem 구조인 7-aminocephalosporanic acid (7-ACA)를 발견합니다.

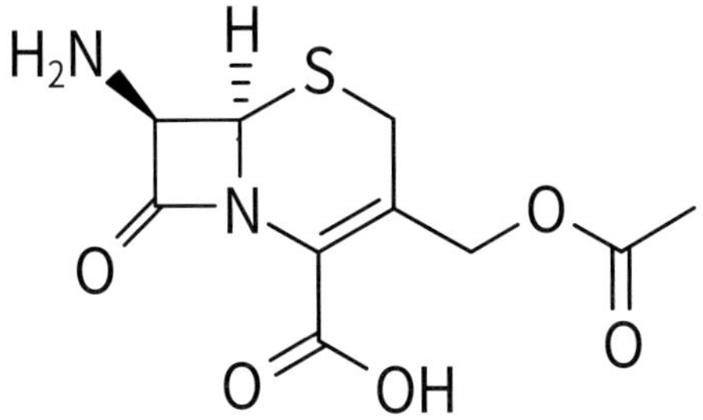

이를 기본 틀로 하여 각종 cephalosporin 제제들이 만들어집니다.

Cephalosporin의 세대는 무엇을 기준으로 나눌까요?

현재 공식적인 정답은 항균 범위(antimicrobial spectrum)가 기준입니다. 1세대는 주로 그람 양성균을, 2세대는 그람 양성, 음성, 혐기성까지 범위에 두지만 비교적 그람 음성균 쪽에 치우치고, 3세대는 2세대보다 그람 음성에 더 치우치며 일부는 특히 *Pseudomonas aeruginosa*(녹농균)에 효과를 보입니다. 4세대는 3세대와 항균 범위가 유사하되 좀 더 성능이 좋다고 보며, 5세대는 MRSA에도 효과를 보입니다.

그런데, 이러한 기준이 꼭 명확한 것은 아니며, 3, 4세대는 구조적인 차이도 구분점입니다.

요약하자면, 크게는 항균 범위로 분류하긴 하지만, 구조적인 차이 또한 부분적으로 세대 분류의 기준이 되기도 합니다.

구조적인 차이로서 가장 대표적인 것이 3세대와 4세대를 구분 짓는 구조로서 dipole (zwitterion)을 예로 들 수 있습니다.

그리고 3세대로 접어들게 되는 결정적인 계기도 실은 새로운 구조의 추가에서 시작되었습니다. 항균 범위가 넓어진 것은 사실 구조적 개선에 의한 결과인 것입니다.

조금 더 자세히 말하자면, 2세대 cephalosporins 중에서 cefotiam의 aminothiazole기와 cefuroxime의 methoxyimino기를 합쳐 만든 aminothiazolyl-oximino기를 붙임으로써 3세대 cephalosporin이 만들어졌으며 이것이 3세대를 특징지어 주는 공통적인 기본 구조가 됩니다.

## 제1세대

맨 처음 나온 것이 cephalothin (cephalotin, cefalothin)과 cephaloridine입니다.
둘 다 MSSA를 비롯한 그람 양성균 감염에 유용하게 사용되었습니다.
그런데 cephaloridine의 경우는 콩팥 독성이 적지 않아서 오늘날 더 이상 쓰이진 않습니다.

잘 아시다시피 현재 가장 선호되는 1세대 cephalosporin은 cefazoline (cephazolin)입니다.
Thiadiazole과 tetrazole을 붙여놓은 구조라서 cef-AZOL-in입니다.
이 약제는 체내 반감기가 훗날 나오게 될 ceftriaxone에 비할 바는 못되지만, 나올 당시만 해도 2시간 정도로 꽤 길었습니다. 그래서 하루에 4번에서 6번을 줘야 하는 cephalothin에 비해서 하루 2-3번으로 충분합니다.
오늘날에도 MSSA 감염에 유용하게 쓰이며, 특히 수술 전 예방적 항생제로 표준 약이기도 합니다.

경구용으로는 cephalexin, cefadroxil, cephradine 등이 있습니다.

## 제2세대



1970년대 들어 cefamandole을 기점으로 하여 2세대 cephalosporin들이 속속 나옵니다.
기존 7-ACA 구조에서 R2 (7번 기) acyl side chain에 각종 기를 붙이면서 1세대 cephalosporin보다 주로 그람 음성균, 특히 *Haemophilus influenzae*를 비롯한 그람 음성균까지 항균 범위를 넓혔습니다. 허나, 그 대신 그람 양성균에 대한 작용은 약화되었지요. 그래서 이 2세대를 일명 *Haemophilus*-active cephalosporin이라고도 부릅니다.
Cefamandole은 R1 구조에 methyl thiotetrazole (MTT)를 붙여서 성능 향상을 가져오긴 했지만, 부작용 또한 감수해야 했습니다.
MTT는 vitamin-K를 방해하는 작용이 있어서 prothrombin이 관여하는 혈액응고에 문제를 야기할 수 있습니다. 그리고 알코올 중독자가 술을 다시 마시면 온 몸이 아프게 만드는 금주 치료제 disulfiram과 동일한 현상을 일으키기도 합니다. 그래서 투여 즉시 전신 통증, 발진 등이 돌발하는 일이 종종 생깁니다.
이 MTT 구조는 cefamandole 외에도 뒤에 설명할 cefotetan, cefoperazone 등도 지니고 있어서 이 두 가지 부작용을 항시 염두에 두어야 합니다.

2세대 cephalosporin들 중에서 기억해 두어야 할 것은 cefuroxime입니다.
원래 용도는 호흡기 감염 질환 치료 용이지만, 2세대 중에서 유일하게 혈액-뇌 장벽(blood brain barrier)을 잘 통과하기 때문에 수막염 등의 중추 신경계 질환에도 쓰일 수 있습니다.

그런데, 정말 중요한 것은 cefuroxime이 가지고 있는 구조입니다.
앞서 설명했지만, R7에 갖춰진 methoxyimino기가 훗날 3세대 cephalosporin의 탄생에 절반의 지분을 제공하게 되기 때문입니다.
그리고 2세대 cephalosporin은 또 다른 세력이 있습니다.
지금까지 기술한 약제들(*Haemophilus-active* 2세대 cephalosporin)과 더불어 cephamycin이 있습니다.
어미의 -mycin이란 이름이 시사하듯이 1970년대 초 *Streptomyces lactamdurans*에서 추출된 것으로, 여기서 얻은 성분인 cephamycin C로 개발된 것이 cephamycin입니다.
이를 기본 틀로 하여 cefoxitin이 나왔고, cefotetan, cefminox 등이 속속 개발되었습니다.

이 약제들은 특히 *Bacteroides* 같은 그램 음성 혐기성균이 내는 beta-lactamase에 잘 견디기 때문에 복강내 감염 같은 혐기성 균 감염의 치료에 진가를 발휘합니다. 그래서 cephamycin을 일명 *Bacteroides-active cephalosporin*이라 부르기도 합니다. 외과 선생님들께서 개복 수술 시에 수술 전 예방적 항생제로 애용하시는 이유가 바로 이것입니다.

이들 cephamycin 중에서 일본 Takeda에서 나온 cefotiam은 aminothiazole 구조가 cefuroxime의 구조와 융합되어 제3세대 cephalosporin이 만들어지는 산파가 됩니다.
이런 면에서 2세대는 과도기적인 항생제라고 볼 수 있습니다.

경구 약제로는 cefaclor, cefprozil, cefuroxime axetil, Loracarbef 등이 있습니다.

## 제3세대



3세대로 먼저 나온 것이 cefotaxime이며, 이후 ceftizoxime이 나오고, ceftriaxone이 나옵니다.
필자가 전공의 시절이던 1980년대 중반에 나온 ceftriaxone은 당시로선 상당한 sensation이었지요. 넓은 항균 범위는 기본이고, 높은 혈액 내 단백질 결합률에 의해, 그때까지 나온 그 어느 cephalosporin 항생제들 보다 몸 속에서 훨씬 오래 버티면서 꾸준히 일을 합니다. 이것이 의미하는 것은?
하루 한 번만 줘도 충분하다는 점이 매력 포인트였습니다. 물론 수막염이나 심한 패혈증일 경우는 하루 두 번.
그래도 흔히 항생제는 하루 4번 정도 투여해야 하던 고정 관념을 깬 것이니, 필자를 비롯한 내과 전공의들이 얼마나 환상적이라고 반겼겠습니까? 그래서 특히 내과 선생님들이 경험적 항생제 사용 시 가장 선호하게 되었고, 이는 오늘날에도 그러합니다.

이들 3세대 항생제들은 그람 음성뿐 아니라 penicillin 내성 폐렴알균 같은 그람 양성균에도 유효해서, 처음 대면하게 되는 감염 환자들에서 아직 배양 결과가 나오기 전까지는 웬만하면 우선적으로 쓰는 경우가 이때부터 시작되었던 것 같습니다.
그런데, ceftriaxone, cefotaxime 등은 아직 녹농균에는 효과가 신통치는 않았습니다.
이 과제는 ceftazidime, cefoperazone, moxalactam이 나와서 해결됩니다.

녹농균 잡는 3세대로 제일 먼저 나온 건 cefoperazone이고, 현재 가장 선호되는 것은 ceftazidime입니다.

먼저, cefo**PERA**zone은 과거의 항 녹농균 페니실린인 pi**PERA**cillin의 구조를 cephalosporin에 이식한 것이라서 Piperacillin의 항 녹농균 성질을 이어가게 된 것입니다. 제가 전공의 시절에는 신 기능에 영향이 없다는 장점 때문에 특히 신기능 이상 환자에서 애용을 했었습니다. 그러나, 오늘날 cefoperazone이나 piperacillin이나 액면 그대로 녹농균에 사용해서는 큰 효과를 기대하긴 어렵습니다.
그래서 cefoperazone은 sulbactam이 결합한 sulperazon으로, piperacillin은 tazobactam을 붙인 Tazocin의 형태로 사용되고 있습니다.
결국 sulperazon과 Tazocin은 사촌지간인 셈입니다.

Ceftazidime에는 식초 성분(dimethyl acetic acid)이 붙어 있고 이것이 녹농균에 작용하는 핵심 무기입니다.
식초, 즉 acetic acid는 ceftazidime이 나오기 훨씬 전인 1960년대에 이미 녹농균에 의한 상처 감염 합병증 치료에 효과가 있는 소독제였습니다. 식초는 근본적으로 산이기 때문에 녹농균을 만나면 가차없이 공격합니다.

경구 약제로는 cefdinir, cefixime, ceftibuten, cefpodoxime proxetil, cefditoren 등이 있습니다.

## 제4세대

1992년에 4세대 cefpirome, 1994년에 cefepime이 나오는데, 이는 구조 면에서 quaternary ammonium이 붙어서 항균 작용을 함과 동시에 양성 전하를 띕니다. 그리고 기존의 carboxylate가 음전하를 띕니다.
그 결과 한쪽엔 양전하, 반대쪽엔 음전하를 띠는 zwitter ion 혹은 dipole ion 구조가 됩니다.
이런 구조로 인해 전하가 상쇄되어 net charge가 0이 되고, lipophilicity가 높아져서 지질로 이뤄진 세포막을 수월하게 통과함으로써 3세대보다 세균 세포 내로 더 빠르게 들어갈 수 있는 것입니다.
AmpC beta-lactamase에 버티는 맷집이 우수하며, 그람 양성균에 대해서도 괜찮은 효과를 보입니다.
혐기성 균에 대해서는 썩 우수하지는 못해서, 항 혐기 항생제와 같이 쓰는 것이 좋습니다.

## 제5세대

2010년에 나온 5세대 cephalosporin인 ceftaroline은 MRSA까지 잡을 수 있는 광범위 항생제입니다.
이러한 능력은 MRSA의 변형된 PBP인 PBP2a에도 잘 달라붙는 데에 기인합니다.
동시대에 나온 ceftobiprole도 MRSA를 잡는 5세대입니다.
이들은 PBP2a에 접촉하여 PBP 구조 자체를 파헤쳐서 그 동안 숨기고 있던 결합 부위를 노출시켜 달라 붙는 것으로 추정하고 있습니다.

이 5세대는 기존 3, 4세대가 자랑하는 그람 양성, 음성균에 대한 넓은 항균 범위에 추가하여 MRSA, VISA, 심지어는 VRSA까지 치료 대상으로 삼을 수 있습니다. 그리고 beta-lactamase에도 잘 버티는 맷집을 갖고 있어서 다제 내성균에도 유용합니다.

(4) Beta-lactamase inhibitors

## 1세대 beta-lactamase

페니실린 내성은 일단은 penicillinase에 의한 것입니다.
Penicillinase가 발견된 것은 심지어 페니실린 제품이 정식 시판되기도 전이었습니다.
1940년에 Abraham과 Chain이 *Escherichia coli*에서 penicillinase를 발견했으며, 1944년엔 Kirby가 황색 포도알균에서 penicillinase를 발견합니다. 그리고 나서야 페니실린이 인류에게 소개가 됩니다. 쓰면 쓰는 만큼 내성균들만 살아 남는 건 당연지사.
그 결과, 1950년대에는 이미 거의 대부분의 황색 포도알균이 penicillinase로 무장하게 되었습니다.

따라서 penicillinase를 극복하는 것은 시대의 요구였던 셈이고, 앞에서 기술한 대로 6-aminopenicillanic acid 구조를 기반으로 penicillinase에 잘 견디는 methicillin, isoxazolyl penicillin이 개발됩니다. 그러나, 세균이 페니실린을 깨는 무기는 penicillinase가 전부가 아니었습니다. 곧이어 나오는 MRSA는 차치하고라도, penicillin 억제 효소는 더 다양하게 발견됩니다.
이를 통칭하여 beta-lactamase라 합니다.

따라서 penicillinase에 견디는 penicillin만으로는 한계에 부딪힐 수밖에 없었습니다.

그렇다면 어떻게 대처해야 했을까요?

우선적으로 아예 직접 정면 대결해서 이겨 버리는 방침을 선택했습니다.

다시 말해서, 항생제를 무력화시키는 효소를 직접 억제해버리겠다는 것.

이에 beta-lactamase 억제제 개발이 시작됩니다.

오랜 집중 연구 끝에 마침내 1976년에 *Streptomyces clavuligerus*에서 olivanic acid를 발견하고, 이를 기반으로 하여 곧 이어 최초의 beta-lactamase 억제제인 clavulanic acid 가 나옵니다.

Olivanic acid의 발견은 beta-lactamase 억제제 개발에만 의의가 있는 것이 아니었습니다.

Olivanic acid 구조 자체는 황(S)만 빠진 beta-lactam 유사체였으며, 같은 뿌리에서 clavulanic acid만 나온 것이 아니고, 장차 큰 일을 하게 되는 carbapenem까지 탄생시키게 됩니다.

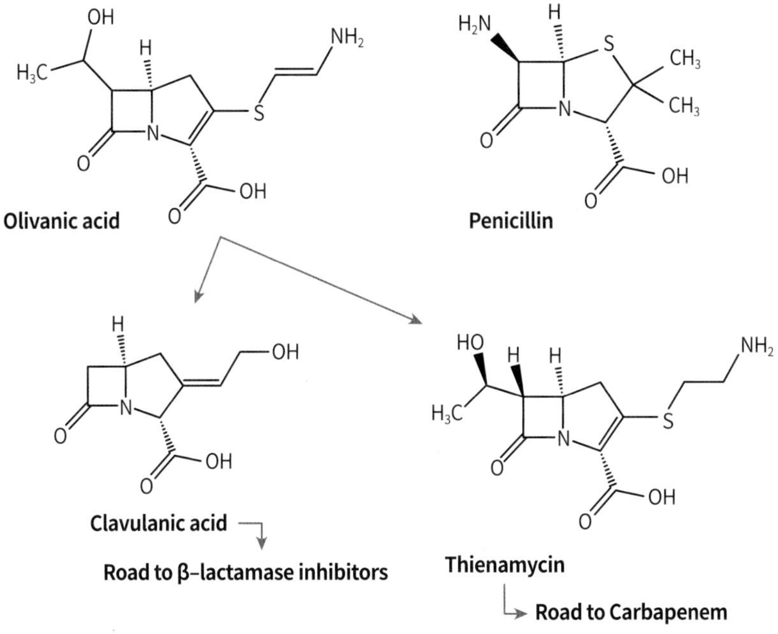

Clavulanic acid는 beta-lactam의 외양을 하고 있지만(oxapenam 구조) 항생제로서의 기능은 없습니다.
Amoxicillin과 결합한 amoxicillin-clavulanate로 쓰이며, beta-lactamase를 만나면 곧장 결합하여 떨어지지 않는 너 죽고 나 죽자 동반 자살을 꾀함으로써 amoxicillin이 견제 없이 마음껏 활동하게끔 해 줍니다. 주로 class A beta-lactamase 를 억제하고 C, D 에는 별 작용을 못하며 B (metallo-beta-lactamase) 에는 아예 작용을 못 합니다. 황색 포도알균, *E. coli*, *Klebsiella pneumoniae*, *Proteus mirabilis* 등에 치료 효과를 보이는 반면, *P. aeruginosa*, *Serratia marcescens*, *Enterobacter*, *Citrobacter*가 내는 beta-lactamase에는 별 효과가 없습니다.

이렇게 clavulanic acid로 시작된 beta-lactamase 억제제 개발은 이후 지속되어 후속작으로 1978년에는 sulfone을 붙인 sulbactam이 나옵니다.
비록 clavulanic acid와 비교하여 작용 범위는 넓어졌으나 beta-lactamase를 억제하는 능력은 좀 떨어졌습니다. 이는 기존 ampicillin의 항균 범위를 넓힌 ampicillin/sulbactam (1.0 g : 0.5 g)으로 출시되었으며, cefoperazone에 붙인 sulperazon도 개발됩니다.

이 sulbactam에서 더 발전시켜서 triazole기를 붙인 triazo-bactam, 줄여서 tazobactam이 1982년에 나왔습니다. Sulbactam과 항균 범위가 거의 같았으며 beta-lactamase를 억제하는 능력은 clavulanic acid와 대등하였습니다. 이는 1993년에 piperacillin/tazobactam (12 g:1.5 g)으로 출시됩니다. 기존 piperacillin이 담당하던 녹농균에 대한 효과를 향상함과 동시에 항균 범위를 넓힙니다.

그리고 2014년에 ceftolozane/tazobactam (2:1, Zerbaxa)이 출시됩니다.
Ceftolozane 자체가 ceftazidime보다 AmpC beta-lactamase에 잘 견디는 장

점에 tazobactam의 장점을 보탠 셈인데, 현재까지의 보고에 의하면 carbapenem이 안 듣는 녹농균의 약 2/3, ESBL 균의 대다수에 효과가 있는 것으로 알려져 있습니다. 그러나 여전히 *Klebsiella pneumoniae*가 내는 KPC 효소, 그리고 metallo-beta-lactamase에는 별 효과를 발휘하지 못합니다.



여기까지가 1세대 beta-lactamase 억제제라 할 수 있는데, 작용 범위 면에서 class A serine beta-lactamase에 거의 국한되어 있고, class B, C, D에는 한계를 보였습니다. 이에 새로운 beta-lactamase inhibitor의 개발이 절실해지고 있었습니다.

## 차세대 beta-lactamase

Avibactam은 기존 beta-lactamase 억제제의 패러다임을 극복한 첫 억제제입니다.
일단 beta-lactam ring 구조가 아닙니다.
Diaza-bicyclo-octane (DBO)의 구조를 가지고 있는데, 엇갈린 고리 두 개를 핵심 뼈대로 하고 있습니다(heterocyclic core). 이 핵심 뼈대가 beta-lactamase를 겨냥해서 공격하는 선봉입니다(nucleophilic acylator).

또 하나 기존 beta-lactamase 억제제와 다른 점은 beta-lactamase를 공격한 다음의 과정입니다. 기존 억제제는 거의 영구적으로 달라 붙어서 떨어지지 않는 반면(너 죽고 나 죽자 동반 자살 전법; suicidal inhibition), 이 avibactam은 beta-lactamase를 고장내고 나면 원래 모양 그대로 쏙 빠져 나와서 다음 beta-lactamase를 찾아 달려듭니다(reversible inhibition). 즉, 재활용이 끝없이 계속되기 때문에 beta-lactamase 여럿을 혼자서 다 처치한다는 것. 따라서 기존 억제제보다 효율과 능력이 훨씬 좋습니다.

이는 ceftazidime/avibactam (4:1)으로 2015년에 첫 선을 보입니다. Avibactam이 가세함으로 인해, 기존의 ceftazidime이 관장하던 범위가 더 넓어집니다. Class A, C, D beta-lactamase에 대처할 수 있는데, 특히 ESBL, KPC, OXA-48 carbapenemase 내는 균까지 치료가 가능해집니다. 그러나 여전히 metallo-beta-lactamase (MBL)에는 안 듣습니다.

현재 MBL 억제제로는 현재까지는 aztreonam/avibactam이 나와 있습니다. 원래 monobactam계열이 MBL에 잘 견디지만, ESBL이나 KPC 등에는 약합니다.
이런 단점을 avibactam과 결합하여 보완한다면?
항균 범위가 그야말로 광범위가 될 것입니다.
그런 면에서 아직 검증 중이긴 하나 주목해 볼 가치가 있습니다.

이 밖에 5세대 ceftaroline/avibactam도 검증 과정에 있습니다.

그리고 avibactam의 사촌 격으로 relebactam이 있습니다.
기존 avibactam 구조에서 두 번째 탄소의 carbonyl group에 piperidine ring이 추가되어 있습니다.
그 결과 beta-lactamase 억제 기능에 더해서, 세균이 세포막에 장치한 펌프가 퍼내지 못하도록 저항하는 능력도 갖추게 되었습니다. 이는 imipenem/relebactam으로 검증 중에 있습니다.

Vaborbactam도 beta-lactam 구조를 하고 있지 않은 억제제로, 핵심은 구조 안에 있는 boronic acid입니다.

이것이 carbapenemase에 있는 serine과 반응을 하여 carbapenemase를 무력화시킵니다.
비록 NDM-1 같은 class B metallo carbapenemase에는 효과를 기대할 수는 없으나, class A (KPC), class C (AmpC), 그리고 class D OXA에 효과가 있습니다. 그래서 meropenem과 combination을 해서 사용하면 CRE 에 유용하게 쓰일 수 있을 것으로 기대되고 있습니다.



### (5) Carbapenems

Carbapenem은 현재까지는 beta-lactam 중엔 최종병기입니다. 비록 carbapenemase를 비롯한 각종 다제 내성들에 의해 흠집이 나고 있지만 말이죠. 그래서 섣불리 처음부터 쓰는 건 미련한 짓이며, 신중하게 아끼고 또 아껴서 써야 합니다.

당장 두드러지는 특징으로, 웬만한 beta-lactamases쯤은 carbapenem에게 상대가 안 됩니다. 대표적인 예로 ESBL이 아무리 소나기 공격을 퍼 부어도 carbapenem에겐 안 통합니다.
앞서 beta-lactamase inhibitor에서 언급했듯이, 애시당초 carbapenem 자체가 clavulanic acid와 함께 1976년 최초의 beta-lactamase 억제제로서 추출된 olivanic acid의 후손이기 때문일 겁니다.

*Streptomyces cattleya*에서 나온 thienamycin은 beta-lactam 기본 구조와는 다르게 6번 탄소에 ethoxy (hydroxyethyl)기가 붙어 있고, 1번 황이 탄소로 바뀌어 있습니다. 그리고 2번과 3번 탄소 사이가 불포화, 즉 이중 결합입니다. 포화되었으면 penam 구조이지만 불포화면 penem이 됩니다. 이렇게 탄소가 위치하고(carba-), 이중 결합(penem)으로 구성되어 carba + penem, 즉 carbapenem이란 명칭이 이렇게 붙게 되었습니다. 그리고 Hydroxyethyl기의 존재로 인해 웬만한 beta-lactamase에는 끄떡도 안 하는 큰 덩치와 탄탄한 맷

집을 갖추게 됩니다(steric hindrance).

최초의 carbapenem은 imipenem입니다.
지금껏 나온 beta-lactams 중에 가장 넓은 항균 범위를 과시했으나, 인체에 들어가면 renal dehydropeptidase-1 (DHP-1)에 의해 다 깨져버린다는 문제점을 가지고 있었습니다. 이는 cilastatin을 보호자로 붙임으로써 해결되었습니다.
그리하여 1985년 Imipenem/cilastatin으로 처음 세상에 선을 보입니다.

이후 1996년 Meropenem이 나옵니다. 이 약제는 imipenem과는 달리 1번 탄소에 methyl을 붙여서 DHP-1 문제를 해결했으며(cilastatin 붙일 필요가 없게 됨), 2번에 pyrrolidine ring을 붙여서 안정성을 상화하고 항균 범위도 넓혔습니다. 그리고 imipenem에서 드물게 나타나던 경련 유발 문제도 해결하였습니다.

이후 하루 한 번 줄 수 있는 ertapenem이 나옵니다.
그런데 carbapenem이되, 녹농균에는 효과가 없습니다.
이는 얼핏 보면 취약점으로 간주될 수도 있지만, 시각을 좀 바꿔서 볼 수도 있어요.
즉, 이로 인해 녹농균에 대해 사용하지 않게 되므로 그만큼 내성 녹농균의 선택 기회를 감소시키는 반사 이익도 얻을 수 있다는 것입니다.
2007년엔 doripenem이 나옵니다.

2018년 현재 새로운 carbapenem 종류들이 개발 중에 있는데, MRSA에 듣는 carbapenem, 경구로 먹을 수 있는 carbapenem (pivoxil을 붙여서 장 흡수가 잘 되도록 한 것입니다. 마치 cefditoren pivoxil이나 tenofovir disoproxil fumarate에 적용한 방침과 흡사), 그리고 tricyclic beta-lactam도 검증 중에 있습니다.

### (6) Monobactams

Aztreonam은 monobactam으로 분류되는 beta-lactam으로 이름 그대로 thiazole ring 없이 lactam ring만 외로이 중심을 잡고 있는 항생제입니다.

Aztreonam은 구조적으로 MBL에 강할 수밖에 없습니다. Lactam ring의 질소에 달라 붙어 있는 sulfonate기가 MBL의 핵심 멤버인 zinc 이온을 막아 서서 몸빵으로 저지하기 때문입니다. 그래서 MBL이 미처 lactam ring까지 마수를 뻗지 못합니다.

Aztreonam은 철저하게 *P. aeruginosa*를 비롯한 그람 음성균에만 듣습니다. 그람 양성균과 혐기성 균이 지닌 PBP에는 잘 달라 붙지 못하기 때문입니다.

## 2) Glycopeptides & lipoglycopeptides

Glycopeptide의 작용 기전은 세포벽에 작용하되 PBP를 목표물로 삼는 beta-lactam 항생제와는 달리, 세포벽의 벽돌에 해당하는 D-alanine-D-alanine (D-ala-D-ala)를 표적으로 삼습니다.

여기에 결합함으로써 NAG-NAM 반복 중합체 형성에 관여하는 glycosyl 전이효소(glycosyltransferase)의 작용에 훼방을 놓지요. 그 결과로 세포벽 합성은 중단됨으로써 세균이 죽고 맙니다.

첫 glycopeptide인 vancomycin은 1950년대 보르네오에서 채취한 흙 속에서 배양된 *Streptomyces orientalis*(훗날 *Amylolatopsis orientalis*로 개명)로부터 분리된 항생 물질로, 정복한다는 뜻인 vanquish라는 단어에서 따와서 붙여준 이름입니다.

이 약제는 1958년에 FDA의 승인을 받고 시판되기는 했으나 50년대의 정제기술의 한계 탓인지는 몰라도, 초기의 vancomycin은 순도가 불량하기 짝이 없었고, 겉보기에도 갈색의 걸쭉한 액체로 상당히 지저분했습니다. 초기 vancomycin의 별명이 미시시피의 진흙(Mississippi mud)이었습니다. 이름 그대로 미시시피 강변의 진흙을 이르는 말이며, 흙과 물, 그리고 금속 물질(석회 성분은 없음)까지 합해져서 진한 갈색을 띠게 되어서 붙은 별명입니다. 그만큼 순도가 별로 좋지 않았다는 얘기입니다.
정제가 잘 안 되어 있으니 투여 시 두드러기 등의 부작용(Red man syndrome)과 더불어 콩팥 및 청각 손상 합병증이 꽤 빈번했습니다. 거기에다, 당시 포도알균 치료제로 나왔던 nafcillin이나 cloxacillin이 더 우수한 치료 효과를 보이고 있었기 때문에 vancomycin이 끼어들 자리가 없었습니다. 그래서 methicillin 내성 황색 포도알균(MRSA)의 등장으로 다시 되살아나기 전까지 거의 30여 년 가까이 잊혀진 존재로 지냅니다.

그러나 근래 들어 MRSA의 창궐로 뒤늦게 전성기를 구가하기 시작했으며, 과거보다 정제 기술도 좋아져서 최소한 미시시피 진흙 수준은 극복했지만 여전히 콩팥 독성과 청력 손상은 주요 부작용으로 괴롭히고 있습니다. 그리고 급하게 주입할 경우 마치 allergy 처럼 온 몸에 두드러기가 돋는 Red man syndrome 도 여전한 문제입니다.

이들 문제는 아직 완벽하지는 못해도 후속 glycopeptide에서는 어느 정도 해결이 되어, 빈도가 덜하긴 합니다.

Vancomycin의 후배 약제가 나오기까지는 비교적 많은 세월이 흘러서, 1988년에 가서야 *Actinoplanes teichomyceticus*에서 추출한 teicoplanin이 나오게 됩니다.
미국 FDA에서는 vancomycin만으로도 충분하다고 여겼는지 teicoplanin을 현재까지 승인하지 않고 있습니다.
Vancomycin이 red man syndrome을 일으키는 이유는 IgE 와는 무관하게(그래서 allergy가 아닙니다) mast cell에 직접 작용해서 히스타민 등의 물질을 뱉어 내게 하기 때문이며, 신 독성 등을 일으키는 이유는 세포에 작용하여 oxidative phosphorylation 작업량을 올리기 때문입니다. 아시다시피 oxidative

phosphorylation은 Krebs cycle의 명맥을 이어 받아 진짜 중요한 일을 해 냅니다. 우리가 살아있게 해주는 에너지인 ATP를 잔뜩 만들어 내는 것이죠. 그런데, 이 와중에 동시적으로 또 한 가지 조용히 돌아가는 작업이 있으니, 바로 산소를 물로 환원시키는 일입니다(이렇게 함으로써 호흡이 완성됨). 이 과정에서 본의 아니게 radical이 과잉 생성되어 세포에 손상을 줌으로써 신 독성이나 청력 손상이 초래됩니다.



반면에, Teicoplanin은 vancomycin보다는 red man syndrome이나 신 독성, 청력 손상 등의 부작용 빈도가 낮습니다.

그렇다면 teicoplanin은 왜 vancomycin보다 이들 부작용이 적을까요?

이는 완전히 규명되어 있지는 않으나, 적어도 teicoplanin은 mast cell에 직접 작용하지는 않으며, oxidative phosphorylation에 끼치는 영향도 적기 때문일 것으로 추정되고 있습니다.

나중에 약리 약동학 대목에서 다루겠지만, vancomycin은 concentration-dependent 항생제입니다. 가장 최적의 MRSA 치료 효과를 보기 위해서는 AUC/MIC ratio가 400을 넘어야 합니다. 이 수치를 추정할 수 있는 지표가 trough level이며 15-20 μg/mL 정도를 잘 유지하면 됩니다. 또한 vancomycin의 부작용인 신 독성을 예방하기 위한 지표이기도 한데, 농도가 20 μg/mL을 넘지 않도록 신경써야 하는 등, therapeutic drug monitoring (TDM)을 병행하면서 치료해야 합니다.

Vancomycin은 경구로 줘도 장에서 흡수가 안된다는 점을 역이용해서 *Clostridioides difficile* 감염 치료에 쓰이기도 합니다.

이후 후속작들인 lipoglycopeptide가 나옵니다.
Lipoglycopeptides란 기존의 glycopeptide 구조에 fatty acid를 잔뜩 붙여서 (세포막과 유사한 lipid 구조) 만든 것입니다. 이게 무슨 의미인고 하니, 화학계통에서 흔히 언급되는 격언인 "Like dissolves like" 원리입니다.
Hydrophilic chemical은 hydrophilic과만 어울리고, hydrophobic은 hydrophobic에게만 녹고, lipophilic은 lipophilic하고만 놉니다. 따라서 이렇게 lipid로 무장했으면 lipid 구조에 특히 잘 파고들 수 있습니다.
그 결과, 기존의 glycopeptide보다 조직 침투성이 더 좋습니다. 작용 기전은 기존 glycopeptide와 동일하게 세포벽 합성 방해이지만, 이에 더해서 탈분극 (depolarization)을 통해 세균 세포막을 터뜨려 버리는 기전도 가지고 있습니다.

2009년에 telavancin이 승인되었으며, 2014년에 dalbavancin 그리고 oritavancin이 승인됩니다.
항균 범위는 vancomycin과 유사하면서 vancomycin intermediate 내지 resistant 그람 양성균에도 효과를 보입니다.

Vancomycin을 비롯한 glycopeptide는 그람 양성균에는 효과적이지만 그람 음성균에는 잘 듣지 않습니다.
그 이유는 크게 두 가지로 설명이 됩니다.

첫째로, 그람 음성균은 porin을 통해 외부 물질을 받아들이는데, 보통 600 dalton (Da)까지가 한계입니다. 그런데, vancomycin은 1,500 Da에 달하는 거대한 물질이라 그람 음성균 세포 내로 들어가기가 마땅치 않습니다.
둘째로, 설사 그람 음성균 세포 내로 들어가는 데 성공한다 하더라도 역시 만족스러운 효과를 기대하기 어렵습니다. 그람 음성균은 양성균과는 다른 구조를 갖고 있어서, 세포 벽이 매우 얇으며, 따라서 peptidoglycan도 그람 양성균과 비교해서 매우 얇습니다. 그래서 vancomycin이 peptidoglycan을 망가뜨리는 데 성공하더라도 그람 음성균의 생존 대세에 그리 큰 영향을 미치지 못합니다.



### 3) 기타

이 밖에 세포벽에 작용하는 항생제로는 bacitracin과 fosfomycin이 있습니다. 이들은 UDP-N-acetylglucosamine-3-enolpyruvyltransferase, 즉 MurNAc 효소의 작용을 억제함으로써 peptidoglycan 전구체 생성을 차단하여 세포벽 만드는 과정을 방해합니다.

Fosfomycin은 비뇨기 감염에 사용되는데, 방광염은 몰라도 신우신염에는 별 효과가 없습니다.

즐겨 쓰이는 항생제는 아니지만, 치료 가능한 spectrum에서 의외로 선전하는 항생제이기도 합니다. 그람 양성균에 효과를 보이는데, VRE에도 효능을 보일 수 있습니다. 그람 음성균에도 효과가 있으며, extended spectrum beta-lactamase를 내는 균에도 들을 수 있습니다. 하지만 *Acinetobacter baumannii*와 *Burkholderia* 종은 안 듣습니다. 한 마디로 다제 내성균의 시대에 재평가가 되고 있는 항생제입니다. 물론 사용 빈도가 늘어남에 비례해서 내성이 증가할 소지는 다분하다고 봅니다.

## 2. 세균 내 단백질 합성에 작용하는 항생제

세포벽 다음으로 항생제들이 바글바글 모이는 곳이 ribosome입니다. 세포 안에서의 단백질 합성은 ribosome에서 이루어지기 때문에, 단백질 합성을 표적으로 하는 항생제들 대부분도 자연히 ribosome에서 작용합니다. 크게 30S와 50S 단위의 ribosome에서 작용하는 항생제로 분류되는데, 30S에 작용하는 것이 aminoglycosides와 tetracycline이며, 나머지가 50S에 작용합니다. 단, mupirocin은 예외로, ribosome에 작용하는 것이 아니고 transfer RNA (tRNA)에 결합해서 단백질 합성을 방해합니다.

### 1) 30S ribosome에서 작용하는 항생제

먼저, aminoglycoside부터 다루어 봅시다.
Aminoglycoside는 이름 그대로 amino sugar가 glycosidic bond로 얽혀 있습니다.

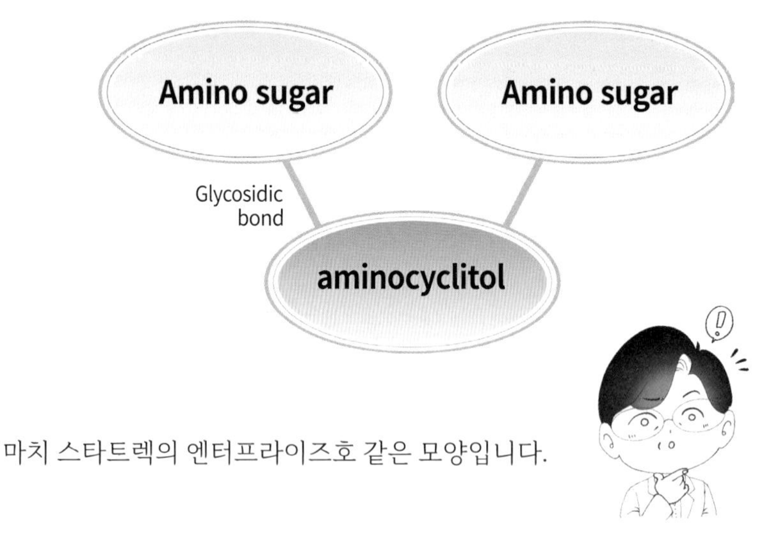


마치 스타트렉의 엔터프라이즈호 같은 모양입니다.

Aminoglycoside 가문은 크게 다음과 같이 4개로 분류됩니다:
Streptomycin, Neomycin, Kanamycin, Gentamicin.
그리고 이들 각각에서 다양한 aminoglycoside 제제들이 나오는데, streptomycin이 가장 먼저 개발되었고, Neomycin 가문에는 neomycin뿐 아니라 paromomycin도 있습니다.

일본에서 개발한 kanamycin계열로는 arbekacin, amikacin, tobramycin이 있고, gentamicin 계열에는 isepamicin, netilmicin, sisomicin이 있습니다.

Streptomycin은 Selman Waksmann과 Albert Schatz가 1943년 *Streptomyces griseus*에서 만들어냅니다. 구조 면에서 전반적으로 양성 전하를 띠기 때문에 자연스럽게 음성 전하가 있는 곳으로 달려듭니다. 거기가 어디냐 하면 바로 세균 표면입니다. 그리고 곧장 active transport 과정을 통해서 세균 세포 내로 들어갑니다(혐기성 균은 aminoglycoside를 안으로 들여보낼 energy가 충분하지는 않아 active transport를 못합니다. 그런 이유로 aminoglycoside가 혐기성 균에 대해서는 치료 효과가 신통치 않은 것입니다). 그 다음 단계로 세균 내부에서 또 만나게 되는 음성 전하를 띤 물질이 바로 RNA입니다. 그 결과 30S ribosome에 작용하여 mRNA의 번역을 망치고, peptide를 달고 있는 tRNA가 A site에서 P site로 자리를 옮기는 것(translocation)도 방해를 함으로써 세균의 peptide 생성이 제대로 진행이 안됩니다. 이것이 주요 기전인 것입니다.
음성 전하를 띤 구조물에 잘 달라 붙는다는 것이 세균에만 해당하는 것은 아니어서, 인체 내에서는 특히 신장이나 청각 기관에 있는 음성 전하를 띤 phospholipid에 매우 강하게 결합합니다. 그래서 aminoglycoside의 주요 부작용인 신 부전이나 청력 손상이 일어나는 것입니다.
그람 음성균 위주로 효과를 보이며, 특히 사상 처음으로 결핵균에도 듣는 항생제로 자리를 잡습니다.
지금은 결핵 치료의 1차 약제는 아닙니다만, 난치 내지 불치병으로 간주되던 당시만 해도 처음으로 결핵 치료의 희망을 열었다는 점에서 획기적인 일이었을 겁니다.

이후 1949년에는 *Streptomyces fradiae*에서 neomycin을 만들어냅니다.
이 계열에 속하는 것으로서 *S. krestomycenticus*를 통해 Paromomycin이 만들어집니다. 이 약제는 항생제라기보다는 항 기생충제제로서의 정체성을 가지게 되어 아메바를 비롯한 helminth 치료에 쓰이고 있습니다.

곧이어 전후 일본에서 우메자와 하마오(梅澤濱夫; Hamao Umezawa)에 의해 *S. kanamyceticus*로부터 streptomycin 내성균에도 듣는 항생제를 만들어 내는데, 그것이 바로 kanamycin입니다.
Kanamycin 계열에서 후속으로 나온 것이 arbekacin인데, 다른 aminoglycoside와는 다르게 그람 양성균, 특히 MRSA 치료에 탁월한 효과를 보입니다.
이후 amikacin이 나오고 *S. tenebrarius*로부터 tobramycin이 나옵니다.

*Streptomyces* 일색인 aminoglycoside계와는 다르게 새로운 출신 계열이 바로 *Micromonospora purpurea*를 발효시킨 끝에 추출한 gentamicin입니다. *Streptomyces*와는 달리 *Micromonospora* 계열의 마이신은 -mYcin이 아닌 -mIcin으로 명명되었습니다. 이후 isepamicin, netilmicin, sisomicin 등이 속속 개발됩니다.

Aminoglycoside 항생제는 신 독성과 이 독성이 가장 중요한 부작용입니다.
신 독성이 호발 하는 순위를 매기자면, neomycin > gentamicin ≒ tobramycin > amikacin > streptomycin입니다. 반면에 이 독성 순위는 Streptomycin ≒ gentamicin > tobramycin > amikacin > neomycin 순서입니다.

최근 aminoglycoside로 plazomicin이 있습니다.
이 -micin이라는 이름에서 유추할 수 있듯이 Micromonospora 계열이며, sisomicin의 자손입니다.
Ceftobiprole이나 daptomycin과 같이 쓰면 MRSA, 심지어 VRSA까지 효과가 있고, *Pseudomonas aeruginosa*, carbapenem 내성 *Acinetobacter*까지 듣는다는 보고들이 나오고 있습니다. 특히 최근 의료 관련 감염의 뜨거운 감자인 carbapenem 내성 Enterobacteriaceae (CRE)에 다른 aminoglycoside 종류들과 비교하여 탁월한 효과를 보이고 있어서 더욱 주목받고 있습니다. CRE는 근본적으로 carbapenem에 저항을 하는 것이기 때문에 aminoglycoside와는 무관할 것 같지만, 실제로는 carbapenem은 물론이요, aminoglycoside에도 잘 듣지 않는 다약제 내성을 보입니다. 그 이유는 CRE가 carbapenemase를 내는 내성 유전자뿐 아니라 aminoglycoside 파괴 효소(aminoglycoside modifyng enzyme, AME)를 만드는 유전자도 갖고 있기 때문이죠. 하지만 plazomicin은 웬만한 AME가 잘 듣지 않습니다. 그래서 carbapenemase의 작용과 무관한 항생제라는 유리한 조건에다가, 대부분의 AME에 잘 견딘다는 장점이 더해져서 CRE에 우수한 치료 효과를 보이는 것입니다. 단, 여전히 NDM-1과 같은 metallo-beta-lactamase를 내는 CRE에는 예외입니다. 그러므로, 다제 내성균 감염이 가장 큰 문제가 되고 있는 현 시점에서 우리가 갖출 수 있는 가능성 있는 무기로서 계속 주목해야 할 가치가 있습니다.

30S ribosome에 작용하는 또 다른 항생제로 tetracycline이 있습니다.
작용 기전은 30S ribosome의 16S ribosomal RNA (rRNA)에 가역적으로 결합하여 aminoacyl tRNA가 ribosome의 A 위치로 결합하는 것을 방해하는 것입니다.

Tetracycline은 4개(tetra)의 고리(cycline)로 이루어져 있으며, 정식 명칭은 hydro-naphthacene nucleus (tetracene)입니다.
1950년대에 *Streptomyces aureofaciens*로부터 황금색(aureo-)의 항생 물질이 추출되었는데, 이는 aureomycin이라 명명되었으며, 나중에 chlortetracycline으로 밝혀집니다. 여기서 chlorine을 제거한 것이 본격적인 tetracycline입니다. 이때부터는 *Streptomyces* 의존에서 벗어나 화학적으로 구조 변형을 가하면서 후속작들이 개발됩니다. 그래서 나온 것이 doxycycline과 minocycline입니다. 이들은 기존의 기전에 더해서 70S ribosome까지 침략할 수 있기 때문에, 세균뿐 아니라 원충(protozoa - 예를 들어 말라리아)까지 공략할 수 있습니다. 이 사실에서 알 수 있듯이 다른 항생제들보다 pyogenic bacteria에는 효과가 별로일 수는 있어도, 유효 범위를 살펴보면 은근히 오지랖이 넓다는 걸 알 수 있습니다. 말라리아뿐 아니라 MRSA를 비롯한 그람 양성균에 의한 피부 연조직 감염이나, 매독, leptospirosis, Lyme diseases, 비정형 폐렴, tsutsugamushi와 각종 리켓치아 감염증, *Chlamydia trachomatis* 감염증, *Nocardia*나 *Actinomyces* 감염, brucellosis, tularemia 등의 감염증들이 다 사정권 안에 있습니다.
Tetracycline 제제는 태아의 뼈 성장에 이상을 가져올 수 있기 때문에 임산부나 8세 미만의 소아에서는 금기입니다.

Tetracycline은 최근 차세대가 개발되면서 세균에 대한 치료 범위를 넓혔는데, 그것이 바로 glycylcycline (tigecycline)이며, 이는 minocycline에서 유래한 것입니다.
이는 tetracycline에 대한 세균의 내성 기전인 efflux pump를 극복하려는 의도에서 개발되었습니다. 구조적으로 기존의 minocycline에 비하여 덩치를 크게 키워서 efflux pump가 퍼내서 쫓아내기 어렵게 만들어버린 것이지요. 또한 반응성이 매우 좋아서 세균의 30S ribosome이 돌연변이를 일으켜서 모양을 바꿔도 아랑곳하지 않고 그냥 달라붙는, 기존 tetracycline보다 다섯 배 강한 결합력을 보입니다.
이렇게 침투력이 좋기 때문에, 인체에 들어오면 혈류에 머물지 않고 심부 조직 여기저기에 잘 파고 듭니다. 그래서 volume of distribution (Vd)가 kg 당 7-10 L나 나옵니다. 이게 장점이자 단점이 되는게, 그만큼 혈류에 유효 농도로 남아 있기 어렵기 때문에 역설적으로 혈류 감염이나 패혈증의 치료에는 오히려 효과가 떨어집니다.
그리고 efflux pump를 잘 극복하긴 하지만, *Pseudomonas aeruginosa*가 보유한 MexXY efflux pump에는 취약합니다. 그래서 *P. aeruginosa* 치료에는 효과가 없습니다.

공식적으로는 피부연조직 감염과 복강내 감염 치료제로 승인되어 있으며, 또한 colistin과 함께 carbapenem 내성균의 치료에 사용되고 있습니다.
Tigecycline에 이은 glycylcycline으로 eravacycline이 개발 과정에 있습니다만, 아직 더 검증이 필요합니다.

4강

**2) 50S ribosome에서 작용하는 항생제**

50S ribosome에서는 mRNA의 정보에 따라 tRNA가 아미노산 하나씩을 물고 와서 차곡차곡 붙여서 peptide를 만드는 작업이 진행됩니다.
아미노산을 물고 들어온 tRNA가 자리 잡을 좌석은 두 개가 있는데, 하나가 A site, 나머지 하나가 P site입니다. 이 두 자리에 차례차례 앉았다가 이동하면서 peptide 사슬이 한땀한땀 만들어지는 것입니다.
이 순서대로 50S ribosome에 작용하는 항생제들을 둘러보기로 하겠습니다.

먼저, chloramphenicol.

인터넷에 전해지는 우스개 이야기 중에 이런 게 있습니다. 만원 지하철 안에서 마침 자리가 나서 앉으려고 했더니, 저 멀리서 가방 하나가 날아와 그 자리에 터치 다운되고, 가방 주인이 쪼르르 달려와 차지하는 얄미운 일을 당했다는 거 말입니다. Chloramphenicol의 작용기전이 바로 이것과 똑같습니다. Chloramphenicol은 ribosome의 A site를 미리 차지해서, 아미노산 하나를 쥐고 들어온 tRNA가 앉을 소지를 없애버립니다. 결국은 peptide 생성이 시작도 못하고 원천 차단되는 셈입니다.

이 약제는 *Streptomyces venezuelae*에서 추출되었으며, 구조가 규명된 뒤 화학적으로 직접 만들어서 시판하게 됩니다. 시판 당시로서는 매우 광범위한 항균 범위를 보여서 널리 쓰였었습니다. 저 또한 전공의 시절에 자주 사용했던 항생제로, 특히 장티푸스 환자에게 사용하면 그날로 극적으로, 그리고 웬만한 항생제들보다 훨씬 빨리 열이 떨어졌던 사례들이 많았습니다. 문제는 심각한 독성이 많았다는 것이었죠.
이는 어쩔 수 없는 것이, 기본 구조인 nitrobenzene과 acetamide(대사되면 thioacetamide)가 혈액 및 골수, 간, 신장, 중추신경계에 해로운 물질이자 carcinogen의 소지가 높았거든요.

이 약제로 인해 생길 수 있는 부작용들, 예를 들어 재생불량성 빈혈, gray baby syndrome, 중추신경계 이상, 암 등으로 인해 점차 사용하는 빈도가 크게 줄어듭니다. 게다가 Chlormaphenicol이 쓰이는 질환마다 더 좋은 후배 항생제들이 속속 출현하여 입지가 더욱 좁아져서, 오늘날 임상에서는 거의 쓰이지 않게 되었습니다.

Oxazolidinone은 원래 우울증 치료제인 1970년대에 우울증 치료제인 monoamine oxidase 억제제(MAO inhibitor, MAOI)를 개발하던 중에 우연히 발견된 항생제 작용을 지닌 화학 물질입니다. 이를 기반으로 꾸준히 개발하던 끝에 2000년에 linezolid가 나옵니다.

Oxazolidinone도 50S ribosome의 23S rRNA에 결합합니다. 그런데, 이 약제는 peptide 사슬이 축적되어 늘어나는 것을 억제하는 기전이 주종인 종전의 단백 합성 억제제와는 달리, 아예 단백 합성이 시작되는 맨 첫 단계부터 억제합니다. 집회 결사의 자유를 막는 셈인데, 합성 첫 단계에서 ribosome들과 mRNA, tRNA들이 어우러져서 합성을 시작하려는 복합체(initiation complex) 자체를 원천적으로 차단합니다. 그리고 chloramphenicol처럼 A site를 선점하여 aminoacyl tRNA가 결합하는 것을 막아버립니다. 문제는 세균의 ribosome뿐 아니라 인간의 미토콘드리아에도 영향을 끼친다는 점이며, 이것이 oxazolidinone 항생제 부작용의 원인이 됩니다.

대표적인 부작용이 lactic acidosis, neuropathy, 그리고 serotonin 증후군입니다.

Lactic acidosis와 neuropathy의 경우는 원인 약제가 무엇이건 간에, 모두 미토콘드리아에서 비롯되었다고 보면 거의 틀림없지요.
그 결과 미토콘드리아에서 호흡 작용이 막대한 차질을 빚게 되어 산소 처리를 통한 에너지 생성이 차단됩니다. 그래서 산소가 필요하지 않은, 즉 혐기성 대사들로 재편성이 됨으로써 lactic acid가 대량 생성되는 것입니다. 혐기성 대사에서 생성되는 에너지는 기존 aerobic 대사에서 생성되는 에너지에 비해 그 양이 너무나 적습니다. 따라서 에너지를 써야 하는 세포 기관들이 제대로 기능을 수행하지 못하게 됩니다. 대표적으로 예민하게 반응하는 세포가 바로 신경 세포, 그 중에서도 시각 신경 세포입니다. 또한 linezolid 자체가 워낙 중추신경계로 잘 침투해 들어간다는 점에서도 이 문제는 가중됩니다.

Lactic acidosis는 평균 6주 이상 사용 시, 그리고 신경 이상은 평균 5개월 이상 사용 시 잘 생깁니다.
따지고 보면 장기 사용만 하지 않는다면 그리 걱정할 정도까지는 아닐 것이지만, serotonin 증후군은 또 다른 얘기가 됩니다. 평균 4일 정도면 나타날 수 있기 때문이죠.
태생적으로 linezolid는 원래 MAO 억제제였기에 serotonin 대사에 관여하는 능력이 남아 있습니다.
한 번 사용된 serotonin은 MAO에 의해서 처리되어야 하는데, 이 과정이 억제되면 serotonin 과잉이 초래됩니다. Serotonin이 가장 많은 곳이 장 점막이기 때문에, 설사 같은 증세로 먼저 나타날 수 있습니다.

더 심한 부작용들도 있는데, 크게 3가지 증상을 보입니다.
하나가 섬망 같은 의식 수준의 교란, 그리고 신경 근육계통 전달 장애로 인한 경련과 강직, 마지막으로 자율 신경 이상으로 인한 여러 증상들입니다. 특히 고체온증이 나타날 경우에는 생명이 위험할 수 있으므로 각별히 주의해야 하며 이때는 마취과 선생님의 도움을 받아 같이 봐야 합니다.
Linezolid는 vancomycin 내성 장알균(VRE)이나 vancomycin에 잘 안 듣는 황색 포도알균(VISA, 혹은 VRSA)을 필두로 웬만한 그람 양성균의 치료에 다 효과적입니다. 앞서 언급했듯이 약제 부작용 면에서 문제점들이 잠복하고 있지만, 최근 문제가 되고 있는 VRE나 VISA에 대항할 수 있는 무기로서 linezolid는 충분히 가치가 있습니다.

그리고, 여러분들이 특히 미워하는 lincosamides계열의 clindamycin이 있습니다.
Lincosamide는 50S ribosome의 23S rRNA에 결합하여 ribosome의 A와 P site 둘 다 차지하여 peptide bond 생성 기전을 방해합니다.
Lincosamide는 *Streptomyces lincolnensis*에서 추출되었습니다. 여기에 chlorine을 붙인 것이 clindamycin입니다(Cl을 붙인 Lincosamide니까).
이 약제는 화학 구조는 전혀 다르지만 작용 기전이 erythromycin과 거의 동일합니다. 그래서 용도 또한 erythromycin의 용도와 거의 일치합니다.
주로 호흡기 감염에 쓰이며, 특히 흡인성 폐렴, 즉 혐기성 균을 제압하는 용도가 주 특기입니다. 그람 양성균 내지 혐기성 균이 개입한 피부 연조직 감염에도 잘 사용됩니다. 또한 포도알균 같은 그람 양성균이 독소를 내는 것을 억제하는 능력이 있어서 toxic shock syndrome에 유용하게 쓰입니다.

그리고 doxycycline 못지않게 오지랖이 꽤 넓어요.
항생제인 주제에 세균 뿐 아니라 기생충(원충; protozoa)에도 효과를 발휘해서, 열대 말라리아, toxoplasmosis나 babesiosis에도 다른 약제와 합병하여 치료제로 쓸 수 있습니다. 또한 *Pneumocystis jiroveci* 감염증에도 2차 선택 약제로 쓸 수 있지요.

사실 clindamycin은 내과 선생님들에겐 비교적 비호감으로 찍혔습니다.
주요 부작용으로 *Clostridioides difficle* 대장염 같은 항생제 유발성 장염의 가장 흔한 원인이라고 학생 수업 시간에서부터 배우기 시작하기 때문에 애물단지라는 선입견을 갖게 되었죠. 그래서 임상에서 이 약을 쓰는 중에 설사가 생기면 '그러면 그렇지'하면서 다른 항생제로 바꾸곤 합니다. 그런데 알고 보면 clindamycin 입장에선 좀 억울한 면이 있어요.
*C. diffcile* 장염은 clindamycin 혼자서만 일으키는 것이 아니고, '모든' 항생제가 다 가능하거든요.
너무나 당연한 게, 항생제를 쓰면서 장내 미생물의 판도가 바뀌고 견제가 허술해지면서 *C. difficle*균이 쉽게 들어와서 정착할 수 있기 때문입니다. 실제로 beta-lactams나 quinolone 사용 후 합병되는 경우가 더 많습니다.

Macrolide는 *S. erythraeus*(훗날 *Saccharopolyspora erhthrae*로 개명)로부터 추출되어 만들어졌습니다. 세균의 50S ribosome의 23S rRNA에 달라 붙는데, peptide 사슬이 하나하나 만들어지면서 tRNA로 쌓이는 과정을 방해하며(peptidyltransferase), ribosome에서 mRNA를 해석하는 과정도 훼방 놓습니다. P site를 미리 차지하고 앉기 때문에, 바로 옆의 A site에서 기껏 다 만들어 놓은 peptide 사슬이 tRNA에 결합되지 못하게 함으로써 이 사슬이 ribosome을 나가지 못하게 합니다. 결국 세균의 ribosome과 거기에 몰려든 일꾼들은 헛심만 쓰고 아무런 성과도 못 내는 것이죠.

1세대가 erythromycin입니다만, 속 쓰림, 오심, 구토 등의 소화기 증상과 QTc prolongation 등의 부작용이 문제였고, 항균 spectrum도 그리 만족스럽지는 못했습니다.
이에 더욱 개선된 2세대 macrolide가 나오는데, clarithromycin, roxithromycin, azithromycin입니다.
이들은 선배보다 복용 후 속 부대끼는 게 덜하였고, 경구 생체이용률도 더 나았으며, 항균 spectrum도 더 넓어졌습니다.

기본적으로 호흡기 감염에 주로 쓰입니다. 폐렴알균이나 *Haemophilus influenzae* 등 외에도 특히 비정형 폐렴의 원인균인 *Chlamydia pneumoniae*, *Legionella pneumophila*, *Mycoplasma pneumoniae*에 유효합니다.

이것뿐만 아니라 nontuberculous *Mycobacterium* 감염, *Helicobacter pylori* 감염, 그리고 tsutsugamushi 병도 치료 범주에 있습니다.
페니실린 alllergy 때 우선 선택되는 대안이기도 합니다.
그람 음성균인 Enterobacteriaceae, *Pseudomonas* 종들, 그리고 *Acinetobacter* 종에는 원래 잘 듣지 않습니다만, 이는 다른 종류의 항생제로 커버하면 됩니다.
Erythromycin보다 부작용을 많이 해결했다고 하지만, 소화기 증세, 부정맥 등의 문제는 여전히 남아 있습니다. 간에서 CYP3A4를 억제함으로써 만약 benzodiazepine 계통이나, statin, warfarin, cyclosporine, tacrolimus 등을 병용하는 경우라면 쓸데없이 이들 약제의 혈중 농도가 높아질 수 있습니다. 단, azithromycin은 예외입니다.

3세대 macrollide가 ketolide (telithromycin)입니다.
기존 macrolide들 중에 가장 덩치가 커서, 세균의 macrolide 주요 내성 기전인 efflux pump가 이 약제에는 제대로 작동되지 못합니다. 거기에다 ribosome이 methylation으로 저항해도 아랑곳없이 가서 달라 붙는 장점도 발휘합니다. 또한 기존 macrolide의 주요 부작용 중 하나였던 ventricular arrhythmia (torsade de pointes)도 거의 일으키지 않습니다. 그러나 심각한 부작용이 이 3세대가 번성하는 데에 발목을 잡습니다. 치명적인 간 부전 부작용들이 많이 나타났기 때문이었습니다. 결국 이 약제는 여러 장점에도 불구하고, 치명적인 부작용들 때문에 제대로 쓰이지 못합니다.

Streptogramins 구성분 중 dalfopristin은 ribosome의 A와 P site 둘 다에 결합하며, quinupristin은 macrolide와 동일한 작용 기전을 보입니다. 항균 범위로는 MRSA를 비롯한 포도알균, 사슬알균, *Enterococcus faecium* (*E. faecalis*에는 효과 없습니다), *Corynebacterium* 종, *Listeria monocytogenes* 등입니다. 특히 vancomycin-resistant *E. faecium*에 사용됩니다. 주요 부작용은 관절통과 근육통입니다.

4강

Lefamulin은 pleuromutilin 계열의 약제로, 50S ribosome에서 peptidyl transferase에 결합하여 방해하는 기전으로 작용합니다. 미국과 유럽에서 지역사회 획득 폐렴에 사용이 승인되어 있습니다. MRSA, viridans streptococci, *E. faecium, Moraxella catarrhalis*에 유효합니다.

### 3) Mupirocin

Mupirocin은 tRNA 합성 효소를 놓고 isoleucine과 경합을 벌임으로써 궁극적으로는 isoleucyl tRNA가 양적으로 고갈되게 함으로써 단백 합성을 억제합니다. MRSA를 겨냥해서 피부 혹은 점막 감염에 연고로 도포하여 사용합니다.

## 3. Folate 합성 억제제

Folate 합성 억제제는 sulfonamide가 대표적인데, 앞서 언급했듯이 Domagk이 내놓은 최초의 sulfonamide인 prontosil은 인체 내로 들어가 대사가 되면서 sulfanilamide가 나옵니다. Sulfanilamide는 para-aminobenzoic acid(PABA)와 매우 닮은 모습을 하고 있습니다.

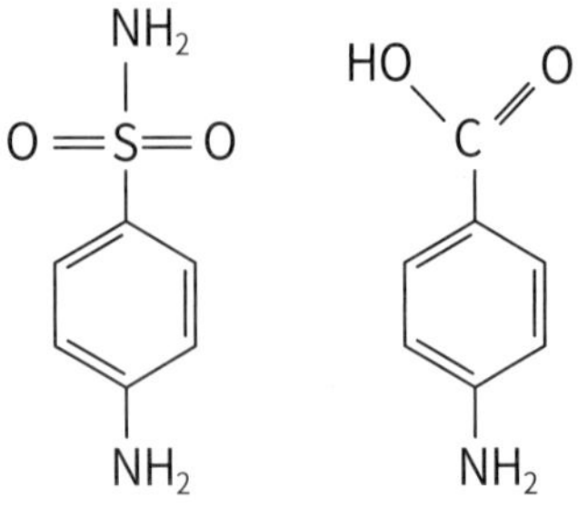

Sulfanilamide PABA

따라서 당연히 PABA가 활약하는 곳에 가서 경쟁이 불가피합니다.
조금 더 자세히 말하자면, dihydropteroate synthase를 놓고 PABA를 경쟁적으로 억제합니다.
그 결과, 세균은 DNA 생성으로 가는 첫 걸음부터 차질을 빚게 됩니다.
한편, 사람의 경우는 folic acid를 자체 합성하지 않고 음식을 통하여 직접 공급 받기 때문에 이러한 sulfanilamide의 방해 공작과는 아무런 상관이 없습니다. 그러므로 이론적으로 세균만 피해를 입지, 인체에 해를 끼칠 확률은 희박합니다.

Sulfonamide 이후에 trimethoprim이 나오는데, 이는 toxoplasmosis 치료 약제인 pyrimethamine과 유사한 모양을 하고 있습니다.
역시 그렇다면 하는 짓도 비슷하지 않을까 하는 생각이 자연스럽게 들지요? 
맞습니다.
Pyrimethamine은 원래 dihydrofolate reductase (DHFR)를 억제하여 DNA 생성 과정을 차단하는데, trimethoprim도 같은 작용을 합니다.
일견 서로 무관해 보이던 sulfomanide와 trimethorpim이었지만, folate 대사 과정 중 서로 가까운 거리에서 각각의 과녁에 작용한다는 점이 주목을 받게 됩니다. 그리하여 이 둘을 같이 사용하여 synergy를 얻을 수 있다는 사실을 알게 됩니다.

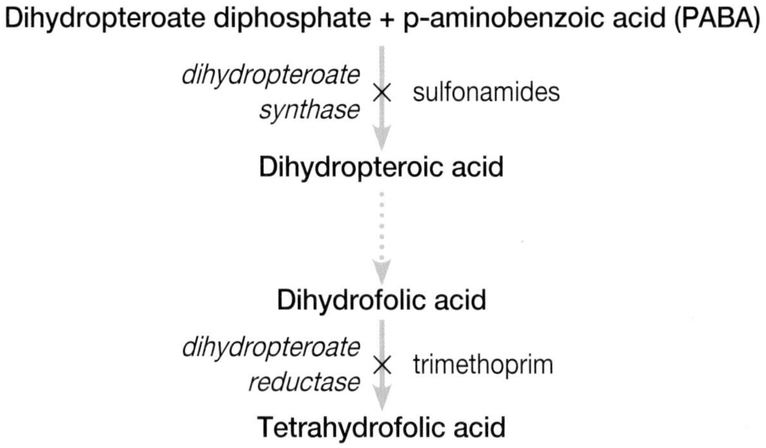

이를 계기로 결국 이 둘을 합친 제제인 trimethoprim/sulfamethoxazole(T-MP-SMX) 일명 bactrim 혹은 co-trimoxazole이 출시됩니다.
TMP-SMX는 1:5의 비율로 구성되어 있습니다. 기본이 80 mg/400 mg이며 이를 one single strength라는 단위로 부릅니다.

이 약제는 MRSA를 비롯한 그람 양성균과 그람 음성균, 그리고 특히 AIDS 환자의 대표적 합병증인 폐포자충 폐렴의 치료제로 유용하게 쓰이고 있습니다.
TMP/SMX는 1980년대 전공의 시절엔 장티푸스의 최우선 선택 약제로 쓰곤 했었으니, 정말 격세지감을 느낍니다. 하지만 이후부터 내성이 증가하여 사용 범주가 크게 줄어들었습니다.
현재는 비뇨생식기계 감염증 이외에 MRSA 치료제로 쓸 수 있는 경구 항생제로 가치가 있으며, *Nocardia*나 *Listeria, Stenotrophomonas maltophilia*, melioidosis 같은 좀 소수이되 골치 아픈 감염 질환들, 그리고 열대 말라리아, toxoplasmosis, 그리고 폐포자충 등의 치료에 쓰입니다.

또한 에이즈 환자에서 *Pneumocystis jirovecii* 감염에 대비한 예방 약제로 쓰입니다(덤으로 toxoplasmosis 예방도 되는 일석이조 효과).
혐기성 균이나 *P. aeruginosa*에는 듣지 않습니다.

주요 부작용으로는 속이 뒤집히는 수준의 소화기 증세, 그리고 심한 피부 발진이 있습니다. 특히 에이즈 환자에서 잘 나타납니다. 그 밖에 치료 기간이 길어지면 백혈구나 혈소판이 감소합니다. 고용량으로 사용 시(에이즈 환자에서 특히) 신독성과 전해질 이상(hyperkalemia, hyponatremia)이 문제가 됩니다.

현재까지 시중에 쓰이는 Sulfonamide는 다음과 같습니다.
작용 시간이 비교적 짧은 sulfonamide 제제가 조금 전에 설명한 TMP-SMX의 sulfamethoxazole, sulfadizine, sulfisoxazole 등입니다. 이들은 단독으로 쓰이기 보다는 다른 약제와 병합해서 사용됩니다.

작용 시간이 매우 긴 제제는 hypersensitivity 혹은 Stevens-Johnson syndrome 등의 심각한 문제 때문에 현재는 거의 쓰이지 않고 있습니다. 예외적으로 반감기가 무려 200여 시간에 달하는 sulfadoxine이 pyrimethamine과 함께 Fansidar라는 제품명으로 말라리아에 쓰입니다.

장 흡수가 거의 안 되어 소화기 질환에 쓰이는 제제들로 대표적인 것이 sulfasalazine (salicylazosulfapyridine)인데, 이는 장에 들어오면 sulfapyridine과 mesalamine (5-acetylsalicylate)으로 분해됩니다. 전자는 흡수되어 항생제로서의 소임을 다하고, 후자는 소염제로서의 역할을 함으로써 염증성 장질환에 사용됩니다.

그리고 요즘은 보기 어렵지만, 어린 시절만 해도 배탈나면 흔히 복용하곤 했던 가정 상비약, 소위 '구아니찡' 혹은 '다이아찡(sulfaguanidine)'도 이 범주에 해당하는 약입니다. 다이아찡은 광복 직후 우리나라에 미군들이 처음 갖고 들어왔으며 당시엔 웬만한 감염 질환에는 만병통치약이었다고 합니다. 페니실린은 6.25 전쟁 때 돼서야 들어왔습니다.



마지막으로 국소 도포용 연고제제가 있는데, 대표적인 약제로는 1960년에 나온 화상 치료제 silver sulfadiazine이 있습니다.

## 4. 핵산 억제 내지 손상

### 1) DNA 증식 과정 방해

Quinolones가 대표적입니다. Beta-lactam이나 ribosome에 작용하는 항생제들보다 비교적 후발 주자이지만, 현 시점에서는 사용량과 임상 적용에 있어서 사실상 주류에 올라섰습니다.
이는 세균의 gyrase와 topoisomerase IV를 억제함으로써 DNA 증식의 초기 단계를 억제합니다. 좀 더 자세히 들어가 보면, DNA 증식을 위해 얽혀 있던 세균 DNA 가닥들을 잠시 풀고, 증식을 하면서 그 와중에 생긴 꼬이고 꼬인 실타래들을 풀고 잇고 하는 과정을 못하게 하는 겁니다. 이 과정이 방해 받으면 DNA 가닥들은 도저히 풀 수 없게 얽혀서 결국 세균이 죽는다는 것이지요.

DNA는 두 가닥이 서로 얽혀 있는 구조이고(double helix), 대부분 오른쪽으로 돌아가 있습니다(right-handed helix). 잠시 가닥이 풀리면 반사적으로 꼬인 가닥이 또 꼬이는 supercoil, 혹은 negative supercoil이 생깁니다.

DNA gyrase (topoisomerase)는 두 가지 종류가 있습니다.
우선 type I topoisomerase는 얽혀있는 DNA 이중나선 중에서 나선 하나를 끊어줌으로써 이완시키고, 다시 이어주는 역할을 합니다만, quinolone의 기전에서 굳이 신경 쓸 필요는 없는 것입니다.
진짜 중요한 것은 type II topoisomerase.
이 type II topoisomerase에 해당하는 것이 DNA gyrase입니다.
이 효소는 DNA를 쥐어 감싸면서 negative supercoil을 조성하여 DNA 이중나선이 서로 분리되게 함으로써 증식 과정을 하도록 조성해 줍니다. 이는 부가적인 힘이 필요하기 때문에, 배터리로서 ATP를 소모하여야만 수행할 수 있습니다. 그리고 증식되고 있는 곳의 DNA polymerase complex 앞에 놓여서 진행을 방해하는 positive supercoil을 깨끗이 치워줍니다. 또한 DNA 이중 나선 가닥을 임시로 잘라서 벌려 놓고(type I topoisomerase와는 달리 이중 나선 2개를 다 자름), 나머지 DNA 이중 나선이 지나가게 한 다음에, 다시 이어 붙이는 기능을 수행합니다. 즉, 앞 장애물을 임시로 잘라서 DNA가닥이 지나가게 하고 다시 잇는 일을 합니다.
DNA gyrase는 A와 B 단위로 구성되어 있는데, A가 가닥 자르기(nick)와 다시 이어 붙이기(re-sealing)를, B가 나머지 가닥이 통과하도록(strand passage) 하는 기능을 합니다. Quinolone 제제는 gyrase A를 억제함으로써 바로 이 순간을 저지해버리는 것입니다. 그 결과, DNA 가닥들이 무질서하게 얽히고 매듭 지어진 것이 전혀 풀리지 않아서, DNA 증식은 엉망 진창이 되어 결국 세균이 죽음에 이르는 것이죠.

그런데, 실제로 세균을 죽이려면 효소 하나를 더 억제해야 합니다.
그것이 바로 topoisomerase IV이며 *parC*, *parE* 유전자가 만들어내는 효소입니다.
같은 부류인 gyrase와 하는 일이 비슷해서, positive supercoil의 제거, nick, strand passage, re-sealing 기능을 다 할 수 있으되, negative supercoiling을 조성해 주는 기능은 없습니다.

그 대신 gyrase보다 백배 더 잘하는 능력이 하나 있는데, 바로 서로 연결된 사슬을 풀어주는 능력(decatenation)입니다.

여러 군데에서 동시 다발로 증식이 이뤄지다 보면, 새로 증식된 가닥들이 서로 교차하다가 본의 아니게 매듭이 지어지고 입체적으로 얽히게 되지요. 그 결과 DNA 가닥 하나가 다른 DNA 가닥에게 마치 이동 격투기 기술처럼 암 바(arm bar)를 거는 불상사가 수시로 펼쳐집니다. 이렇게 arm bar가 걸린 모양을 catenane(環, 고리)이라 합니다.
Arm bar가 걸리면 풀어야죠.
이 환을 푸는 것을 decatenation이라 하는 것입니다.

다시 말해서, 앞서 언급한 nick 혹은 break는 DNA 어느 이중 나선 가닥 자체 내에서 일어나는 일이고(intramolecular), decatenation은 서로 다른 이중 나선들끼리(intermolecular) 얽힌 걸 풀어주는 기능입니다.

DNA gyrase와 topoisomerase IV의 미묘한 차이는 다음과 같이 요약됩니다.

| | Gyrase | Topoisomerase -IV |
|---|---|---|
| Relax positive supercoils | OK | OK |
| Introduce further negative supercoil | OK | No |
| Decatenation | Minor | Main |

즉, Quinolone은 세균의 gyrase와 topoisomerase IV를 둘 다 억제하는 것입니다.
참고로, 포유류의 경우는 topoisomerase II가 이들 효소의 역할을 하기 때문에 quinolone이 작용하지 못합니다.

대는 nalidixic acid와 oxolinic acid입니다.
그러나 1 세대는 곧 이어 나올 2세대에 비하여 항균 범위가 별로 넓지 않았기에 활발히 사용되지는 않았으며 오늘날에도 거의 잊혀졌습니다. 다만, nalidixic acid는 치료 용도보다는 quinolone 내성여부의 판단 지표로 더 의미 있게 사용되고 있습니다.
예를 들어 장티푸스에 ciprofloxacin을 쓰려고 할 때, 디스크 확산법으로 ciprofloxacin 내성 여부를 판정하는데, 문제는 국제 기준으로도 이것이 종종 부정확하다는 것입니다. 그래서 nalidixic acid에 대한 디스크 확산법도 동시에 수행하여 종합한 결과를 판정 기준으로 삼습니다. 만약 결과가 ciprofloxacin과 nalidixic acid 둘 다에서 감수성으로 나오면 ciprofloxacin을 쓰는 것이고, nalidixic acid에 내성으로 나오면 ciprofloxacin 결과가 감수성이라 하더라도 치료에 실패할 가능성이 적지 않으므로 다른 항생제를 고려해 보는 것이죠.
물론 이는 완벽하게 정확한 것은 아닙니다. 그렇지만 ciprofloxacin 하나만 가지고 판정하는 것 보다는 신뢰성이 더 높습니다.

2세대는 기존 구조에 불소(fluoride)를 붙이면서 시작됩니다. 그래서 2세대부터는 fluoroquinolone (FQ)로 부르게 됩니다.
전형적인 예로 1983년에 나온 ciprofloxacin을 들여다 봅시다.
불소를 붙임으로써 1세대에 비하여 그람 양성균에 대한 작용이 강화되었고, 7번 탄소에 piperazine기를 붙여서 녹농균을 비롯한 그람 음성균의 porin을 경유해서 잘 침투하게끔 해 줌으로써 anti-pseudomonal activity가 강화됩니다. 그래서 2세대부터 녹농균에 듣기 시작한 것입니다. 또한 1번 탄소에 붙은 삼각형인 cyclopropyl도 그람 음성균에 효과를 보이는 데 기여합니다.

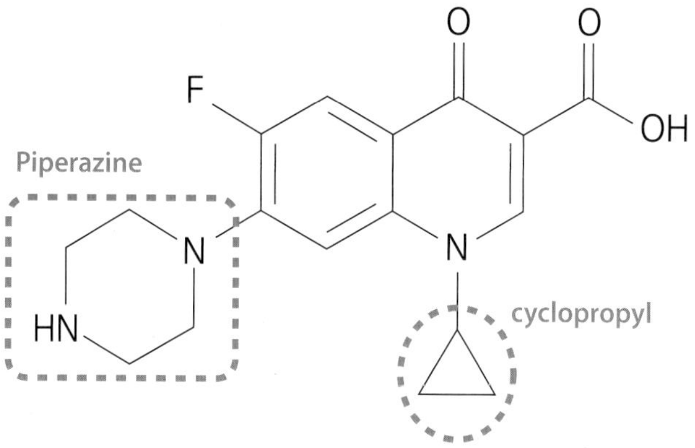

참고로 이 약제 이름의 유래는 다음과 같습니다: cyclopropyl이 붙고(cipro-), 기본적으로 fluoride가 붙으며(-fl-), 4번에 oxo가 붙고(-ox), 3번에 carboxylic acid가 붙음으로써(-acin), cipro + fl + ox + acin = ciprofloxacin이 되는 겁니다.

Ciprofloxacin은 제가 전공의로 근무하던 80년대 중반, 당시로선 혜성처럼 나타난 스타급 항생제였습니다.

항상 의료진을 속 썩이는 녹농균 치료에 있어서 주사제가 아닌 입으로 먹을 수 있는 항생제라니 얼마나 매력적이었겠어요.

Ciprofloxacin과 동시대를 풍미했던 것으로 ofloxacin이 있는데, 이는 호흡기 감염용으로 쓰이는 levofloxacin의 모체가 됩니다. Levofloxacin은 ofloxacin이 좌측으로 돌아간 이성질체입니다(levo는 좌측이란 뜻이죠).

기존 우파인 ofloxacin에 비하여 항균 능력이 훨씬 강했고, 드디어 폐렴알균 같은 그람 양성균에도 듣기 시작하였다는 데에 의의가 있습니다. 이 제품이 나올 당시에는 마침 페니실린 내성 폐렴알균의 문제가 세계적으로 가장 뜨거운 문제였습니다. 기존 3세대 cephalosporin과 glycopeptide로 싸우던 의료진은 3세대 FQ라는 훌륭한 무기를 하나 더 얻게 된 것입니다.

이후 grepafloxacin, tosufloxacin, sparfloxacin, gemifloxacin 등의 3세대 FQ 제품들이 속속 나옵니다.
그러나 이 3세대들은 오늘날 거의 다 시장에서 사라지고 levofloxacin만 남아 있습니다.
치명적인 부정맥인 torsades de pointes나(grepafloxacin), 광과민성 피부질환(sparfloxacin) 등의 부작용에 의하여 시장에서 철수된 탓도 있지만, gemifloxacin이나 tosufloxacin은 판매 부진과 진입 장벽으로 좌절이 된 안타까운 경우입니다.

이윽고 세기말에 이르러 4세대 FQ가 나옵니다.
4세대가 3세대와 비교해서 그람 양성균, 음성균에 대한 치료 효과가 더 나으며 특히 3세대가 어쩌지 못하는 혐기성 균도 잘 제압합니다. 다만 녹농균에 대해서는 효과가 썩 훌륭하지 못합니다. 사실 녹농균을 살상하는 능력은 2세대인 ciprofloxacin이 더 낫습니다.
맨 처음 나온 4세대가 trovafloxacin이고 효과도 탁월했습니다만, 치명적인 간 독성 등의 문제 때문에 시장에서 철수하게 됩니다.
한편, 또 다른 4세대 FQ인 Moxifloxacin이 나옵니다. 이 약제는 항결핵 치료에서 2차 약제로도 유용합니다.
유사한 구조를 가진 gatifloxacin도 출시되었으나, 체내 당 대사에 이상을 초래하는 부작용으로 인해 시장에서 도태되고 맙니다. 다만, 안과 점안 약으로는 쓰이고 있습니다.
현재는 moxifloxacin 외에 sitafloxacin, prulifloxacin 등이 나와 있습니다.
특히 delafloxacin은 MRSA에도 효과가 있으며 주로 피부 연조직 감염에 사용합니다.

FQ는 부작용 면에서 전반적으로 큰 말썽은 없는 편입니다만, 중추 신경계 침투율이 좋기 때문에 seizure나 neuropathy를 일으킬 소지가 있습니다. 그리고 매우 드물지만 면역저하 환자에서 아킬레스건 파열이 보고되었고, 대동맥 파열도 드문 부작용 중 하나로 등재되었습니다. Moxifloxacin은 QTc interval 연장의 소지가 있어서 부정맥 약을 복용하는 환자에서는 주의해야 합니다. 그런데, 다행히 제 경험상으로는 이런 드문 부작용들을 겪어보진 못했고 다른 선생님들도 겪으신 분이 거의 없습니다. 드문 부작용이라 하더라도 주의를 해야 하겠지만, 솔직히 실제로는 꽤 무난한 약제라고 생각합니다.

소아 청소년과의 경우는 관절에 문제가 생길 수 있어서 사용을 지양한다고 합니다만, 꼭 철칙은 아니라고 하시더군요.



### 2) RNA 억제

대표적인 항생제가 rifamycin 계열입니다. 요약해 말하자면, rifamycin은 세균의 RNA polymerase를 억제함으로써 mRNA가 만들어지는 것을 방해합니다. 더 자세한 사항은 결핵 단원에서 다루겠습니다.

### 3) 핵산 손상

Metronidazole이 대표적인 항생제인데 nitroimidazole 구조가 기전의 핵심입니다. 혐기성 환경에서 활성화되는 세균 내의 전자 전달 체제에 의해 이 구조의 질소군이 환원이 되면 중간 부산물이 나오게 됩니다. 이 부산물이 세균 DNA를 손상시키는 것이죠. 하나가 hydroxyethyl oxamic acid, 나머지가 acetamide입니다. 후자의 물질은 이후 더 변환을 거쳐서 세포 독성을 나타내게 되는데, 특히 간에 독성을 나타냅니다. 전자의 물질인 oxamic acid는 그 자체로 LDH를 억제합니다. 즉, pyruvate에서 lactate로 가는 길목을 직접 막음으로써 혐기성 대사가 제대로 안 되는 것이지요.

이 모든 결과물들이 합쳐져서 결국 장내 기생충뿐 아니라 혐기성 세균까지 죽일 수 있는 것입니다.

이 약제는 1959년에 시판되기 시작한 초기엔 *T. vaginalis*와 더불어 아메바나 *Giardia lamblia* 같은 장내 기생충 치료제로만 쓰였으나, 1962년에 정말 우연하게도 혐기성 세균도 치료할 수 있다는 것이 발견됩니다. 당시 질 소양증과 더불어 혐기성 균에 의한 치주염을 동시에 앓던 환자에게 투여했다가 둘 다 치료되는 개가를 올린 것이 계기가 되었습니다. 이후 오늘날 혐기성 세균 감염, *Clostridioides difficile* 대장염 등의 치료에 없어서는 안 될 약제로 쓰이고 있습니다.

Nitrofurantoin도 세균 DNA를 손상시키는 기전의 항생제입니다.
비뇨기 감염 치료에 주로 쓰이며, 특히 재발성 방광염에 유용합니다. 임산부에서도 안심하고 사용할 수 있습니다. 어르신들에게는 사용을 지양해야 하는데, 간 독성 내지 pulmonary fibrosis를 일으킬 수 있기 때문입니다.

## 4. 세포막 터뜨리기

세포막을 파괴하는 항생제로는 polymyxins와 lipopeptide (daptomycin)이 대표적입니다.
Polymyxin은 cationic cyclic polypeptides로 이러한 화학적 구조로 인해 lipopolysaccharide에도 친화성이 좋아 잘 결합하기 때문에, 그 결과로 세포막을 직접 터뜨립니다.
양성 전하를 띠고 있으므로 음성 전하를 띠고 있는 그람 음성균의 세포막 성분인 endotoxin, 즉 lipopolysaccharid e(LPS)에 잘 달라붙습니다. 이 과정에서 Calcium ion 및 magnesium ion과 경합하면서 이들을 밀어냅니다. 원래 이 두 이온들을 딱풀 삼아 LPS가 모양을 유지하고 있었던 것인데, polymyxin이 이 이온들을 쫓아냄으로써 세균 외막의 군데 군데에 어지럽게 헝클어져 버리고 여기저기 패이고 쪼개진 지점들이 여럿 생깁니다. 그 결과 세포막의 균열로 시작하여 붕괴로 발전하게 되어, 결국 세균이 죽게 되는 것이죠.

Colistin, 즉 *polymyxin* E는 1949년 *Bacillus polymyxa* var. *colistinus*(훗날 *Paenibacillus polymyxa*로 개명)에서 추출되었습니다. 이후 추가 개발에 박차를 가한 끝에 1959년에 그람 음성균 전문 치료용으로 시판이 됩니다. 그러나, 신 독성과 신경 독성이 심각하게 빈번했고, 비슷한 항균 범위를 지니고 있으면서 colistin과 비교해서 독성이 덜한 aminoglycoside가 이미 있었기 때문에 사실상 임상에서 사용을 거의 하지 않게 됩니다. 그 결과 1980년대에는 자연스럽게 시장에서 사라지고 잊혀져 갔습니다.
그러나 세기말부터 다약제 내성균들의 빈도가 증가하기 시작하여, 21세기부터는 당시만 해도 최종 병기로 여겨졌던 carbapenem에게마저 내성을 보이는 균들이 출현하기 시작합니다. 이 문제를 해결하기 위해 각종 방안을 강구하던 중에 창고에서 먼지를 뒤집어 쓰고 있던 colistin이 다시 조명을 받기 시작하여 결국 임상에 화려하게 귀환하게 됩니다.

Colistimethate는 옛날 약이라 용량 단위가 unit로 쓰이기도 합니다.
80 mg이 1 million unit이며, 360 mg colistimethate(즉 4.5 MU)에는 150 mg colistin base가 들어 있다고 보면 돼요.
Colistin은 carbapenemase를 내는 균들, 특히 metallo-beta-lactamase를 내는 균들도 아랑곳하지 않고 닥치는 대로 죽입니다. 다만, 적과 아군을 잘 구별하지 못해서 인간도 공격한다는 문제성은 여전하지만.

Lipopeptide는 calcium과 함께 세포막에 구멍을 내서 세포 속의 내용물, 특히 potassium이 흘러나오게 하여 세포막을 탈분극시킴으로써 파괴합니다.

2003년에 출시된 daptomycin은 cyclic lipopeptide 항생제입니다.
총 13개의 amino acid가 근간을 이루는데, 10개의 amino acid가 고리를 이루고 나머지 amino acid 3개가 자루가 됩니다. 거기에 fatty acid (decanoic acid)가 달라 붙어 lipophilic 송곳 역할을 합니다. 즉, 세균 세포막에 꽂히는 것이죠. 그람 양성 세균의 표면에서도 주로 phosphatidyl glycerol을 선호해서 알 박기를 하며, 그 결과 구멍이 생기고 각종 이온들이 마구 빠져 나갑니다. 이것이 의미하는 것은 세포가 제대로 작동할 수 있는 원동력인 depolarization이 엉망이 된다는 것.
그 결과 각종 단백질 대사, DNA 대사 등이 마비가 되어 세균은 죽음에 이릅니다.

Colistin은 lipopolysaccharide를 선호해서 그람 음성균 전담 항생제인데 비해, daptomycin은 오로지 VRE, 그리고 MRSA를 비롯한 그람 양성균만 전남해서 죽입니다.

현재 주로 그람 양성균 감염질환인 피부연조직 감염, 황색포도알균 패혈증, 심내막염 치료용으로 승인되어 있습니다.

폐렴에는 사용하지 않는 게 좋아요. 왜냐하면 daptomycin이 마구 탐닉하는 phosphatidyl glycerol은 폐 속의 surfactant 와 동일한 성분이기 때문이죠.
주요 부작용은 myopathy입니다.

항생제에 대해 더 공부하고 싶으시면
제 졸저 '항생제 열전'을 권합니다. 이 책은 임상적인 면보다는 좀 더 기본적인 원리를 파고 들었습니다. 화학 구조를 알아야 작용 기전을 이해할 수 있다는 사실을 기반에 두고 기술했으며, 중간 중간 각 항생제별 개발사의 뒷 이야기도 흥미거리로 곁들이고 있습니다.

제5강

# 항생제 주고 나면 생기는 일

# 항생제 주고 나면 생기는 일

## 1. 부작용

어느 약제나 부작용은 있습니다. 당연히 항생제도 예외가 아닙니다.
가장 흔히 쓰이는 beta-lactam부터 살펴 보지요.

페니실린 제제 중에 가장 널리 알려진 부작용은 소위 페니실린 쇼크라고 불리는 hypersensitivity입니다.
꼭 쇼크까지 가는 anaphylaxis만 있는 건 아니고, 피부 발진 같은 약한 수준의 부작용도 많습니다.
이를 방지하기 위해 페니실린 탈감작을 시도하기도 합니다.
탈감작은 1/1,000 용량부터 시도하기 시작해서 매 15분에서 5시간마다 이전 용량의 2-3배씩 살금살금 올리는 식으로 진행합니다. 탈감작의 기전은 완전히 규명된 건 아닙니다만, 인체의 IgE 주도 면역 체계가 해당 약제에 대한 적개심을 가지기엔 부족한 용량을 감질나게 주며 최대한 느릿느릿 시간을 끌면서

hypersensitivity reaction을 일으킬만한 분위기 조성의 김을 빼놓는 것이라 요약될 수 있습니다.
구체적으로 어떻게 하는지에 대한 protocol은 구글링하면 쉽게 찾을 수 있습니다.

페니실린 allergy가 있을 경우에는 macrolide로 대체하는 게 원칙이지만, 사실 같은 beta-lactam이되 딴 살림을 차린 cephalosporins나 carbapenem, aztreonam(가장 안전합니다)으로 대체해도 무난하긴 합니다. 단, 그래도 구조가 어느 정도는 유사하니까 투여는 조심스럽게 해야겠죠.

특히 논란이 되는 것이 과연 cephalosporin 사전 피부 반응 검사를 꼭 해야 하느냐, 신뢰할 수 있는 것이냐입니다. 지금까지 나온 연구 결과들을 보면 큰 연관성이 없는 것으로 나오고 있습니다. 실제로 이를 기반으로 cephalosporin skin test를 하지 않는 기관들도 꽤 있습니다. 하지만 사람 마음이 어디 그렇습니까? 현재도 여전히 cephalosporin skin test를 하는 경우가 더 많은 것 같아요.
이 피부 반응 결과를 인정하고, 어느 특정 cephalosporin에 대해 allergy가 있는 걸로 나온다면 어떻게 해야 할까요?
Macrolide나 fluoroquinolone처럼 완전히 다른 종류의 항생제로 바꾸는 것이 안전하겠습니다만, 다른 cephalosporin으로 바꾸는 걸 시도해 볼 수도 있습니다.
왜냐하면 cephalosporin 종류의 약제이되, R1 side chain의 구조가 다른 것이라면(cephalosporin ring 7번 위치에 달라붙는 group을 말함) 그 cephalosporin에는 별 문제를 일으키지 않는 경우가 많기 때문입니다.

그래도 불안들 하실 겁니다.

가장 안전한 쪽으로 선택하시는 건 자유입니다.
결국 cephalosporin 피부 반응 검사는 완전히 신뢰할 정도라고는 못 해도, 최소한 negative predictive value는 우수한 것으로 보시면 되겠습니다.
또한 beta-lactam은 오랜 기간 사용하다 보면 neutropenia 등의 hematologic abnormality를 초래하기도 합니다.



Cephalosporin 중에는 cefepime이, carbapenem 중에는 imipenem이 seizure를 유발할 수 있다는 건 이젠 잘 알려져 있지요. 이는 같은 spectrum의 다른 항생제로 대체하여 해결합니다.

Vancomycin은 역시 redman syndrome과 nephrotoxicity가 가장 문제가 되는 부작용입니다.
전자의 경우는 IgE가 관여하지 않고 직접 mast cell이나 basophil을 자극해서 histamine등을 분비하게 하는 pseudoallergy이므로 1시간 이상 천천히 주입하는 걸로 해결이 되겠지만(그런데 실제로 대부분의 선생님들은 무서워서 teicoplanin으로 바꾸는 게 현실이지요), 신 독성의 경우는 일단 중단하는 수밖에 없습니다.

그래서 평소에 TDM을 게을리하지 말아야 하며 trough level이 20 ug/mL 안 넘도록 각별히 감시해야 합니다. 혈중 농도가 나올 때마다 용량을 계산하여 제때 제때 조정해 주는데, 베이즈 통계 원리에 근거한 용량 계산기를 사용하여 결정합니다.

링크는 다음과 같습니다.

(https://clincalc.com/Vancomycin/)

Aminoglycoside는 대표적인 nephrotoxic agent이며, ototoxicity도 이에 못지않게 중요합니다.
신 독성은 그래도 정상으로 돌아올 희망이 있지만, 이 독성은 거의 영구적으로 남습니다.
투여 시 집중 모니터가 필요하며, 원래는 치료 효과 증강이 목적이지만, 부작용 경감의 목적도 겸해서 하루 용량을 한 번에 주는 once-daily regimen을 선호합니다.
이 약제는 neuromuscular blockade 성질도 갖고 있기 때문에 순식간에 원 샷을 하면 마비가 올 수도 있습니다. 다행히도 이는 원래 정상 상태로 돌이킬 수 있습니다.
미연에 방지하려면 하루 한 번 투여 시 역시 30분-1시간 정도 천천히 줘야 합니다.
독성 방지를 위한 용량 조절 방법은 다음 링크를 참조하시기 바랍니다.

(https://med.stanford.edu/content/dam/sm/bugsanddrugs/documents/antimicrobial-dosing-protocols/SHC-Aminoglycoside-Dosing-Guide.pdf)

FQ도 부작용 목록이 많습니다만, 실제 임상에서 beta-lactam이나 aminoglycoside만큼 자주 만나는 편은 아닙니다.
가장 돋보이는 것은 QTc prolongation인데, 특히 moxifloxacin에서 잘 나타납니다. 그밖에 tendinitis, dysglycemia, myasthenia gravis 악화 등이 있습니다. 저는 다행히도 이런 부작용들을 겪은 경험이 없고, 간혹 섬망이 나타난 환자들이 드물게 있긴 했습니다. 중추 신경계로 잘 들어가는 탓에 약간 흥분시키는 경향이 있어서 그런 것으로 추정합니다.
QTc prolongation은 macrolide에서도 나타나는 부작용입니다. 또한 소화기 장애도 대표적인 부작용입니다.

Tetracycline 계통도 소화기 장애가 잘 오며 photosensitivity, bone 대사 이상도 특징적입니다.

Clindamycin은 역시 *Clostridioides difficile* 장염이 유명하죠. 이는 나중에 다른 단원에서 다루겠습니다.



Linezolid를 비롯한 oxazolidinone, 그리고 TMP/SMX, polymyxins의 부작용은 이전 단원에서 자세히 기술한 바 있습니다.

항생제별로 일일이 더 자세히 부작용을 알고 싶으시면 다음 링크를 참조하시기 바랍니다.

(https://reference.medscape.com/drugs)

## 2. 약물 상호 작용과 cytochrome P450

우리 몸은 외부로부터 무언가가 들어오면 어떤 방식으로든 처리를 하게 되어 있습니다. 항생제도 마찬가지입니다. 그런데, 항생제가 들어오는 상황이라면 동시에 다른 종류의 약들도 체내에 들어오는 경우가 많으며, 이들을 대사 처리하는 과정에서 상호간에 영향을 끼칠 수 있습니다.

이를 drug interaction(약물 상호 작용)이라 하는데, 실제로 각 항생제별로 중요한 것들은 알아두고 있어야 합니다.

이에 대한 사전 지식으로서 특히 cytochrome P450 (CYP450)에 대해서 숙지하는 것이 필요합니다.

왜냐하면 상당수의 항생제들이 이 CYP450에서 다른 약제들과 어우러지며 영향을 끼치기 때문입니다.

P450은 peak in 450 nm라는 뜻입니다. 눈치채셨겠지만, spectrophotometer에서 450 nm에서 peak로 측정되기 때문에 붙은 명칭입니다.

CYP450은 heme을 cofactor로 쓰면서 기본적으로 monooxygenase 작용을 하는 다양한 효소들을 모두 포괄하는 용어입니다.

여기서 monooxygenase는 상대 물질에게 hydroxyl group을 붙여주는 기능을 하는 효소입니다.

Hydroxyl group을 붙여 준다는 것은 대략 두 가지 의미를 가지게 되는데요.

하나는 그 물질이 본래의 정체성을 잃기 시작한다는 것이고, 나머지 하나는 hydroxyl group이 붙음으로써 그 다음부터 여러 가지 방향으로 반응을 하기 쉽게 오지랖이 넓어진다는 의미도 됩니다.

결국 그 물질 혹은 약제는 그냥 폐기물 처리가 되는 셈입니다.

CYP450P에 속하는 효소들은 너무나 많아서, 공식 명명법으로 정리를 해야 합니다.
일단 CYP450P를 encoding하는 gene은 이탤릭체로, 거기서 나오는 효소는 정자로 표기합니다.
맨 앞에는 CYP라 표기합니다. JYP엔터에서 나오는 노래들은 하나같이 도입부에 "제이와이피..."가 들어가듯이 말이죠.
그 다음엔 숫자인데, 이는 어떤 유전자 족속(gene family)인가를 표기하는 것입니다.
그 다음에 알파벳인데, 이는 subfamily이고,
마지막에 나오는 숫자가 그 효소 고유의 신분 증명용 주민등록 번호가 되겠습니다.
사실 우리 몸 어디에나 CYP450이 자리잡고 있지만, 항생제가 들어가서 CYP450과 만나는 주요 장소는 간입니다.
이 중에서 특히 주목해야 할 효소가 CYP3A4입니다.
이 효소를 활성화시키는 대표적인 약제가 anticonvulsant인 carbamazepine과 phenytoin입니다.
항생제 중에서는 특히 rifampin이 바로 이 효소를 활성화시켜서 warfarin, cyclosporine, protease inhibitors, voriconazole, benzodiazepine 계열 약들의 혈중 농도를 대폭 낮춥니다.

말 나온 김에 강조하지만, 항상 rifampin이 말썽입니다.
이 밖에 CYP2B6 (efavirenz), CYP2C9 (warfarin), CYP2C19 (proton pump inhibitor)와도 어우러져서 다른 약제들 농도를 떨어뜨립니다.
가만히 보면 rifampin이 방해하는 약제들 중에 에이즈 치료 약제들이 유난히 눈에 많이 밟힙니다.
이걸 봐도 에이즈 환자의 결핵 치료제에서 rifampin 대신 상대적으로 이런 작용이 덜 한 rifabutin을 쓰는 이유가 이해되실 겁니다.
한편 nafcillin도 역시 rifampin처럼 CYP3A4를 활성화시켜서 동일한 약물 상호작용을 가져옵니다.

Macrolide도 CYP3A4와 잘 어우러지는데, rifampin과는 정 반대로 이를 억제합니다.
따라서 macrolide의 경우는 rifampin에 의해 억제되는 약제들 농도를 오히려 올리게 됨으로써 그 약제들의 독성과 부작용이 더 심해질 위험이 높습니다.
단, macrolide 중에서도 erythromycin과 clarithromycin이 주로 억제 작용을 보이며 azithromycin은 상대적으로 억제 정도가 낮습니다.
Macrolide뿐 아니라 azole계통과 protease inhibitor도 CYP3A4를 억제합니다.

몇 가지 더 아셔야 하는 상호 작용은 다음과 같습니다.
Carbapenem 계통 약들은 valproic acid 농도를 낮춥니다.
이는 그대의 추정과는 달리 CYP450과는 관련이 없구요, 사실 왜 그러는지는 규명되진 않았습니다.
특히 신경외과 선생님들이 종종 진료 의뢰를 내는 이유 중 하나입니다.
이런 경우는 다른 anticonvulsant, 예컨대 Levetiracetam (Keppra) 혹은 phenobarbital 등으로 바꾸시는 게 어떨지 정중하게 답변해 드립니다.

Fluoroquinolone은 theophylline 혈중 농도를 올릴 수 있습니다. 이 또한 CYP450 억제와 연관이 있습니다. 특히 호흡기 내과 선생님들께서 염두에 두어야 하실 사항이겠습니다.
그리고 경구 복용 시 제산제나 철분제제와 동시에 먹으면 FQ의 농도가 떨어질 위험이 있으므로, 꼭 복용해야 한다면 시차를 두고 먹도록 하는 게 좋겠습니다.

Metronidazole은 술을 만나면 disulfiram-like reaction을 유발할 수 있습니다. 태생적으로 당연한 현상이겠지요.

Trimethoprim/sulfamethoxazole은 warfarin(자주 출몰하죠?), phenytoin, 그리고 methotrexate(기본 작용 기전이 유사)의 농도를 올릴 수 있습니다.



Ceftriaxone은 특히 calcium과 침전을 하는 경향이 있으므로, 이 성분이 포함된 수액과는 병용하지 않는 것이 좋겠습니다.

더 무궁무진하지만, 실전용으로는 이 정도만 알고 있도록 하시고, 나머지 더 자세한 정보들은 구글에 drug interaction checker로 검색하면 신속하게 약물 상호작용을 확인할 수 있습니다. 시대는 변하고 우리들은 늙으면서 세상은 점차 좋아지고 있어요.

## 3. Pharmacokinetics & pharmacodynamics (PK/PD)

항생제를 주고 나면, 과연 이것이 우리 몸 안에서 어떤 행적을 보일지 궁금하지 않습니까?
사실 몸 안에서 어디로 가서 어떻게 작용하는지를 알고는 있어야 합니다.
왜 그런지는 감염증에 대해 항생제로 치료하는 행위를 전투에 비유해서 따져보기로 합시다.

타도할 적은 세균이고 사용할 무기는 항생제입니다.
그러므로, 항생제를 투여하면 세균이 다 섬멸될 것이라고 생각하기 쉽지만 실제 상황은 그리 단순하지 않아서, 여러 가지 변수가 작용하게 됩니다.

항생제와 세균이 상호 대적하게 되는 전쟁터는 인체이고, 이 인체는 단순히 장소를 제공하는 역할만 하는 것이 아니라 항생제의 대사 및 작용에 끊임없이 영향을 주는 역동적인 공간의 구실을 합니다.
세균도 가만히 앉아서 당하고 있지만은 않아서, 내성을 발현하기도 하고, 특정 지역에 떼지어 모여서 수적인 우세로 항생제에 대항하기도 합니다(inoculum effect).

따라서, 항생제를 투여하는 행위는 꿩 잡는 것이 매라는 식의 단순 논리로 완수될 수 있는 것이 아니며, 투여를 시작한 시점에서 살균에 이르기까지의 과정 중에 일어날 수 있는 모든 변수들을 고려해 두어야 합니다.
우리가 사용할 무기, 즉 항생제 각각이 주어진 환경에 따라 어떻게 움직이고 어떤 성과를 거두고 어떤 곳에서는 낭패를 보는지 충분히 숙지할 필요성이 바로 여기에 있는 것입니다.

우리가 알아야 할 항생제의 특성은 크게 두 가지로 구분할 수 있는데, 하나는 약동학(pharmacokinetics, PK)이고 나머지 하나는 약력학(pharmacodynamics, PD)입니다.
이 두 가지 특성의 공통분모는 바로 "시간"입니다.
다시 말해서 "시간"의 흐름에 따라 항생제가 어떻게 움직이고, 세균을 얼마나 빨리 섬멸하며, 또한 얼마나 오래 잔류하여 작용을 지속하는지를 규정짓는 것입니다.

여기서 PK는 약 자체와 인체와의 시간에 따른 상호작용에만 국한하여 그 농도 및 양의 변화를 보는 것이며, 이 개념의 범주에서 세균의 생사는 염두에 두지 않습니다.
각 약제의 PK를 숙지함으로써 투여 후 언제쯤, 그리고 얼마나 흡수되고, 대사 및 분포되며 배설되는지를 미리 예측할 수 있는 것이죠. 예측이 가능하다면 그만큼 보다 능란하게 운용을 할 수 있다는 의미를 갖습니다.

PD는 PK의 개념에 세균과 약제와의 시간에 따른 상호작용까지 포함시켜서 그 특성을 보는 것이며, 인체에의 독성까지 감안해서 최선의 살균효과와 최소한의 독성 용량을 결정하고 투여 간격 및 방법을 결정하는 데에 이용됩니다.



이와 같이 항생제의 투여 시 각 항생제별로 PK 및 PD의 특성에 대한 지식을 토대로 하여 치료의 성공확률을 더 높일 수 있다는 점에서 중요한 것입니다.

PK와 PD의 차이점은 다음과 같이 요약될 수도 있습니다.
PK는 약을 투여 받은 우리 몸이 약에게 무슨 짓을 하는가를 보는 것.
PD는 투여된 약이 우리 몸에게 무슨 짓을 하는가를 보는 것.

### 1) PK와 연관하여 알아야 할 것들

#### (1) 생체 이용률(Bioavailability, Fraction; F)

투여된 약물의 총량 중 흡수되어 전신 순환에 도달하는 활성 약물의 백분율을 말합니다. 보통 경구 투여 시의 생체 이용률은 중증의 감염증에서 충분한 수준까지 도달하지 못하기 때문에 주로 정맥 주사가 사용됩니다. 그러나, fluoroquinolone, metronidazole, doxycycline 등과 같이 경구로 투여하더라도 생체 이용률이 90%를 넘는 경우에는 굳이 정맥 주사용 항생제를 사용할 필요가 없습니다.

#### (2) 혈액 내에서 단백질과의 결합

항생제가 인체 내로 들어가면 혈액 내에서 알부민, α-1-acid glycoprotein, lipoprotein 등의 혈장단백질에 결합됩니다. Aminoglycoside나 fluoroquinolone은 단백질 결합율이 적으나 β-lactam은 약제의 종류에 따라 결합율이 천차만별입니다. 유리형만이 항균력을 반영하기 때문에 결합형보다 유리형이 많을수록 항균력이 좋다고 할 수 있으나, 모든 경우가 다 그런 것은 아니며, 결합형이 많다고 해서 반드시 항균력이 낮은 것은 아닙니다. 예를 들어 혈중 단백질에 많이 결합했을 경우 배설 및 제거가 그만큼 느려져서 치료에 필요한 혈중농도 유지시간이 연장됨으로써 꾸준한 항균 효과를 보이는 경우도 있기 때문입니다.

얼핏 보면 오로지 free form만이 microorganism과 상대하니까 protein 결합율이 높으면 약효가 나빠진다고 생각하기 쉽습니다.

틀렸습니다.

이는 철저하게 PK의 면으로만 바라본 편견이고, 해당 항생제 자체의 살균 능력까지 고려한 PD 개념까지 감안해서 그 항생제를 평가해야 합니다.

예를 들어 ceftriaxone은 protein binding율이 매우 높아서 half life가 깁니다.

그런데, 이 때문에 살균능력이 나쁠 것 같지요?

아닙니다.

감수성 있는 균의 경우 혈중 free level이 MIC를 충분히 넘어가기 때문에, 살균 효과에는 별 문제가 없습니다.

### (3) Volume of distribution (Vd)

Vd는(amount of drug in the body)/(concentration in the plasma)입니다. 무슨 말인고 하니, 조직에 파고들기보다는 혈중에 대다수가 잡혀있다면 Vd 는 작을 수밖에 없습니다.

Aminoglycoside, cephalosporin 같이 물에 잘 녹는 항생제라면(hydrophilic) 주로 혈중에 있지 조직 내로 파고드는 양은 적어서 Vd가 적을 것이고, macrolide 같이 lipophilic한 항생제라면 인체 조직 구석구석으로 잘 파고들 것이기에 높은 Vd 수치를 보일 겁니다. 예를 들어 gentamicin은 Vd 값이 0.2-0.3 L/kg인 반면, azithromycin은 25-35 L/kg, tigecycline은 약 10 L/kg나 됩니다.

그래서 tigecycline은 다제 내성 CRE균에 사용할 수는 있지만 혈중에 남아 있는 것보다는 조직 속으로 주로 파고드는 것이기에 피부 연조직 감염에는 사용할 수 있어도 균혈증에는 큰 효과를 기대하기 어려운 것입니다.

이는 항생제를 주고자 할 때 혈중 농도를 목적 수치에 도달시키려면 얼마나 줘야 하는지 정하는 데에도 이용할 수 있습니다. 만약 gentamicin 100 mg을 주입 후 곧장 잰 혈중 농도가 5 mg/L가 나왔다고 합시다.
그렇다면 gentamicin의 Vd = 100/5 = 20 L.
그런데 치료 목적을 위해서는 6 mg/L가 돼야 합니다.
그렇다면 용량을 얼마로 조정해야 할까요?
Vd가 20 L이니까 20 L × 6 mg/L = 120 mg을 줘야 한다는 결론이 나옵니다(rough하게 계산한 겁니다).

그리고 Vd가 큰 항생제는 CRRT로 잘 제거가 안 될 것입니다(투석은 혈액하고만 상대하니까).

#### (4) Elimination과 half-life

먼저 First-order elimination rate constant (k)라는 지표가 있습니다.
시간당 몇 %의 drug가 제거되는지를 보는 지표로, 따라서 단위는 시간의 역수입니다.
예를 들어 vancomycin의 k가 0.10/hour라면 시간당 10%씩 제거된다는 의미입니다.
따라서 반감기(half-life) 계산이 가능해집니다.
반감기(T1/2) = 0.693/k입니다.
반감기란 혈중 농도가 안정권(steady-state: 더 이상의 축적이 일어나지 않는 상태)에 접어드는 데 걸리는 시간을 추정하는 데에 목적을 둔 지표입니다.
어떤 약제건 통상 4-5번의 반감기를 지나면 안정권에 접어듭니다.

그리고 진정한 약물 측정은 바로 이 안정기에 측정해야만 정확도를 기할 수 있습니다.

### 2) PD와 연관하여 알아야 할 것들

#### (1) 최소억제농도(Minimal inhibitory concentration, MIC), 최소살균농도(Minimal bactericidal concentration, MBC)

MIC는 시험관내 세균 감수성 검사(in vitro sensitivity test)에서 미생물의 번식을 억제할 수 있는 항생제의 최저 농도이며, MBC는 병원균의 양을 적어도 99.9%(즉 $10^{5-6}$/mL에서 ≤ $10^{2-3}$/mL) 이상 감소시키는 항생제의 최소 농도입니다. 이 둘은 항균력을 표현하는 지표로 쓰이며, 항생세를 선택하는 판딘기준으로 사용됩니다. 그러나 생체 내에서는 항생제의 농도가 고정되어 있지 않고 "시간"이 흐르면서 변화하기 때문에, "시간"을 고려하지 않은 정적인 지표인 MIC와 MBC는 실제 상황을 완전히 대변할 수는 없습니다. 또한 감염 부위에 따라 이들 농도가 제대로 반영되지 못하는 경우도 있습니다. 따라서 이들 두 지표만으로는 완벽하게 항균력을 반영한다고 할 수 없지요.

물론 이 두 가지 지표들이 비교적 간편하고 임상에서 당장 이용할 수 있기 때문에 그 동안 널리 사용되어 온 것을 평가 절하할 수는 없습니다. 단지 이 두 가지 지표들이 유용하다 하더라도 실제 항균력을 정확히 반영하는 데에는 한계가 있다는 점을 알고 있어야 하며, 이러한 한계를 보완하기 위해 다른 중요한 PK/PD 인자들을 추가로 고려해야 합니다.
이러한 인자들의 예를 들면 AUC/MIC ratio, Peak/MIC ratio, time > MIC 등이 있으며 이들 각각에 대해서는 뒤에 기술하도록 하겠습니다.

### (2) Time-kill curve

방금 언급한 바와 같이 MIC와 MBC는 “시간”에 따른 변화를 고려하는 것이 아니기 때문에 시간에 따른 살균력을 측정하지 못합니다.

그래서 Time-kill study는 이러한 시간대별 살균력을 측정하는 수단으로, 항균력을 표시하는 데에 더 좋은 지표가 되며, 항생제 병용 시에도 상승 작용이 있는지 알아보기 위한 방법으로도 사용됩니다.

그러나 시간에 따른 항균제의 효능을 볼 수 있다 하더라도 항균제의 농도가 일정하게 유지되고 병원균이 자라기 위한 배지를 계속 공급하지 못하며 병원균의 대사산물을 처리하지 못한다는 단점이 있습니다.



### (3) 지속효과(Persistent effect)

가. Postantibiotic effect (PAE)

세균을 항생제에 일정 시간 동안 노출시킨 후, 항생제를 제거하여도 얼마 동안은 성장이 계속 억제되는 현상을 postantibiotic effect라고 합니다. β-lactam이나 vancomycin 같이 주로 세포벽에 작용하는 항생제는 그람 양성균에게는 PAE를 나타내지만, 그람 음성균에서는 PAE가 없거나 매우 짧은 반면, aminoglycoside나 fluoroquinolone 같이 주요 기전이 단백질과 핵산 합성의 억제에 있는 항생제는 그람 음성균과 양성균 모두에서 PAE를 보입니다. 베타 lactam계 항생제이지만, carbapenem은 예외적으로 그람 음성균 특히 *P. aeruginosa*에서 PAE를 보입니다.

나. Postantibiotic effect-subMIC effect (PAE-SME)

MIC 이하의 농도에서 세균의 성장을 늦어지게 하고 형태학적 변화를 일으키며 PAE를 연장시키는 현상입니다.

다. Postantibiotic leukocyte effect (PALE)

항생제에 한 번 얻어맞은 세균일수록 백혈구의 식균이나 살균작용이 더 잘 되기 때문에 PAE가 더 길어지는 현상을 PALE라 합니다. 일반적으로 호중구가 있으면 그람 음성균에 대한 aminoglycoside와 fluoroquinolone의 PAE가 2배로 길어집니다. 그러나 그람 음성균이 β-lactam에 노출되었을 경우 PAE는 백혈구가 있다고 해서 길어지지는 않습니다.

### 3) PD의 시각으로 본 항생제의 분류

PD의 시각으로 항생제를 분류하면 농도 의존성 항생제(concentration dependent antimicrobials), 농도 비 의존성 혹은 시간 의존성 항생제(concentration independent or time dependent antimicrobials)로 나뉩니다.
시간 의존성 항생제는 지속 효과를 기준으로 해서 PAE가 긴 항생제와 그렇지 않은 항생제로 다시 나뉩니다.

이들 항생제들은 기존의 MIC나 MBC에 더 보완해서 AUC (Area under concentration), Cmax (maximal concentration), t½ 등과 같은 다른 약동학적인 인자들이 통합되어 항균력의 지표로 삼습니다.

예를 들어 AUC/MIC (= AUIC), Cpeak/MIC ratio, time above the MIC (time > MIC) 등이 있습니다.

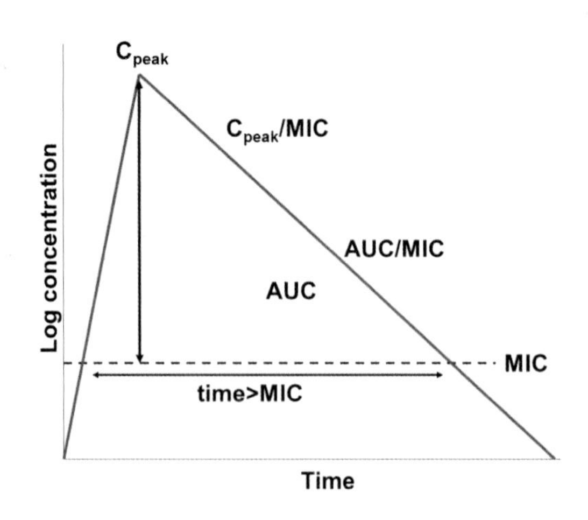

농도 의존성이고 비교적 PAE가 긴 항생제는 time > MIC의 영향은 적은 반면 최고 혈중농도의 영향을 많이 받습니다.
시간 의존성 항생제는 time > MIC의 영향을 주로 받습니다.
항생제를 반감기의 3-4배마다 투여한다면 time > MIC는 평균 80%로 유지할 수 있고, AUIC는 평균 125가 되어 치료 성공을 기대할 수 있으나, 만약 세균의 MIC가 높아져서 time > MIC가 80% 미만이 되고 AUIC가 125미만이 되면 임상적으로나 미생물학적으로도 치료 실패로 끝나게 되며, 내성균이 우세하게 나타나게 됩니다.



### (1) 농도 의존성 항생제

Aminoglycoside와 fluoroquinolone 등이 대표적인 예이며, 농도가 높을수록 살균력이 커지고 PAE가 길어집니다.
PD 지표로는 peak/MIC, AUIC가 높을수록 반응이 좋고 내성균의 출현빈도가 낮습니다.
일반적으로 Aminoglycoside의 경우 90% 이상의 치료 성공을 위해서는 peak/MIC가 8-10 이상은 되어야 하며 AUC는 70-100은 되어야 합니다.
농도의존성 항생제이므로 하루 용량을 한 번에 다 투여하는 것이 보다 유리할 것으로 예상되기 때문에 근래 들어 aminoglycoside의 경우 하루 용량을 한꺼번에 1회 투여합니다. 하루 1회 투여법을 시도함으로써 항균력을 최대화하고 독성을 줄이는 것에 목적을 두는데, 동물실험 및 임상에서 하루 1회 투여법이 적어도 전통적인 방법(하루 2-3회 투여)만큼 효과적이고 이 독성, 신 독성의 발병률은 낮았다고 합니다.
그러나 하루 1회 투여법보다는 전통적으로 2-3회 투여법을 사용해야 하는 경우들도 적지 않은데, 투여 대상 환자들의 Vd나 청소율이 심하게 비정상적이거나 예측이 불가능한 모든 경우가 해당됩니다. 전형적인 예로 복수가 찬 환자나 심한 패혈증, 20% 이상의 고도 화상 환자 등을 들 수 있습니다.

Fluoroquinolone도 농도 의존성 항생제이므로 하루 1회 투여법을 사용한다면 항균력은 좋을지 몰라도, 중추신경계 독성이 우려됩니다. 제 경험상으로도 섬망 등을 보이는 환자들이 드물게나마 있긴 했어요.
Fluoroquinolone은 peak/MIC보다는 $AUIC_{24}$가 fluoroquinolone의 효능을 나타내는 가장 좋은 지표로 알려져 있습니다. 그 이유는 peak/MIC가 높으면 세균학적 치유율은 높아지나 독성도 같이 증가하기 때문이죠. 동물 감염 모델에서 정균작용을 얻기 위한 $AUIC_{24}$는 약 35입니다. 이 수치는 24시간 동안 평균 AUC가 MIC의 1.5배가 됨(35 ÷ 24 ≒ 1.5)을 의미하며 투여간격, fluoroquinolone의 종류, 감염장소와 관련이 없이 일정합니다.
임상에서도 $AUIC_{24}$가 80-125면 치유률이 높았습니다.

### (2) 시간 의존성이면서 PAE가 길지 않은 항생제

시간 의존성 항생제는 엄밀히 말해서 전적으로 처음부터 시간에 의존하는 것이 아니며 항생제의 농도가 MIC의 4-5배가 될 때까지는 농도 의존성으로 살균력이 증가하는 경향을 보입니다. 그러나 그 이상의 농도에서는 살균력이 더 증가하지 않습니다. 이때부터 진정한 시간 의존성 항생제로서의 정체성을 갖게 되는 것이죠.
β-lactam, clindamycin, macrolide (azithromycin 제외) 등이 이 종류에 해당되며, 이들의 살균력은 최고 혈중 농도와는 관계없고 MIC이상의 농도에 노출된 시간(time > MIC)에 비례합니다.

β-lactam의 경우에서, time > MIC가 40%를 넘으면 세균학적 치유율이 85-100%입니다.
β-lactam의 경우, time > MIC를 최대화하려면 지속적으로 투여하는 것이 가장 바람직할 것으로 예상되나, 실제 여러 연구팀에서 시도한 성적을 보면, 간헐적으로 투여한 것과 비교해서 더 좋았다는 보고도 있지만 그 반대로 나온 보고도 많아서 현 시점에서 어느 쪽이 더 낫다고 단정지을 수는 없습니다.

제가 전공의하던 1980년대에는 폐렴이나 수막염 환자들에게 주는 치료제는 penicillin으로 다 동일했습니다.
요즘 같았으면 어림도 없을 일이지만 그때는 내성 걱정을 안 해도 되었던 좋은 시절이었죠.
그런데 투여 방법이 수액에 penicillin을 타서 24시간 동안 점적하는 것이었습니다.
또한 지금 생각해 보면 참으로 희한한 게, 이런 식으로 투여 시 웬만하면 다 치료에 성공했었어요.
지금까지 설명한 PKPD의 개념은 그 시절 이후에 나온 것이었기에, 그 전에 이미 penicillin을 continuous infusion으로 주고 있었다니 참으로 신기합니다.
뒷걸음치다가 뭐 잡은 격이랄까요?

그 밖에 지속적 투여 시 생길 수 있는 문제점으로는 정맥염이 잘 생길 수 있고, 내성균이 선택적으로 증식할 가능성도 고려해야 하며, β-lactam 자체가 24시간 내내 상온에서 얼마나 잘 안정성을 유지하는지를 장담할 수 없다는 점도 있습니다.
Time > MIC를 연장시키는 또 다른 방법으로 ceftriaxone 같이 반감기가 긴 항생제를 사용하는 것도 좋을 것입니다.

AUIC도 time > MIC 에 추가해서 유용한 항균지표로 사용될 수 있습니다.
보통 time > MIC가 80% 정도이면 AUIC는 약 125가 됩니다.
그러나 투여간격이 반감기의 4배 이하일 때만 그러한 관련을 가지며, 반감기의 4배 이상으로 투여간격이 벌어지면 관련성이 점점 떨어지게 되어 time > MIC만이 중요한 지표가 됩니다.

### (3) 시간 의존성이면서 PAE가 긴 항생제

Vancomycin과 azithromycin은 시간 의존성 항생제인데도 time > MIC보다는 AUC/MIC가 효능의 지표가 됩니다.

그 이유는 생체 내에서의 PAE가 β-lactam이나 다른 macrolide보다 훨씬 길기 때문이죠.

Streptogramin (quinupristin/dalfopristin, Synercid)의 생체 내 효능은 AUC와 비례하고 반감기는 짧지만 PAE가 길기 때문에 간헐적인 투여가 가능합니다.

### 4) 요약해 봅시다.

PK/PD에 근거한 항생제의 투여방법은 다음과 같습니다.

- 농도 의존성 항생제인 aminoglycoside는 하루 용량을 한 번에 투여하는 것이 치료 성공률 및 독성의 방지에 유리합니다. 치료 성공을 기대할 수 있는 약리 역동학적 지표는 Peak/MIC ratio > 8 - 10입니다.
- Fluoroquinolones의 약동학적 지표는 $AUIC_{24}$ (AUC/MIC) 80-125입니다.
- 시간 의존성 항생제인 β-lactam은 time > MIC가 적어도 40%를 넘어야 치료 효과를 기대할 수 있습니다. 이를 위해서 투여 간격을 반감기의 3-4배 이내로 하거나 하루 종일 지속적으로 투여할 수 있습니다.
- 또 다른 시간 의존성 항생제인 vancomycin은 긴 PAE 때문에 $AUIC_{24}$ 값 400 정도를 지표로 삼습니다.

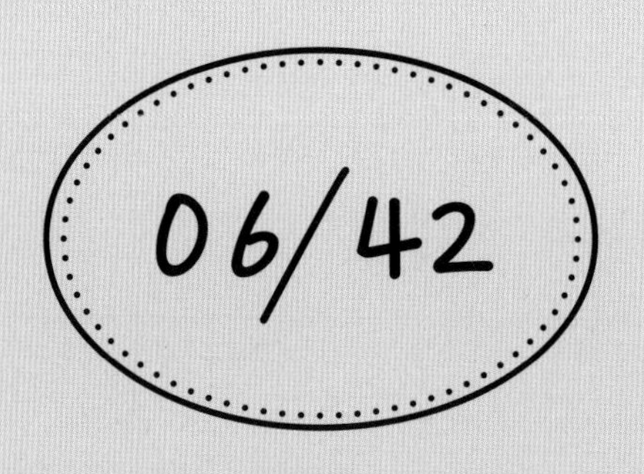


제6강

# 항생제에 저항하는 세균들

# 항생제에 저항하는 세균들

## 내성의 개념과 정의

세균이 항생제에 저항하는 것을 내성(resistance)이라고 합니다.
항생제의 작용에 저항하는 resistance를 번역한 용어로 耐性, 견딜 내(耐) 자를 씁니다.
그런데 잘 살펴보면 정확한 번역은 아닙니다.
견딜 내(耐) 자를 쓰는 내성의 뜻을 곧이곧대로 풀이하면 반항하는 것이 아니라 참아낸다는 의미가 되거든요.
이를 다시 영어 단어로 직역해 보면 tolerance가 됩니다.

Resistance는 엄밀히 따지면 '내성'이라기보다 '저항성'이라고 번역하는 것이 맞습니다.
그러나 '내성'이라는 용어가 공식적으로 사용되는 현실이므로, 편의상 '저항성'보다는 '내성'이라는 용어를 쓰기로 하겠습니다.

이 tolerance와 resistance는 다른 개념입니다.

항생제에 대한 tolerance란, 미생물이 항생제 폭격을 맞아도 죽지 않는 능력을 일컫습니다.
왜 죽지 않느냐 하면, 항생제가 아무리 공격을 해도 미생물이 응해주지 않기 때문이죠.
항생제가 미생물에 작용하려면 그 미생물이 적어도 대사를 한다던가 분열, 증식을 한다던가 하는 식으로 어떤 활동을 하고 있어야 합니다. 그런데 항생제가 쏟아지고 있을 때, 미생물들 중 일부가 잠정적이나마 하던 일을 모두 멈추고 '너는 떠들어라, 나는 논다' 하고 가만히 있으면서 아무 움직임도 안 보입니다. 그 결과, 부지런한 자기 동족들이 죽어 나가는 와중에 무저항수의로 일관하던 집단들은 살아남겠죠. 그 후 항생제가 썰물처럼 다 물러나고 나면 비로소 슬그머니 다시 자라나기 시작하면서 훗날을 기약하는 것입니다.

이렇게 항생제에게 죽지 않는 능력이라는 점에서 tolerance가 resistance와 도대체 뭐가 다르냐는 의문이 들 것입니다.
Tolerance가 resistance와 다른 점은, 그 미생물이 항생제를 다시 만났을 때, 무저항주의를 유지하지 않고 평소 하던 대로 무언가 행동을 한다면 꼼짝없이 죽는다는 데 있습니다. 즉, 원래는 항생제와 일대일로 만나면 죽게 되어 있었다는 것이죠.

그리고 또 한 가지 결정적인 차이점이 있는데, 항생제에게 죽임을 당하지 않는 능력은 후대에 유전되지 않는다는 사실입니다.
Tolerance는 미생물이 일시적으로 표현 형질을 조정해서 위기를 넘긴 것에 지나지 않는 반면에, resistance는 적어도 유전자 수준에서 항생제에 대항할 수 있는 표현형을 생산해 낸 결과이기 때문입니다.
여기서 자연스럽게 resistance의 핵심 개념을 알 수 있습니다.

Resistance는 대대손손으로 유전이 됩니다.
그리고 또 한 가지 명심해야 할 것이, Resistance는 후손뿐 아니라 동시대 동지들에게도 전달이 됩니다.
대대손손으로 유전되는 것을 수직 전이(vertical gene transfer), 동지들에게 전달해 주는 것을 수평 전이(lateral gene transfer, LGT)라고 합니다. 특히 LGT는 다제 내성이 걷잡을 수 없이 원내에서 쫙 퍼지는 데 있어서 핵심적인 기전입니다.



## 세균은 어떤 식으로 항생제에게 저항을 할까요?

크게 세 가지입니다.
원천 봉쇄, 정착 방해, 적극 대응.

원천 봉쇄부터 살펴 보자면, 한 마디로 미생물이 출입문을 닫아 걸거나, 펌프로 퍼 내는 식의 저항법입니다.
아예 문을 걸어버리는 것이기 때문에 항생제의 종류를 막론하고 그 어느 것도 들어오지 못하는 쇄국 정책인 셈입니다. 또한 fluoroquinolone이나 tetracycline, carbapenem 계통 등의 항생제에 특화된 펌프를 갖춰 놓고 있다가, 이 항생제들이 침투하면 적극적으로 퍼내는 저항 수단도 발휘합니다.

정착 방해란 항생제가 미생물 내부로 침투하는 데 성공하더라도 항생제가 작용하는 target을 변형시켜 놓음으로써 정착 후 작동을 하지 못하게 저지하는 식의 저항을 말합니다.
대표적인 것이 methicillin 내성 포도알균(MRSA)의 내성 기전입니다.
특히 beta-lactam 항생제들은 균 안에 들어와서 PBP와 붙음으로써 항생 작업을 시작합니다.
그러나 이 PBP가 변형되어 항생제와 결합을 잘 안 하게 되면, 아무 일도 일어나지 않을 겁니다.
MRSA의 경우는 평소에 beta-lactam과 결합하는 PBP2를 변형시켜서, 잘 결합하지 않는 PBP2a 같은 걸로 대체하고 있음으로써 내성을 발현합니다.

적극 대응이란 항생제를 직접 깨버리는 물질(효소)로 맞서 싸우는 겁니다.
대표적인 예가 aminoglycoside modifying enzyme과 beta-lactamase입니다.

## 태초에 내성이 있었습니다.

내성에 대해 강의를 할 때마다 항상 이런 돌발 퀴즈를 내곤 합니다.
1) 내성은 태초부터 있었다.
2) 항생제가 공격해 올 때마다 이에 대항하여 세균들이 내성을 개발하여 내곤 했다.

당신의 선택은?

대부분은 2)로 답하곤 합니다. 하지만 정답은 1)입니다.

인류가 지구에 출현하기 훨씬 전부터 미생물은 이미 지구에 터를 잡고 살아왔습니다.
미생물마다 각자의 영역을 차지하면서 다른 미생물들의 침해를 서로 견제해 왔음은 너무도 당연합니다.
어떻게 견제했을까요?

상대방을 무력화시키거나 몰살시키는 그 무엇인가를 만들어서 사용했을 것입니다.
그 '무엇인가'들 중의 하나가 바로 항생제입니다.

페니실린이 처음 나오던 경위를 상기해 봅시다.
사실 우리 인류는 항생제를 '발명'한 것이 아니라, 항생제를 '발견'한 것입니다. 그렇다면 자연에서 수도 없이 많은 항생물질에 노출된 미생물 군들은 이대로 당할 리가 없지요.
그래서 이에 대항하는 수단을 강구해 낸 것이 바로 '내성'입니다.
자연에 널려있는 항생물질들은 현재 우리가 사용하고 있는 항생제들보다 훨씬 더 많은 종류들이 숨어 있을 것입니다. 그러나 그만큼 많은 내성들 또한 자연 속에서 엄청나게 많이 암약하고 있음은 너무나 자명합니다.
앞으로 어떤 새로운 항생제가 개발되더라도, 이들 '모두'에 대해 내성은 이미 태고적부터 준비되어 있다는 사실을 명심해야 합니다.
내성은 미생물들이 오랜 시련 끝에 자체 개발했다기 보다는, 그들 주위로 돌아다니는 유전자 쪼가리들, 즉 mobile gene (plasmid, transposon 등)이 미생물 내부로 들어와서 만들어주는 경우가 많았습니다. 날 때부터 내성인 미생물도 있지만, 평소에 아무런 내성을 지니고 있지 않았던 미생물에게 내성을 지닌 mobile gene이 들어오게 되면서 모든 것이 시작되었습니다.

이렇게 해서 그 미생물은 내성을 지니게 됩니다.
그리고 다른 미생물 군에서 발사된 항생 물질의 시련이 닥치면, 날 때부터 내성인 미생물과, mobile gene에게 내성을 얻어서 체질 개선을 한 미생물들은 덕분에 꿋꿋하게 견뎌내서 살아 남게 되지만, 그렇지 않은 미생물들은 모두 도태됩니다.
결국 내성을 가진 무리들만 남게 되는데, 이것이 바로 selection이며 적자 생존의 전형적인 사례가 됩니다.

살아남은 무리들은 이후로 증식하면서 세력을 넓힙니다.
이러한 과정은 태초부터 자연에서 수도 없이 일어난 일이지만,
현 시대의 병원 환경에서도 얼마든지 동일한 기전으로
일어날 수 있는 일이기도 합니다.

결국 내성이라는 것은 그때그때 on-demand로 만들어진 것이 아니라 selection된 적자 생존의 결과입니다.

## 임상적으로 중요한 내성들

### 1. beta-lactamase

#### 1) 기본

세균이 β-lactams에 대하여 발휘할 수 있는 가장 보편적인 저항 수단은 beta-lactam 항생제를 파괴하여 무력화시키는 것입니다. 그 수단이 바로 β-lactamase입니다.

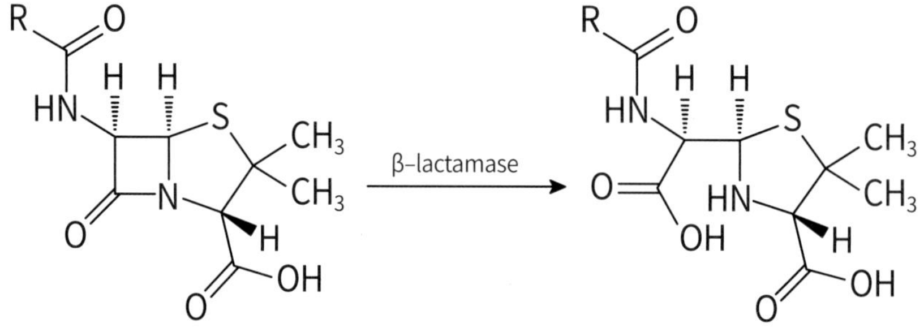

β-lactamase

이 효소는 penicillin을 예로 들면, beta-lactam ring의 amide bond 혹은 peptide bond (-CO-NH)를 잘라 penicilloic acid로 만들어버립니다(cephalosporin은 cephalosporoic acid로).

이게 무슨 의미인고 하니, -CO-NH 구조는 세포벽에서 D-alanine을 중심으로 다른 아미노산과 결합하여 든든하게 씨줄 날줄을 구축하게 하는 소위 peptide bond입니다. Beta-lactam 항생제가 위력을 발휘하는 이유가 바로 이 세포벽의 peptide bond를 흉내냄으로써, 세균 입장에서 carboxypeptidase 역할을 하는 PBP로 하여금 진짜와 가짜를 헷갈리게 하기 때문입니다. 그러니 beta-lactam 항생제의 -CO-NH 구조가 붕괴되어 더 이상 peptide bond 흉내를 못 내게 된다면?
세균의 PBP는 더 이상 속지 않고 본연의 cell wall 구축 임무를 묵묵히 수행해 나갈 것이고, 망가진 penicilloic acid 혹은 cephalosporoic acid는 더 이상의 항생제 구실을 못하게 됩니다.

지금까지 규명된 β-lactamase는 수도 없이 많은데, 이들을 종합하여 여러 가지 분류법들이 제시되었습니다. 70년대에는 Richmond와 Sykes의 분류법이 제시되었고, 80년대에 들어서 아미노산 서열에 근거해서 A부터 D까지의 네 가지로 대별한 Ambler의 분류법이 나옵니다.

Class A는 그때까지 알려진 beta-lactamase, 즉 classical narrow spectrum의 beta-lactamase이며, TEM, SHV, CTX-M같은 ESBL과 KPC, SME, IMI, SHV-38 같은 carbapenemase까지 포함됩니다.
Class B는 metallo-beta-lactamase (MBL)로 IMP, VIM 등이 포함됩니다.
Class C는 AmpC beta-lactamase로, 일부 드문 예외는 있지만 거의 다 chromosomal origin입니다.
Class D는 ESBL, oxacillinase, carbapenemase가 속합니다.

이를 다시 크게 둘로 요약하면, class A, C, D는 serine protease인 반면 class B는 MBL입니다.
이후 나온 것이 Karen Bush 할머니의 주도 하에 정립된 Bush-Jacoby-Medeiros 분류법입니다.
이 분류법은 일단 방법상에서 기존의 분류법보다 비교적 용이하며 Ambler 분류법과 대부분이 일치를 보이고 있어서 호환성도 좋아요. 이 분류법은 효소의 입장에서 substrate에 대한 반응의 양상과 clavulanate 및 EDTA 등의 억제제에 대한 반응 여부에 기준을 두고 있습니다. 다시 말해서 항생제와 효소간의 역학적 관계를 토대로 억제 여부를 판단하게 되는데, 상대치로서의 가수분해 속도(hydrolysis rate)를 주요 지표로 삼습니다.

Group 1은 cephalosporinase이며 Ambler class C와 일치합니다.
Group 2는 group 1 이외의 나머지 효소이되 serine beta-lactamase입니다.
Group 3는 MBL, 즉 Ambler class B와 일치합니다.

### 2) ESBL (Extended spectrum beta-lactamase)

ESBL은 extended spectrum beta-lactam을 분해하는 효소입니다.
Extended spectrum이란 출시되기 이전의 기존 항생제 보다 항균 작용 범위가 더 넓어졌다고 해서 붙은 명칭입니다.

이러한 종류의 항생제가 개발되기 이전까지 그람 음성균들은 주로 plasmid에 의해 매개되는 TEM-1이나 SHV-1 β-lactamase로써 β-lactam에 대해 내성을 보이고 있었으나, 이들 효소들에 안정성을 보이는 oxyimino cephalosporin이 개발됨으로써 일단 내성 문제가 해결되는 듯 했습니다.
또한 원래부터 oxyimino 항생제에 내성을 보이는 AmpC type β-lactamase는 chromosome 내에서만 국한되어 생성될 뿐, 다른 균으로 전달되는 것은 아니었기 때문에 역학적으로 큰 문제는 아니었습니다.

그러나, 80년대 초반에 유럽 등지에서 이들 새 항생제들을 가수분해할 수 있는 새로운 효소들을 내는 균들이 속속 출현하기 시작하였고, 미국에서도 이러한 내성 보고가 속출합니다.
문제는, 앞서 언급한 바와 같이 그 당시까지는 chromosome에 국한된 것으로만 알려졌던 β-lactamase들이 plasmid에 의해 다른 균으로도 전파가 됨으로써 발현되고 있었다는 사실입니다.

6강

여기서 잠시만 한 박자 쉬어 갑시다.

기본 지식으로서 plasmid를 비롯한 mobile element에 대한 개념을 잡아 놓을 필요가 있어서요.
그래서 transposon이나 plasmid 같은 이동성 유전자 운반 조각들에 대해 잠깐 짚고 넘어가기로 하겠습니다.

Watson과 Crick(그리고 Rosalind Franklin)에 의하여 DNA가 발견된 이래, 유전자는 거기 그대로 자리 잡고 앉아 뭔가를 만들어 내는 틀이며, 움직일 수도 있다는 사실은 상상도 못하던 시절이 있었습니다. 이 고정 관념은 자꾸 이동하는 옥수수 유전자를 연구하던 Barbara McClintock 여사에 의하여 보기 좋게 깨졌으며 이후 통통 튀며 여기저기 옮겨 다니는 유전자(jumping gene)의 존재와 개념이 확립됩니다. 이를 토대로 하여 미생물의 세계에서도 이동성을 지닌 유전자가 좀더 상세하게 밝혀집니다. 그래서 현재 다제 내성균에 있어서 transposon과 plasmid를 논할 수 있게 된 것이죠.

세균에서 벌어지는 유전자의 이동은 다음과 같은 단계를 밟습니다.
일단 내성을 발현하는 유전자 조각들이 얌전히 앉아 있는데, 이것이 유전자 카세트(gene cassette)입니다.
이들은 나중에 transposon이나 plasmid를 택시 삼아 승차하실 준비가 되어 있는 고객들입니다.
안타깝게도 이들은 스스로 움직일 능력은 없고 누군가가 손을 잡고 이끌어 주어야 합니다.
이 역할을 하는 것이 integron입니다.
Integron이 카세트 조각들을 받아들여 팔짱을 끼고 transposon에게 안내하여 승차시키는 거지요.

Transposon은 다음에 언급할 plasmid처럼 이동성을 지닌 유전자입니다.
그러나 plasmid보다는 움직일 수 있는 행동 반경이 좁은 편입니다.
다시 말해서 균의 염색체(chromosome) 범위에 한정해서만 싸돌아 다닙니다.
즉, integron이 수집해 온 유전자 카세트를 태우고 염색체 여기저기에 파고 들어가 자리 잡았다가, 다시 나와서 돌아다니다가 합니다.
따라서 그 와중에 돌연변이(mutation)를 초래하기도 합니다.

Plasmid는 chromosome과 전혀 별개의 따로 국밥인 운반체입니다.
이는 transposon과 접목하여 유전자 카세트를 chromosome 밖으로, 심지어는 세균 세포의 밖으로까지 나르고 다닐 수 있습니다.
게다가 자체적으로 증식할 수 있는 능력까지 있어서, 획득한 유전자들을 곱절로 늘림으로써 진정한 의미의 확대 전파까지 이룩해 냅니다.
즉, plasmid는 transposon과 더불어 이동성을 가짐과 동시에 기동성과 증식성까지 더해진 운반체 유전자인 것입니다.

자, 다시 ESBL 이야기로 돌아 옵시다.
이들 새로운 효소들에 대해 정밀 분석을 한 결과 각 효소별로 정도의 차이는 있으나 cefotaxime, ceftazidime, aztreonam 등의 oxyimino-β-lactams 항생제들을 주로 분해하는 반면 carbapenem이나 cephamycin 계열의 항생제에는 별 작용이 없으며 clavulanate에 억제된다는 공통적인 특징들을 보였으며, TEM, SHV, 혹은 OXA 계통으로서 돌연변이에 의해 생겨난 것임이 규명됩니다.

이러한 효소들을 통틀어서 ESBL이라 명명합니다.
ESBL은 Bush 할머니의 분류법에 의하면 2be에 해당합니다(2d도 일부 겹치긴 합니다).



이들 대부분은 염기서열 상 classic한 TEM이나 SHV의 부류에 속하는데, TEM-1과 SHV-1에 대해 65% 정도의 homology를 보이며, 이 효소들을 구성하는 아미노산에서 극소수의 돌연변이가 일어남으로써 여러 종류의 ESBL이 나오게 됩니다.

복잡하죠?
간단히 하자면 이것저것 따질 것 없이 그냥 3세대 이상의 cephalosporin에 대한 beta-lactamase이고, plasmid 같은 mobile element에 의해 전염되는 것이라고 보면 됩니다.

끝!

ESBL이 문제가 되는 점은 항생제 선택의 폭이 대폭 줄어든 것뿐 아니라, plasmid에 의하여 매개된다는 사실에도 있습니다. 그만큼 파급 속도가 빠르다는 것이며, 이는 현실이 되어서 오늘날에 이르러 사실상 토착화가 된 실정입니다.
ESBL이 기승을 부리게 된 요인은 다른 다제 내성균들의 출현 원인과 거의 같습니다.
크게 두 가지 요소 - 오랜 세월과 항생제 융단 폭격이 결정적으로 작용한 것입니다.

오래 입원할수록 기회는 점점 많아지고, 3세대 cephalosporin뿐 아니라 quinolone, aminoglycoside, metronidazole 사용량의 증가로 ESBL 생성 균이 선택적으로 살아남을 확률 또한 점점 증가할 것이니까요.
그렇게 살아남은 ESBL균들이 손을 매개로 여기저기 전파되는 것이 축적되다 보니 결국 토착화 수준까지 오게 되었습니다. 요즘 종합 병원에서 *K. pneumoniae*나 *E. coli*의 항생제 감수성 결과를 보면 ESBL이 양성인 경우가 30-50%선, 혹은 그 이상인 경우가 적지 않은 게 현실입니다.

그렇다면 ESBL의 감염관리는 사실상 마음을 비우고 체념해야 할까요?

그건 위험 천만한 생각입니다.
ESBL이 아무데나 파도 나오는 수준이라 해도, 이를 그대로 방치한다면 더 독한 놈이 오기 때문입니다.
이는 ESBL균의 치료 방침에서 비롯되는 문제입니다.

치료 항생제의 선택 문제는 만만치 않습니다.
ESBL 자체의 반응 특징 때문에 2세대 cephamycin 제제가 유효할 것으로 생각할 수도 있지만 이를 뒷받침해주는 in vivo 연구가 없는 실정이며 실제로는 cephamycin을 사용했다가 오히려 치료에 실패하기 때문에 많은 위험 부담을 안고 있습니다. 설사 ESBL이 cephamycin에 작용을 안 한다 하더라도, 균들이 ESBL이라는 무기 하나만 가지고 덤비는 일은 없으며 예를 들어 porin의 결핍 같은 강력한 내성기전을 추가로 병행하고 있는 경우가 많기 때문에 실제 임상에서 치료 실패의 주 원인이 됩니다.

그렇다면, 어차피 ESBL도 β-lactamase이니까 β-lactam/β-lactamase inhibitors (b/bI)를 쓰면 될까?

일단 cephamycin보다는 위험부담이 덜하지만, 성공 가능성은 반반이라고 할 수도 있습니다.

그러나 균들이 실제로는 ESBL뿐 아니라 원조격인 TEM-1이나 SHV-1도 같이 내고 있는 경우가 빈번하고, porin 결핍도 발현하는 등 다양한 내성기전들을 구사하기 때문에 이 또한 위험부담이 있다고 볼 수 있습니다.
그나마 희망을 가질 수 있는 것이 4세대 cephalosporin과 carbapenem 계통의 항생제입니다만, 실제로는 사실상 carbapenem 한 가지만 치료 약제일 뿐입니다.
문제는, 이렇게 carbapenem을 쓰다 보면 carbapenem에까지 내성을 발현하는 다제 내성균이 유도된다는 것이며, 이 또한 현실이 되고 있습니다.



### 3) Carbapenemase, CRE, CPE

그래서 출현한 것이 carbapenem-resistant Enterobacteriaceae (CRE), 그 중에서도 carbapenemase-producing Enterobacteriaceae (CPE)입니다.

이 내성의 대상인 carbapenem은 앞 단원에서 언급한 바와 같이, 원래 beta-lactamase 억제제 가문 출신으로, beta-lactamase 억제제(bI)를 개발하는 과정에서 나온 산물입니다. 개발 초기의 원시적 물질인 olivanic acid에서 clavulanic acid가 만들어지는데, 그와 동시에 thienamycin도 덤으로 나왔던 것입니다.
주위에 주렁주렁 달고 있는 기들의 덩치가 워낙 커서 웬만한 beta-lactamase에 끄떡도 안 하는 맷집을 갖추었습니다. 그래서 beta-lactam 항생제의 끝판왕 자리를 차지한 것이죠.

CRE의 내성 기전은 크게 세 가지로 요약됩니다. 들어온 항생제를 열심히 퍼내는 펌프(efflux pump)를 작동시키거나, 항생제가 들어오는 경로를 줄이거나 아예 없애버리는 짓을 하거나, 그리고 효소로 직접 항생제와 맞장떠서 무력화시키는 것입니다.

맨 마지막 기전이 바로 carbapenemase인데, CRE 중에서도 이 CPE가 내성의 주류를 이루고 있습니다.
Carbapenemase는 Ambler A, D serine protease와 Ambler B인 metallo-beta-lactamase (MBL)로 분류됩니다.
Class A carbapenemases로는 *Klebsiella pneumoniae* carbapenemase (KPC 2-13), imipenem-hydrolyzing beta-lactamase (IMI 1-3), 그리고 Guiana extended spectrum (GES 1-20)가 있습니다. 이들 중에서 KPC-producer가 가장 많습니다.
Class D carbapenemase는 class A와는 달리 clavulanic acid를 잘 견딥니다. 주된 멤버로는 oxacillin hydrolyzing (OXA) carbapenemase가 있습니다. 특히나 이놈은 돌연변이를 자주 일으켜서 변종들이 많습니다. 예를 들어 OXA-48, 23, 58 등입니다.
Class B MBL은 zinc ion들을 중요한 매개로 사용합니다. 그래서 실험실 상에서 ethylene diamine tetraacetic acid (EDTA)에게 억제됩니다. MBL이라는 게 참으로 골치 아파서, 웬만한 항생제들은 다 무력화시킵니다. 다음에 소개할 새로운 항생제들은 MBL에는 효과가 없다는 게 문제입니다. 예외인 것은 aztreonam 같은 monobactam과 독성을 감수하고 써야 하는 colistin 정도입니다. New Delhi Medical (NDM-1), imipenem-resistant *Pseudomonas* (IMP), Verona integrin-encoded metallo-beta-lactamase (VIM), 그리고 국내에서 보고한 Seoul imipenemase (SIM) carbapenemase가 이에 속합니다.

CPE는 기동성 있는 transposon과 plasmid를 타고 종횡무진하기 때문에 non-CPE보다 빠르게 퍼집니다.
게다가 똑똑한 special clone이 이를 받으니 더 빠릅니다. 성능 좋은 경주 차를 유능한 경주 선수가 운전하는 셈이니까요. 성능 좋은 경주 차는 transposon인 *Tn4401*이며, 똑똑한 균은 *K. pneumoniae*를 예로 들면 *ST258* 균입니다.
내성과 병독성, 예후에 인과 관계가 있느냐는 것은 항상 나오는 논쟁거리이지만, CRE/CPE의 경우는 지금까지 보고된 성적들에 의하면 분명히 예후가 나쁩니다.
CRE는 현재 이미 전 세계로 퍼져 있습니다.
*K. pneumoniae*가 대표적인 KPC 효소는 유럽의 남부 그리스와 이태리, 동유럽, 미국과 남미에 토착화되었습니다. MBL에 해당하는 NDM은 인도, 파키스탄을 중심으로 영연방 국가에 퍼져 있습니다.
그렇다면 대한민국은?
인정하기 싫지만, 대한민국은 토착화가 멀지 않았습니다.

역시 논란이 있긴 하지만, carbapenem을 비롯한 광범위 항생제의 남용을 규제하고 적정 조정을 하면 각 환자의 장 내 colonization resistance를 저해할 확률이 줄기 때문에, 그만큼 CRE 출현의 기회도 감소시킬 수 있을 것입니다. 이에 더해서 중환 치료시 가급적 carbapenem 이외의 항생제들을 씀으로써 역시 CRE 출현의 확률을 줄일 수 있습니다(carbapenem-sparing antibiotics regimen).

현재로서는 polymyxin E (colistin), tigecycline, 그리고 fosfomycin이 우리에게 주어진 무기입니다.
새로이 개발되는 약제로는 avibactam과 ceftazidime, 혹은 ceftaroline fosamil, aztreonam과의 병합 제품이 있습니다. 이들은 aztreonam을 제외하고는 MBL에는 듣지 않습니다.
그 밖에 vaborbatam-meropenem, relebactam-imipenem/cilastatin 조합도 있습니다.
또한 plazomicin, 그리고 siderophore를 흉내 내서 세균 안으로 트로이 목마처럼 들어가는 교활한 항생제 cefiderocol 등도 시도되고 있습니다.

## 2. Glycopeptides 내성과 VRE

Glycopeptide 내성은 유전자에 의하여 매개됩니다.
관여하는 유전자는 현재 *vanA*부터 N까지 규명되어 있습니다.
이들 유전자가 만들어내는 산물은 가짜 세포벽 벽돌입니다.
원래 정품은 D-alanine-D-alanine (D-Ala-D-Ala)로 구성된 벽돌이며, vancomycin이 여기에 달라 붙습니다.
그러나 짝퉁은 D-Ala 대신 D-lactate (D-Lac)나 D-serine (D-Ser)을 써서 D-Ala-D-Lac 혹은 D-Ala-D-Ser라는 불량 유사품을 만들어냅니다.
D-Ala-D-Lac은 D-Ala-D-Ala 벽돌보다 vancomycin에 대한 친화력이 1/1,000 밖에 안 되며, D-Ala-D-Ser은 D-Ala-D-Ala 벽돌보다 vancomycin에 대한 친화력이 1/6 밖에 안 됩니다.
그러니 vancomycin이 제대로 작동할 수가 없지요.
그 결과가 vancomycin 내성입니다.

Vancomycin의 내성 기준은 다음과 같습니다.

- 4 μg/mL 이하면 듣는 것이고(susceptible)
- 8-16 μg/mL 정도면 어중간하게 듣거나 저항하는 것이고(intermediate)
- 32 μg/mL 이상이면 본격 내성(resistant)인 걸로 판정됩니다.

D-Ala-D-Lac을 보유한 *Enterococcus*의 경우 유전자들 중에서 *van*A, B, D, M에 해당하며 256 μg/mL를 훌쩍 넘어갑니다.
D-Ala-D-Ser의 경우는 *van*C, E, G, L, N에 해당하며, 친화력이 그나마 1/6 정도라서 16 μg/mL 정도의 억제 농도 범위에 걸립니다.

이 유전자들 모두를 일일이 알 필요는 없고, 우리는 *van*A, B, C만 신경 쓰면 됩니다.

VanA와 B는 plasmid가 매개하기 때문에 더 잘 퍼지며, 내성 강도도 매우 독합니다.
VanA는 vancomycin 억제 농도가 64 μg/mL을 넘으며 1,000 μg/mL도 훌쩍 넘을 수 있습니다.
Teicoplanin에 대해서는 16-512 μg/mL으로 역시 내성을 보입니다.
VanB는 4-1,000 μg/mL 정도의 범위이며, teicoplanin에 대해서는 0.5-1μg/mL입니다. 즉, vancomycin에는 내성이되 teicoplanin은 들을 수 있습니다.
둘 다 D-Ala-D-Lac 벽돌을 만들어냅니다.

이들을 배달하는 transposon은 *van*A가 *Tn1546*, *van*B가 *Tn1547* 입니다.
이들 중 *van*A 유전자는 *Enterococcus*라면 어떤 균이고 다 들락날락 할 수 있는 반면에(그래서 *E. casseliflavus*, *E. gallinarum*에서도 나올 수 있음), *van*B는 오로지 *E. faecalis*, *E. faecium*에서만 볼 수 있습니다.

VanA를 발현하는 *van*A 유전자는 VanA operon의 일원이며, 다음과 같이 여러 유전자들이 모여서 이루어져 있습니다.

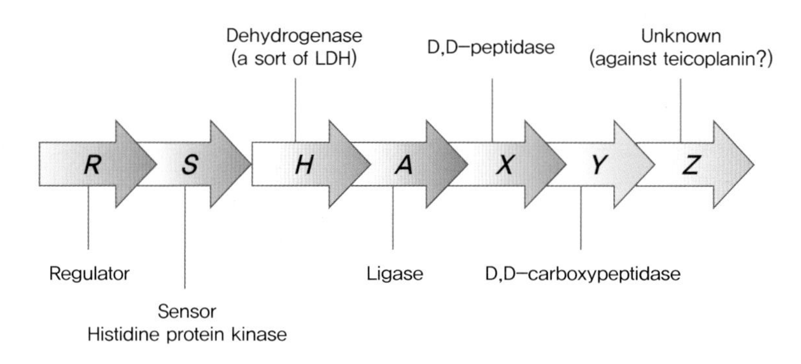

Operon이니까 당연히 필요성을 인지하는 sensor와 생산을 조절하는 regulator가 맨 앞에서 감독하고 있습니다. 그리고 vanH, A, X, Y가 합동 작업을 하면서 D-Ala-D-Lac 벽돌을 만들어 냅니다.
Lactate는 VanH가 pyruvate로부터 조달해 오고, VanX 혹은 VanY가 D-ala-D-ala를 깹니다.
여기서 VanA가 등장하여 홀로 된 D-ala와 lactate를 이어줌으로써 새로운 짝퉁 벽돌 D-Ala-D-Lac을 만드는 것입니다.
이미 언급했다시피, 이 짝퉁 벽돌은 기존 벽돌보다 vancomycin에 붙는 친화도가 1/1,000 밖에 안 됩니다.
따라서 vancomycin은 할 일 없이 빈둥대다가 수명이 다 되면 아무것도 못하고 조용히 사라집니다.

반면에 D-Ala-D-Ser은 vancomycin 친화도가 1/6로 줄어든 것도 있지만, serine 구조 자체에 있는 hydroxymethyl기가 상대적으로 덩치가 커서 vancomycin이 달라붙기가 쉽지 않습니다. 그래도 어쨌든 결과는 vancomycin 내성입니다.

다음은 vanC를 다뤄 봅시다.
이미 언급했지만, 이 유전자는 D-Ala-D-Ser 벽돌을 만들기 때문에 vancomycin 억제 농도가 생각보다 그리 높지는 않아서, 대략 2-32μg/mL 범위를 보입니다. Teicoplanin에 대해서는 0.5-1 μg/mL 정도라 비교적 잘 붙어요.
무엇보다 가장 핵심적인 것은 이들 내성이 chromosome에서 선천적으로 생성되는 것이지, plasmid의 개입이 전혀 없습니다. 다시 말해서 앞으로 다룰 VanA, VanB보다 전파력이나 감염관리에 큰 문제가 되지 않는다는 의미입니다.
이 VanC에 해당하는 균종이 *E. casseliflavus*와 *E. gallinarum*입니다.

그러나, 여기서 하나 주의할 것이 있습니다.
Vancomycin 내성인 *E. gallinarum* 혹은 *E. casseliflavus*가 배양되더라도 vancomycin 억제 농도가 32 μg/mL을 훌쩍 넘으면 더 이상 *Van*C로 간주하면 안됩니다.
그 정도로 높은 농도는 *Van*C로서는 도저히 불가능하기 때문이며, 이는 *van*C 유전자에 더해서 *van*A 유전자도 관여하고 있다고 해석해야 합니다. 따라서 이런 경우는 *Van*A를 표현하는 VRE로 간주합니다.



## 3. MRSA와 변형된 PBP

MRSA가 내성을 발휘하게끔 해 주는 유전자는 *mecA*입니다.
1985년 일본의 Utsui와 Yokota는 포도알균이 methicillin과 cephem (cefoxitin)에 내성을 발현하는 이유는 변질된 PBP때문임을 알아냈으며, 이를 PBP2a라 명명하면서 MRSA 기전을 처음으로 규명합니다.
자연스럽게 차후로 이어진 연구 방향은 PBP2a가 나오게끔 하는 유전자를 집중 수색하는 것이고, 결국 이는 plasmid가 아닌 chromosome에 박혀 있는 유전자임을 발견하여 이를 *mecA*라고 명명합니다.
이후 *mecC*, *mecB*, *mecD*도 차례 차례 발견됩니다.

이 *mecA*는 전 세계 어디에서나 포도알균들이 웬만하면 살림살이로 갖추고 있습니다.
이는 Staphylococcal Cassette Chromosome *mec* (SCCmec)에 자리를 잡고 있습니다.
전체적으로 20-60 kb 정도 덩치이고 *mec*뿐 아니라 다른 항생제들에게도 내성을 발휘하는 다른 여러 유전자들도 탑재하고 있습니다(예를 들어 *Tn554*,

*pT181*, *pUB110* 같이 transposon이나 plasmid까지 승객으로 태워서).

기본적으로 3가지 요소들이 어우러진 구조입니다.
일단 *mec* 유전자 모음집과 이를 조절하는 유전자들(발현을 시켜주는 조절자인 *mecR1*과 이를 억제하면서 조절하는 *mecI*임)의 집합이 있습니다.
그리고 chromosome에 정착하도록 도와주는 cassette chromosome recombinase (ccr) 유전자 모음집이 최근 거리에 위치합니다(*ccrAB*와 *ccrC*).
그리고 이들을 이어주는(joining) 부위들이 J 영역입니다.

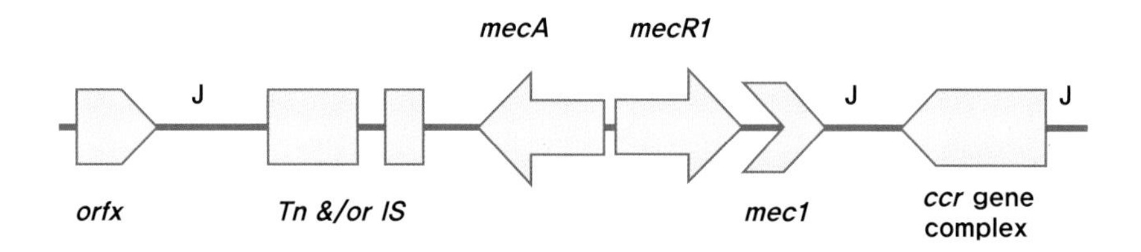


여기서 coding되어 나온 PBP2a는 기존의 PBP2보다 beta-lactam 항생제에 대한 receptor가 신통치 않아서 affinity가 매우 낮습니다. 따라서 항생제가 들어와도 PBP2a는 건드리지 못하여 cell wall 건설 과정은 항생제는 아랑곳하지 않고 진행되며, 그 결과가 MRSA인 것입니다.

## 4. Vancomycin resistant or intermediate *Staphylococcus aureus* (VRSA or VISA)

포도알균의 vancomycin 내성 기준은 다음과 같습니다.



- 4 μg/mL 이하면 듣는 것이고(susceptible)
- 4-8 μg/mL 정도면 어중간 하게 듣거나 저항하는 것이고(intermediate)
- 16 μg/mL 이상이면 본격 내성(resistant)인 걸로 판정됩니다.

**1) Vancomycin 내성 *S. aureus* (VRSA)**

1980년대 들어 VRE가 본격화되고, 얼마든지 여기저기 옮겨 갈 수 있는 *vanA*, *vanB* 유전자의 기동성 때문에 임상 일선에서는 불안감이 촉발되었습니다. VRE가 있는 곳에 인접해서 하필이면 MRSA가 어슬렁대고 있으며, 그러다가 둘이 서로 교류를 하여 MRSA가 VRSA로 된다면?

이러한 우려는 결국 현실이 되어 2002년 미국에서 첫 증례가 나왔습니다.
이후 속속 보고가 계속되어 2019년 현재 총 14건이 미국에서 보고되었으며, 2008년에는 인도에서 몇 건, 이란에서도 1건이 보고되었습니다.
다행히 VRSA는 진짜 드물게 보고되고 있으며 대부분이 경미한 피부 연조직 감염 사례들입니다.
아직까지 VRE처럼 환자에서 환자로 전염된 사례는 없으며, VRSA로 죽은 증례도 없습니다.
왜 그런지는 불확실하지만, 아마도 MRSA가 VRSA가 되면서 그만큼 병독성 면에서 손해를 본 것이 아닐까 하고 추정되고 있습니다.

이쯤되니 실제로 VRSA가 임상적으로 유의하게 문제를 일으키긴 하는지에 대한 회의론도 나오고 있습니다.
사실 화끈한 VRSA보다는 깐족거리는 VISA (vancomycin intermediate *S. aureus*)가 임상에서 더 문제입니다.

2) VISA/hVISA (vancomycin intermediate S. aureus)

1997년 히라마쓰는 독특한 감수성 양상의 황색 포도알균 2개를 학계에 보고합니다.
하나는 Mu50으로 1997년에 분리한 균주인데, vancomycin 억제 농도는 8 μg/mL이었습니다.
이는 국제 표준 균주 ATCC 700699로 등록되며, 최초의 VISA입니다.

나머지 하나가 1996년에 얻은 Mu3으로 억제 농도는 4 μg/mL. 국제 표준 균주 ATCC 700698로 등록됩니다. 이는 황색 포도알균 집락 속의 소수 민족인 heterogeneous VISA (hVISA) 제1호입니다.
이 내성은 *S. aureus*의 세포벽이 비정상적으로 두꺼워져서 발현된 것으로, 워낙 심하게 두꺼워지니까 vancomycin이 제대로 뚫지 못하여 중간 내성이 된 것입니다.
유전자에 의해 시작된 것이 아니므로 VRSA까지 가지는 않습니다.
하지만 이 VISA는 VRSA보다 임상적으로 더 문제입니다.
내성도 아니고 감수성도 아닌 모호한 위치에 있기 때문에 치료가 되는 듯 안 되는 듯 밀당을 하기 때문입니다.

꼭 VISA 수준까지는 아니더라도 vancomycin 최소 억제 농도가 1-2 μg/mL 정도에서 형성되는 포도알균 감염 증례는 생각보다 빈번합니다.
특히 장기간 입원하는 정형외과, 신경외과 환자들이 그러한데, VISA와 마찬가지로 치료 면에서의 애로 사항은 똑같습니다.

치료 방침은 vancomycin failure로 간주하고 고용량 daptomycin 투여를 원칙으로 합니다.
여기에 gentamicin이나 rifampicin, TMP/SMX, 혹은 beta-lactam을 붙여 줍니다.
만약 daptomycin에도 내성을 보인다면 quinupristin/dalfopristin, TMP/SMX, linezolid, telavancin을 대안으로 사용할 수 있으며 5세대 ceftaroline도 염두에 둘 수 있습니다.



## 5. Penicillin resistant *Streptococcus pneumoniae* (PRSP)

폐렴알균은 PBP를 변질시킴으로써 penicillin에 저항합니다.
PBP 중에서도

PBP2B' ← low-level resistance

PBP2X' ← high-level resistance, 그리고

PBP1A' ← 요건 3rd generation cephalosporin 내성에 관여합니다.

penicillin 내성의 기준은 폐렴알균에 의한 수막염이냐, 아니냐에 따라 커트라인이 달라집니다.
왜냐하면 수막염일 때는 아닐 때보다 적어도 갑절의 용량(meningeal dose)로 투여해야 하기 때문이죠.

먼저, 수막염이 아닐 경우는:

- ≤ 2 μg/mL면 감수성(Susceptible, S)
- 4 μg/mL면 어중간(Intermediate, I)
- ≥ 8 μg/mL면 내성(Resistant, R)

수막염일 경우 기준이 엄격해집니다.

- ≤ 0.06 μg/mL면 감수성(Susceptible, S)
- 어중간(Intermediate, I) ? : → 없습니다.
- ≥ 0.12 μg/mL면 내성(Resistant, R)

참고로 3세대 cephalosporin의 경우는

수막염이 아닐 경우:

- ≤ 1 μg/mL면 감수성(Susceptible, S)
- 2 μg/mL면 어중간(Intermediate, I)
- ≥ 4 μg/mL면 내성(Resistant, R)

수막염일 경우 기준이 엄격해집니다:

- ≤ 0.5 μg/mL면 감수성(Susceptible, S)
- 1 μg/mL면 어중간(Intermediate, I)
- ≥ 2 μg/mL면 내성(Resistant, R).

## 6. FQ resistance

FQ의 기전이 DNA gyrase와 DNA topoisomerase IV를 억제하는 것이기에, 세균은 이들 두 효소를 mutation시킴으로써 저항을 할 것이라는 건 충분히 예상할 수 있습니다. 그런데, 여기에 한 가지 더 강력한 저항 수단을 보이기도 하는데, 다름 아닌 active efflux pump입니다.

이를 만들어내는 gene은 단독으로 있지 않고 multidrug-resistance plasmids에 단체로 합숙하고 있기 때문에 FQ내성은 다른 종류의 항생제 내성도 같이 동반할 확률이 높습니다.

## 7. Aminoglycoside, 그리고 ribosome에 작용하는 다른 항생제들에 대한 resistance

Aminoglycosides에 대한 내성은 plasmid 매개로 이를 무력화시키는 N-acetyltransferases (AAC), O-nucleotidyltransferases (ANT), O-phosphotransferases (APH) 효소가 주도합니다.
이걸 의식해서 이들 효소가 붙을 구조 부위들을 화학적으로 잘 조정하여 만든 것이 arbekacin, tobramycin, amikacin입니다. 그래서 amikacin에 대한 내성은 다른 aminoglycoside보다는 빈도가 덜합니다.
일부는 aminoglycoside가 30S ribosome에서 차지할 좌석을 methylation으로 미리 점거함으로써 모든 aminoglycoside를 원천 봉쇄하는 방법도 씁니다.
또한 efflux pump로 퍼내는 더 원초적인 저항 기전도 있습니다.

Tetracycline이나 MLS (macrolide, lincosamide, streptogramin) 같이 ribosome에 작용하는 항생제들도 앞서 기술한 aminoglycoside에 대한 내성 기전과 유사합니다. Efflux pump로 퍼 내거나, methylation으로 좌석을 선점해버리는 방법으로 말이죠.

## 8. MRAB (multidrug-resistant *Acinetobacter baumannii*)

*Acinetobacter* 종은 선천적으로 내성을 보이는 항생제 종류가 꽤 많습니다.
가장 기본이 될 beta-lactam제로서 penicillin이나 ampicillin, carboxypenicillin 같은 차세대 penicillin들, 혹은 1세대 cephalosporin 항생제들이 아예 듣지 않습니다. 거기에 chloramphenicol(요즘 쓰이는 건 아니지만), tetracy-

cline 계열, TMP/SMX 등도 선천적으로 효과가 없고, 운 나쁘면 aminoglycoside도 듣지 않습니다.

게다가 새로운 내성을 획득하는 데에 매우 개방적인 태도를 보입니다.
내성 유전자들을 함유하며 이 균에서 저 균으로 돌아다니는 plasmid들을 잘 받아들임으로써, 후천적으로 새롭고 강력한 내성까지 갖춥니다.

적극적으로 항생제와 맞서서 두들겨 부숴버리는 것도 같이 행하며, 특히 carbapenem까지 무력화시키는 carbapenemase를 낸다면 본격적인 악질이 되어 버립니다(class-D OXA carbapenemases가 대표적이며, 더 나쁜 점은 biofilm과도 내통한다는 것).

또한 항생제 융단 폭격으로 상황이 불리하다 싶으면, 펌프로 퍼내서 쫓아버리거나 평소에 영양분이나 전해질이 드나들던 통로(porin channel, outer membrane protein)를 모조리 닫아 걸어버림으로써 심지어는 carbapenem까지 포함한 거의 모든 항생제와의 교류를 거부하는 다제 내성균이 되기도 합니다.
이를 CRAB (carbapenem-resistant *A. baumannii*) 혹은 다른 항생제들에게까지 저항한다는 의미에서 MRAB (multidrug-resistant *A. baumannii*)이라고 합니다.

이는 세균 입장에선 손해이기도 합니다.
성문 닫아 걸고 옥쇄를 택한 극단적 선택이라 세균 자신도 굶주리기 때문이죠.

이런 연유로 MRAB이 꼭 임상적으로 상황의 악화를 뜻하지 않는 경우도 많습니다만, 어쨌든 대부분의 항생제가 듣지 않는다는 사실은 심각한 상황이 맞습니다. 특히 혈액 등의 검체에서 배양되는 등, 임상적으로 유의한 상황이 된다면 우리는 선택할 항생제가 별로 없게 됩니다.

다제 내성이고, mobile element의 개입으로 초래된 상황이므로 타인에게 전염되지 않도록 감염관리를 철저하게 해야 합니다.
치료를 위한 선택지는 그리 많지 않습니다.
현재로서는 colistin과 tigecycline 정도만 우리에게 주어집니다.

6강

## 9. Colistin 내성

Colistin의 주요 기전은 양성전하로 잔뜩 무장한 colistin이 음성전하 투성이인 LPS에 달라붙는 것입니다.
이에 대응하여 세균이 colistin에게 반항할 방법은 주요 공략지인 외막에 변형을 가하는 것입니다.
그러므로 LPS의 성분을 변형시켜서 음성 전하를 최소화하는 것이 내성 기전의 핵심이다.
이를 매개하는 것이 *mcr-1* 유전자입니다.

원래 *mcr-1* 유전자는 세균 염색체 내에서만 국한해서 존재하는 것이라 다른 균으로 전파되는 게 그리 우려 사항까지는 아니었습니다. 그러나 2016년에 중국에서 plasmid 매개로 한 colistin 내성이 발견되면서 또 다른 골치거리를 보태게 됩니다.
주된 이유는 중국 축산업계에서 사료로 colistin을 대량 사용한 데서 기인했습니다.
내성이라는 것이 병원 안에서만의 문제가 아니고 병원 밖 더 넓은 세계까지 그 기원을 고려해야 한다는 교훈을 다시금 준 사례입니다.

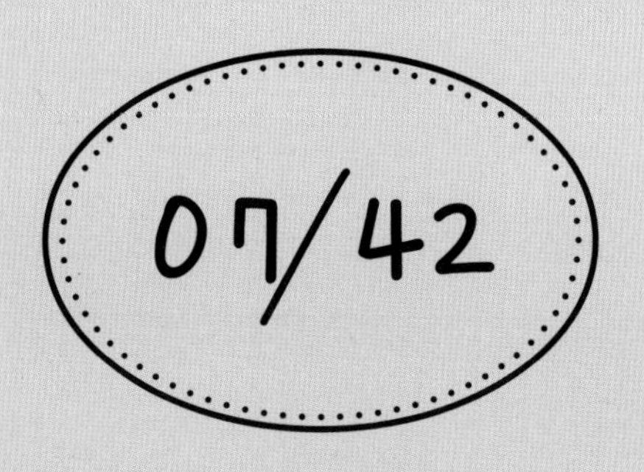


제7강

# 항생제를 사용하다

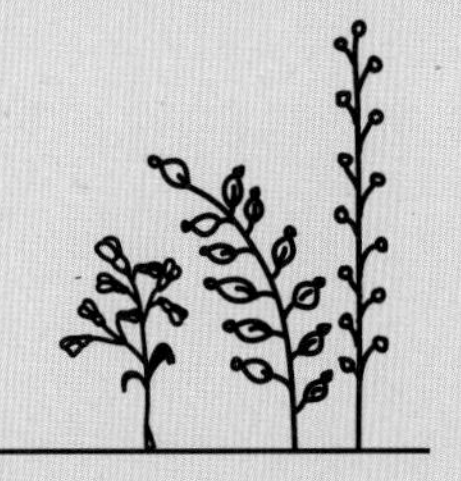

# 항생제를 사용하다

자, 그럼 본격적으로 항생제를 사용할 순간이 왔습니다.
꿩 잡는 데는 매가 최고입니다.
그런데 실제 상황은 어떨까요?

환자는 고열에 시달리고 있고 배양 검사는 나갔으나 최종 결과를 받기까지는 빨라야 사흘입니다.
내가 상대해야 할 적이 꿩인지 닭인지를 아직 모르니 최종 보고받을 때까지 기다려야 할까요?
그럴 수는 없습니다.
사흘이면 환자가 불상사를 당하기에 충분한 시간이니까요.

그래서 가장 나쁜 상황을 가정하고 매를 날려야 합니다.

이를 경험적 치료라고 합니다.

경험적 치료는 눈 감고 마구 무기를 휘둘러대는 것이 아닙니다.
환자가 보여주는 양상들을 기반으로 해서 그 동안 쌓인 합리적인 치료 기준과 지침들의 선택 근거(즉, '경험'입니다)를 매칭하여 가장 적절한 무기를 꺼내드는 전략입니다.

그리고 나중에 원인 병원체가 밝혀지면 거기에 맞춰서 조정을 합니다.

이는 다음과 같은 우리 분야에서 유명한 격언으로 요약됩니다.

"Hit early, hit hard, and then de-escalate."

## 경험적 치료의 접근 과정

경험적 치료는 그대들의 머리 속에서 다음과 같이 이원화된 측면으로 접근하여 무기를 꺼내 듭니다.

7강

### 1. 병리 기전에 기반을 둔 접근

병원체의 병리 기전을 숙주 세포의 입장에서 본다면 intracellular infection과 extracellular infection으로 나누어 볼 수 있습니다.

Extracellular infection은 앞의 단원들에서 누누이 설명했던 양상들입니다.
병원체가 들어오고 virulence factor들의 활약과 발끈한 host의 분노로 인하여 빚어지는 모든 참상들이 고열, 백혈구 증가, 빈맥(tachycardia) 등으로 나타납니다.

Intracellular infection은 병원체들이 host 세포 안으로 들어와서야 비로소 본격적인 활동을 시작하는 것을 말합니다.
그래서 extracellular infection과 같은 노골적인 증상보다는 어딘지 모르게 모호한 양상을 띄게 됩니다.
예를 들어 고열 치고는 백혈구 수치가 높지 않거나(relative leukopenia), 맥박이 빨리 뛰지 않거나(relative bradycardia) 합니다.

또한 감염이 일어난 주요 병변 이외의 부위에서도 이상 소견이 보이는 경우도 잦습니다.

예를 들어, 폐렴 환자인데 설사나 두통 등이 동반되는 비정형 폐렴(atypical pneumonia)이 좋은 예입니다.
이러한 양상을 초래하는 또 다른 주요 병원체로는 *Rickettsiae* 혹은 *Orientia* 종(tsutsugamushi), 결핵을 일으키는 *Mycobacterium*, 장티푸스의 원인균인 *Salmonella typhi*, 골치 아픈 마이너 그람 양성균인 *Listeria* 종 등이 있습니다. 또한 세균 이외의 병원체, 즉, virus나 기생충(protozoa)들도 intracellular infection의 원인 병원체입니다.

굳이 이렇게 나누는 이유는 무엇일까요?
'적을 알자' 단원에서 이미 강조한 바 있습니다만, 기초 의학이 아닌 임상 의학에서 분류를 하는 목적은 순수하게 분류를 하고자 함이 아니고 오로지 치료 선택의 지표로 삼고자 함에 있습니다.

"우리 임상의들은 오로지 치료를 추구한다."

Extracellular infection일 때는 지금까지 언급된 항생제 대부분에서 무기를 고르면 됩니다.
반면에, intracellular infection의 경우에는 숙주 세포 안으로 유효하게 파고들어갈 수 있는 항생제를 골라야 합니다. 이에 해당하는 항생제들이 fluoroquinolone (FQ)이나 tetracycline, 혹은 macrolide 계통인 것입니다.

이렇게 첫 번째 결단을 내리는 걸로는 충분하지 않습니다.
여러분의 머리 속에서는 이와 동시에 또 다른 시각, 즉 병변 부위 혹은 장기에 기반을 두어 치료 방침을 조정하도록 두뇌 회전을 하셔야 합니다.

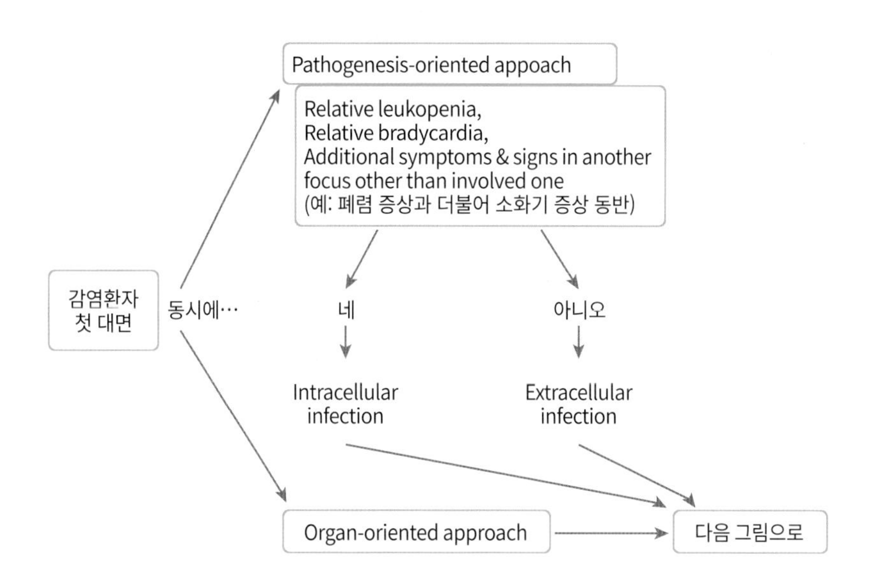
Pathogenesis-oriented appoach
Relative leukopenia,
Relative bradycardia,
Additional symptoms & signs in another
focus other than involved one
(예: 폐렴 증상과 더불어 소화기 증상 동반)
감염환자
첫 대면
동시에…
네
아니오
Intracellular
infection
Extracellular
infection
Organ-oriented approach
다음 그림으로

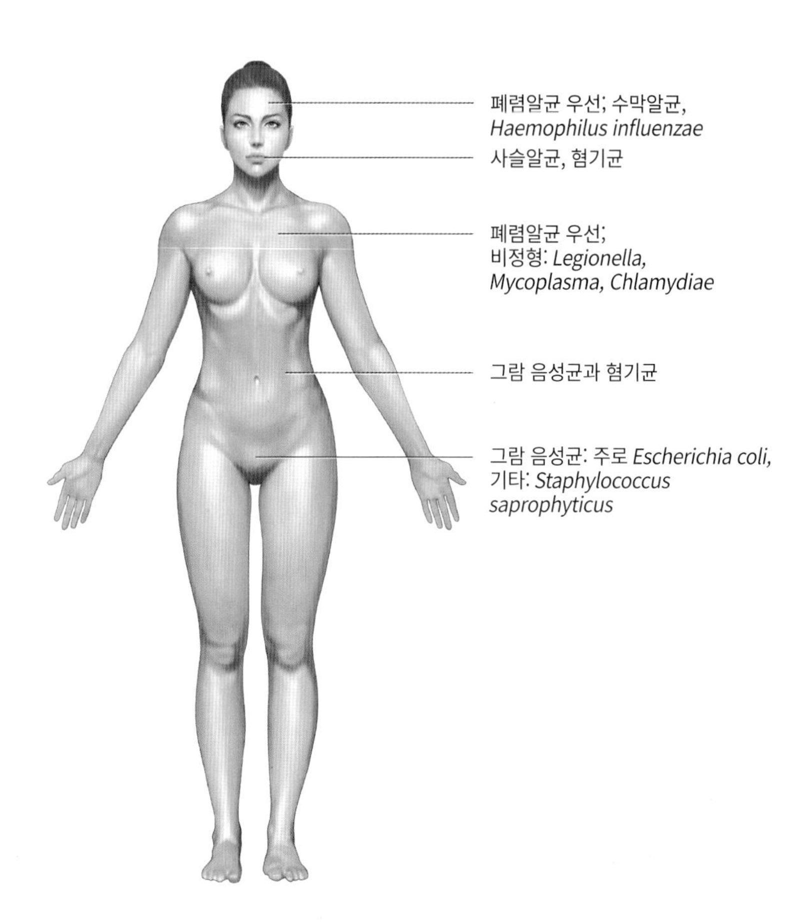
폐렴알균 우선; 수막알균,
*Haemophilus influenzae*
사슬알균, 혐기균
폐렴알균 우선;
비정형: *Legionella,*
*Mycoplasma, Chlamydiae*
그람 음성균과 혐기균
그람 음성균: 주로 *Escherichia coli,*
기타: *Staphylococcus*
*saprophyticus*

7강

## 2. 병변 부위에 기반을 둔 접근

이 접근법은 병리 기전 기반의 접근법보다는 쉽습니다.
인체를 머리(중추신경계), 구강, 가슴(호흡기계), 배(복강), 비뇨기, 피부로 나눠서 증상이 나타나는 부위에 초점을 맞추고, 각 부위에 호발하는 균들을 과녁으로 삼아 항생제를 선택하는 것입니다.

**1) 머리(중추신경계)는 다시 말해서 수막염의 원인균이 주로 해당하겠는데, *S. pneumoniae*, *N. meningitidis*, *H. influenzae*를 염두에 둡니다.**

**2) 구강은 염증이 있어 봐야 얼마나 위험하겠냐고 무시하기 쉽지만, 전혀 그렇지 않습니다.**
입 속엔 피부가 없고 곧장 점막입니다.
이게 의미하는 것은?
병원체를 막아내는 역할의 거의 7-8할이 사라진 취약 지구라는 뜻입니다.
점막만 통과하면 곧장 전신 혈류로 가는 지름길이 열립니다.
혈관 염증은 기본이고, 재수 없으면 심장에 가서 정착하여 심내막염이 됩니다.
구강에서 주로 사는 주민은 혐기성균, 특히 사슬알균이므로 이를 주요 과녁으로 고려해야 합니다.
입 속에 염증이 있냐 없느냐에 집착하라는 얘기가 아닙니다.
환자를 진찰할 때 특별한 focus가 발견되지 않는 감염증의 경우 이 부위를 발병 시작점으로 추정하고 접근해 보라는 뜻입니다.

**3) 가슴은 호흡기계, 즉 주로 폐렴을 의도한 겁니다.**
진찰과 각종 검사로 폐에 병변이 있다면 폐렴에 준하여 우선 치료를 시작합니다.

폐렴은 전형적 폐렴(typical pneumonia)의 원인균인 *S. pneumoniae*, 비정형 폐렴(atypical pneumonia)의 원인균인 *Legionella*, *Mycoplasma*, *Chlamydiae* 삼총사를 염두에 둡니다.

**4) 복강 내 장기는 주로 혐기균과 그람 음성균을 겨냥하면 됩니다.**

**5) 비뇨기는 주로 *Escherichia coli*를 비롯한 그람 음성균 가능성이 높습니다.**

7강

**6) 피부는 주요 주민들이 포도알균이나 사슬알균 등의 그람 양성균입니다.**

더 단순하게 보면, 횡경막 위로는 pneumococcus를, 아래로는 그람 음성균과 혐기균을 겨냥한다고 생각하면 됩니다.

물론 각 부위마다 예외는 있습니다. 그렇더라도 처음 접근할 때 빠른 일차 판단이 필요하기 때문에 우선적으로 이렇게 접근 사고를 전개하면서 시작하도록 합니다.

그럼 다음 순서는 어느 항생제를 선택하느냐가 되겠습니다.

## 항생제 선택 시 고려할 사항들

일단 항생제의 spectrum, 즉 내가 찍은 균주에 효과가 있는 걸 제대로 골라야 합니다.
크게 보면, 그람 양성균에 주로 효과있는 항생제는 1세대 cephalosporins, ampicillin/sulbactam, clindamycin, macrolides 등입니다. 만약 MRSA, MR-CoNS가 우려된다면 glycopeptide, oxazolidinone 등을 고려합니다.
그람 음성균에 주로 효과있는 항생제는 aminoglycosides, monobactams, fluoroquinolones, 2세대 이상의 cephalosporins 등입니다.
혐기균에 주로 효과있는 항생제는 metronidazole, clindamycin, beta-lactam/beta-lactamase inhibitors (b/bI) 등입니다.

다음으로 신경써야 하는 것은 병변에 얼마나 충분히 도달하느냐입니다.
다행히 대부분의 acute infection은 hot spot이기 때문에 웬만하면 잘 도달합니다.

만성 감염, 혹은 intracellular infection의 경우에는 lipid solubility나 molecular size를 잘 고려해서 선택해야 합니다. 앞에서 언급했다시피 예를 들어 Rickettsial infection 시 cell 내로 잘 침투하는 tetracycline 혹은 macrolide를 사용합니다. 반면에 aminoglycoside 같은 경우는 세포 내부나 농양, 객담과 같이 산성이나 저산소 환경에는 항균력이 저조해서 사용하기에 적합하지 않습니다. 아울러, 항생제도 좋지만 그 병변이 물리적으로 해결하는 것이 우선인지 여부도 잘 판단합니다. 수술을 통해 배농하거나 혹은 제거가 필요한 abscess나 어떤 인공 device인지 여부와 같이 말이죠.

그렇게 항생제를 선택하고 나면, 내성 여부를 한 번 더 신경씁니다. 그러기 위해서는 여러분이 근무하는 기관의 내성 양상이 어떤지를 어느 정도는 파악하고 있어야 합니다.
다음으로, 선택한 항생제의 부작용과 다른 약제와의 상호작용까지 한 번 더 검토를 합니다. 이에 대해서는 앞선 단원에서 기술한 바 있습니다.

마지막으로, 항생제를 투여 받는 환자 자신에게 다른 변수는 없는지 잘 따져봅니다.
호중구 감소나 스테로이드 장기 투여, 비장 적출술을 받았거나 장기 이식 수술을 받았거나 하는 등의 면역 저하 상태는 아닌지를 봅니다.
또한 가임 여성의 경우는 임신 여부의 파악이 중요합니다. 만약 맞다면 선택한 항생제가 미 식품의약청의 안전성 category 중 어디에 해당하는지를 확인하고, 만약 위험하다면 조정하도록 합니다.

그 밖에 연령, 신 기능, 콩팥 기능, 기저 질환까지 확인하고 드디어 투여를 시작합니다.

# 상황별 경험적 항생제

지금부터 나열하는 경험적 항생제 투여 방안은 기본적인 원칙일 뿐입니다.
보다 세부적인 조정이나 대안들은 각 질환별로 공식 지침들이 마련되어 있습니다.
이는 나중에 해당 질환을 다루는 단원들에서 다시 자세하게 설명하겠습니다.

앞서 정한 틀에 의거하여 머리부터 시작하여 주욱 내려오겠습니다.

## 1. 중추 신경계

### 1) 수막염(meningitis)

수막염은 세균성, 바이러스성, 결핵성 등으로 나누는데, 나중에 별도의 단원에서 다루겠지만 뇌척수액 소견으로 어느 정도 감별을 합니다-라고 하죠. 그러나 실제 상황에서 어디 그렇게 딱 부러지게 감별이 되느냐 하면 유감스럽게도 그렇지 않습니다. 저도 그렇고 대부분의 선생님들은 아마도 이들 원인 병원체들 모두 다 가능성 있다고 간주하면서 불안감에 사로 잡혀서 치료에 임할 겁니다.
여러 소견 면에서 바이러스 수막염 같으면 원칙적으로는 항생제를 배제하고 항바이러스제도 굳이 줄 필요 없이(사실상 herpes virus 아니라면 줄 이유도 없지요) 침상 안정 하에 증상 완화시켜주면 됩니다. 그런데, 막상 실전에서 세균성 수막염이 아니라고 자신하고 그렇게 뚝심 있게 밀고 나갈 자신 있어요? 만약 세균성 수막염이라면 그런 식으로 치료에 임할 경우 목숨을 잃을 수 있는데도?

적어도 전 자신 없습니다.
그래서 어떤 선생님들은 수막염 증세로 입원한 환자에게 항생제는 물론이요, 항바이러스제인 acyclovir, 그리고 항결핵제까지 투여하는 사례들을 저는 종종 봤습니다.
처음엔 저도 비난을 많이 했었습니다만, 그 동안 쓴 맛을 본 경험들이 쌓이다 보니 그렇게 오버하는 게 이제는 이해가 가기도 합니다.
물론, 그렇다고 해서 수막염 치료를 그런 식으로 하면 안 되지요.

저는 일단은 세균성 수막염으로 간주하고 치료를 시작하며, 3일 정도에 재평가를 한 뒤에 조정을 합니다.

여기까지의 설명을 보면 교과서적으로 마련된 지침이 무슨 소용이냐는 의구심을 표하시는 분도 있을 겁니다.
그런데 말이죠, 앞으로 말씀드릴 그 어느 질환보다도 수막염 만큼 교과서 정석대로 딱딱 맞아떨어지지 않는 감염질환도 없습니다. 이건 말로 설명하는 것보다 직접 겪어 보셔야만 공감을 할 수 있는 것이니 여기까지만 푸념을 하도록 하겠습니다.

어쨌든 치료의 원칙을 말씀드리자면, 세균성 수막염의 경험적 치료는 폐렴알균을 기본적으로 겨냥하여서 항생제를 선택해야 합니다. 80년대 말까지는 penicillin만으로도 충분히 치료가 되었습니다만, 그 이후부터 스페인에서부터 시작된 penicillin-resistant *S. pneumoniae*가 전세계적으로 주류가 되고, 대한민국까지도 점유를 하는 바람에 항생제 선택 양상이 바뀝니다.
그래서 ceftriaxone 2g q 12 hours에다가 vancomycin 15 mg/kg q 12 hours를 기본으로 합니다.
50세 이상이거나 임산부, 혹은 면역 저하 환자인 경우에는 *Listeria monocytogenes*까지 의식하여 ampicillin 2g q 4 hours를 추가해야 합니다.

7강

논란의 여지가 있지만 더 나은 예후를 위해 dexamethasone 10 mg q 6 hours로 4일간 투여합니다.
더 자세한 내용은 중추신경계 감염 단원에서 다루도록 하겠습니다.

### 2) 뇌염

원론적으로 수막염 환자는 고열과 두통으로 고생은 해도 의식 상태나 수준에 변동은 없습니다. 그럼에도 불구하고 수막염 병변으로 인한 여파로 뇌 실질에 영향을 미쳐서 이상을 보일 수는 있습니다. 그러나 의식 저하나 이상 행동을 보이면 이미 수막염 수준은 벗어나서 encephalitis(뇌염)의 범주로 간주해야 합니다.
그래서 즉시 brain MRI를 촬영하여 눈에 보이는 이상 병변이 없는지를 확인합니다.
뇌염은 크게 herpes encephalitis와 그게 아닌 것으로 나눕니다.
왜 그래야 하는지 이미 익숙해지셔서 잘 아실 겁니다.
치료 방침이 달라지기 때문입니다.
전자의 경우는 치료제가 있지만, 후자의 경우는 특효약이 없어서 conservative treatment를 정성껏 해 주는 수밖에 없습니다.
Herpes encephalitis일 경우에는 acyclovir 10-15 mg/kg q 8 hours로 10일간 투여하는데, 상황에 따라 2주에서 3주까지 연장할 수도 있습니다.

### 3) Brain abscess

Brain abscess는 수술로 drainage를 함과 동시에 항생제 투여를 치료 원칙으로 합니다.
원인 미생물은 적어도 2개 이상으로 aerobic streptococci와 anaerobes가 보통 기본입니다. 따라서 항생제 선택도 여기에 맞춰서 준비해야 합니다.
Vancomycin 15 mg/kg q 12 hours에다가 혐기균을 겨냥한 metronidazole 500 mg q 8 hours, 그리고 ceftriaxone 2.0 g q 12 hours까지 조합을 해서 투

여합니다.

#### 4) Spinal epidural abscess

의외로 많이 놓칩니다.

열이 나서 왔는데 허리가 아프다면 과감하게 spine imaging을 하는 걸 권하고 싶습니다.

특히 허리에 주사나 침을 맞은 경력이 있다면, 혹은 당뇨 등의 기저 질환이 있거나 술독에 빠져서 살아오신 분이라면 더욱더 적극적으로 임하시는 게 좋겠습니다.

진단이 되면 기본적으로 포도알균 감염으로 간주하고 항생제를 선택하면서 수술 치료 또한 동반되어야 합니다.

또한 허리 쪽 시술과 연관이 있다면 *P. aeruginosa*까지 감안해서 항생제 조합을 구성합니다.

그래서 vancomycin 15 mg/kg q 12 hours와 cefepime 2 g q 8 hours 혹은 piperacillin/tazobactam으로 줍니다.



## 2. Acute bacterial infective endocarditis

이 질환도 별도의 단원에서 자세히 다루겠습니다만, 한 가지 당부하고 싶은 점이 있습니다.

심내막염에 대한 일종의 고정 관념인데요.

흔히 "열이 나고 심장에서 잡음이 들리면 감염성 심내막염이다"라고들 하는데, 실제 상황은 그렇지 않습니다.

그냥 열만 납니다.

심잡음이요?

안 들리는 경우가 태반입니다.
제 말의 요지는 '심잡음(murmur)'에 너무 집착하지 말라는 겁니다.
사실 심내막염은 병원체가 심장에만 박혀서 생긴 것이라기보다는, 거기에 추가해서 혈액을 타고 전신 어느 곳에나 다 날아가서 틀어 박힌 소위 전신 embolism 질환이라고 보는 것이 더 정확합니다.
그래서 실전에서 보면 '고열에 심잡음'이 아니고 '고열에 여기저기 embolism'이 더 판단에 도움이 됩니다.
감염성 심내막염의 치료 지침은 매우 다양합니다만 원론적인 항생제 조합만 언급하고, 나중에 심내막염 단원에서 상황별로 자세히 다루도록 하겠습니다.

흔한 원인균은 *S. aureus*, beta-hemolytic streptococci, HACEK group 등입니다.
이에 맞춰서 vancomycin 15 mg/kg q 12 hours와 ceftriaxone 2.0 g q 12 hours로 조합을 합니다.

## 3. Pneumonia

폐렴은 상황에 따라 원인 병원체가 다르므로 치료 지침 또한 다각도로 제시되고 있습니다.
큰 원칙은 전형적인 폐렴과 비정형 폐렴 둘을 실전 현장에서 완전히 구분하기는 어려우므로 둘 다 치료 대상으로 삼는 양다리 전술이라는 것이고, 병원 안에서 얻어 걸린 경우와 병원 밖에서 걸린 폐렴은 원인 미생물이 다르므로 항생제 선택도 달라진다는 것입니다.

### 1) Community-acquired pneumonia non-ICU

외래 다니면서 치료해도 되는 수준의 환자일 경우에는 azithromycin으로 충분합니다(500 mg 경구로 먼저 드리고 다음날부터 나흘간 250 mg). 원인균인 폐렴알균은 물론이고 비정형 폐렴 원인균들까지 포괄 가능하니까요.

입원해야 하는 수준이되 중환자실까지 갈 정도는 아닌 경우에는 azithromycin에 더해서 3세대 cephalosporin을 같이 주거나, 단독으로 respiratory fluoroquinolone (Levofloxacin 750 mg 혹은 moxifloxacin 400 mg)을 투여합니다.

7강

### 2) Community-acquired pneumonia in ICU

중환자실로 입원하는 수준이라면 포도알균 감염까지 의식해서 항생제 조합을 구성해야 합니다.

MRSA가 우려된다면 vancomycin 15 mg/kg q 12 hours을 3세대 cephalosporin + respiratory FQ(혹은 azithromycin) 조합에 추가해 줍니다.

### 3) Hospital-acquired pneumonia

원내에서 새로 걸린 폐렴이라면 기존 조합에서 그람 음성균, 특히 *P. aeruginosa*를 주적으로 삼아야 합니다.

그래서 anti-pseudomonal cephalosporin (ceftazidime, cefepime, cefoperazon/sulbactam), 혹은 carbapenem (imipenem/cilastatin, meropenem), piperacillin/tazobactam을 근간으로 하고, 여기에다 anti-pseudomonal FQ (ciprofloxacin, levofloxacin)이나 aminoglycoside를 조합해 줍니다.

MRSA까지 있다면 어쩔 수 없이 vancomycin을 추가해 줍니다.

한 가지 주의할 점은 daptomycin은 아무리 MRSA에 듣는다 하더라도 폐의 surfactant에 악영향을 주기 때문에 절대로 주면 안 됩니다.

## 4. Intra-abdominal infection

복강은 사실상 장내 세균총이 반영되기 때문에 항생제 선택에 큰 어려움은 없습니다.
혐기성균과 그람 음성균을 고려해서 cefoxitin 2 g q 6 hours 혹은 metronidazole 500 mg q 8 hours + 3세대 cephalosporin이면 족합니다.
위중한 환자일 경우에는 metronidazole + anti-pseudomonal cephalosporin(또는 FQ), 혹은 carbapenem, 또는 piperacillin/tazobactam으로 상향 조정합니다.

## 5. Urinary tract infection

그람 음성균이 대다수이므로 3세대 cephalosporin이나 aminoglycoside, 혹은 FQ으로 선택합니다.

## 6. Skin & soft tissue infection

주요 원인 균주는 포도알균과 *Streptococcus pyogenes*입니다. 침습 범위에 따라 치료 원칙이 달라지는데, fascial plane을 넘어서지 않는 cellulitis의 경우엔 1세대 cephalosporin이나 nafcillin, clindamycin 등의 단독 투여로 충분한 반면, 이 경계선을 넘어서는 경우(예를 들어 necrotizing fascitis)에는 수술 개입과 함께 항생제 조합도 상향 조정이 필요합니다. 이때는 혐기성 균에 대한 커버도 추가되어, clindamycin + vancomycin + cephalosporin(혹은 aminoglycoside)로 구성하여 대처합니다.

## 7. 특별한 병변 부위가 파악되지 않는 sepsis



가장 곤혹스러운 상황입니다만, 이때야말로 “Hit hard & hit early, then de-escalate”를 실천해야 할 순간이기도 합니다.
가장 나쁜 상황, 즉 MRSA에다가 *P. aeruginosa* 감염이 겹친 것이라 가정하고, vancomycin과 anti-pseudomonal beta-lactam (ceftazidime, cefoperazon/sulbactam, cefepime, carbapenem, piperacillin/tazobactam)을 조합하여 적극적으로 전투에 나섭니다.

## Failure: 성과가 신통치 않을 때

항생제 투여가 항상 성공을 거두는 것은 아닙니다.
들인 노력에 비해 성과가 신통치 않을 때는 배양을 다시 나가면서 필요하면 imaging study도 시행합니다. 그와 동시에, 머리 속으로 다음과 같이 단계를 밟으면서 문제 해결을 향해 접근해 봅니다.

### 1. "정말" 실패한 것이 맞는가?

자각 증세가 우선적으로 좋아지고, 객관적인 finding들은 좀 늦은 시차를 두고 좋아지는 경우가 많기 때문에 신중히 판단해야 합니다. 그럼에도 불구하고 환자 증세가 좋아지지 않고 악화 일로에 있다고 판단된다면 진정한 실패가 맞습니다. 그렇다면, 다음 단계로.

### 2. "진짜" infection 인가?

**1) 가짜 infection은 아니었을까?**

신체 조직이 손상에 대해 보이는 반응은 감염 질환과 유사하게 나타나는 경우가 빈번합니다. 예를 들어 혈관염이나 췌장염, 갑상선 항진증, adrenal insufficiency 등이 그러합니다(염증 단원과 후에 나올 패혈증 단원의 병리 기전 문단을 참조하세요).

가짜 infection이 확실히 배제되었다면 그 다음 단계로 넘어 갑니다.

**2) 물리적으로 해결이 가능한 것을 놓치진 않았을까?**

Device 같은 이물질이나 미처 다 걷어내지 못한 죽은 조직이 있거나, 아니면 drainage로 충분히 해결이 가능했을 수 있었던 abscess 따위를 간과하진 않았는지를 찾아 봅니다.

여기까지 해서도 해결이 안 된다면 다음 단계로 접어듭니다.



## 3. 지금까지 해 온 치료 방침에 대한 근본적인 반성을 합니다.

항생제 선택에 있어서 부적절한 spectrum의 항생제로 잘못 고르진 않았는가, 혹은 대상 균의 내성 양상에 대한 대처가 부적절하진 않았는가. 제대로 선택했다 하더라도 PK/PD의 시각에서 병변 부위에 제대로 도달하지 못 한 것은 아닌가. 이것까지 문제가 없다면 대상 환자의 면역능에 문제는 없는가 등에 대하여 철저히 반성을 합니다.

이상의 과정을 거쳐서 치료 방침에 조정을 하도록 합니다.

## Antibacterial prophylaxis

항생제를 예방약으로 쓰려면 남용하지 말고 적용 대상과 상황을 신중하게 골라야 합니다.

가장 대표적인 예가 infective endocarditis를 예방하기 위한 방침입니다.
과거에는 모든 치과 시술에 일괄적으로 항생제를 예방 목적으로 주곤 했습니다.
그러나 재검토를 거듭한 끝에 현재는 정말 예방이 필요한 대상에게만 투여하는 걸로 개정되었습니다.
그 대상은 극소수로, 이미 infective endocarditis를 겪었거나, congenital heart disease이거나, prosthesis를 사용한 heart valve 수술받거나 혹은 심장 판막증이 발병한 심장 이식 수술받은 환자로 국한됩니다.
이들이 유혈이 낭자해질 것으로 예정된 치과 시술, 예를 들어 잇몸을 건드리는 시술을 받게 될 경우 예방적 항생제 투여가 허용됩니다.

며칠씩 투여할 필요는 없고, 시술하기 30분에서 1시간 전에 딱 한 번만 줍니다.
보통은 경구 amoxicillin 2 g으로 충분하며, 이걸 먹지 못할 사정(예를 들어 beta-lactam allergy 등)이라면 ampicillin 2 g IV 한 방, 혹은 clindamycin, azithromycin, 또는 clarithromycin으로 대체합니다.

무엇보다도 특히 수술 전에 예방적 항생제를 주는 것이 가장 비중이 큰 분야일 것입니다.

모든 수술 전 항생제는 피부 절개 1시간 전에 한 번 투여를 원칙으로 합니다.
그래야 수술 진행 중에 항생제의 혈중 농도가 유효한 수준으로 유지되기 때문입니다.
만약 수술 시간이 3-4시간 이상 오래 걸린다면 도중에 한 번 더 줘야 합니다.
무사히 수술이 끝난 뒤에는 특별한 사유가 없는 한 더 이상 추가로 줄 필요가 없습니다.

7강

수술 후의 감염 합병증은 해당 수술이 감염 위험성 면에서 어떤 종류에 해당하느냐에 따라 달라지며, 예방적 항생제 선택 또한 달라집니다.

Clean surgery의 경우는 피부 세균총을 의식해서 cefazolin 2.0 g IV 한 번으로 충분합니다.
단, 이미 MRSA colonization이 되어 있는 환자의 경우는 vancomycin을 같이 줄 수도 있습니다.
Clean-contaminated surgery부터는 슬슬 혐기성 균까지 포괄하기 시작합니다.
그래서 metronidazole이나 ampicillin/sulbactam, clindamycin을 cefazolin에 추가합니다.
장이 파괴된 dirty wound의 경우는 사실상 예방의 개념은 물 건너가고, 치료의 대상으로 바뀝니다.
이때는 복막염에 준해서 치료를 하는 것으로, 수술 1시간 전은 물론이고, 수술 후에도 적어도 3-5일간은 항생제 투여를 계속해야 합니다.

이 밖에 예방적 항생제 투여를 해야 할 경우들이 더 많지만, 이는 앞으로 나올 각각의 해당 단원들에서 별도로 다루기로 하겠습니다.

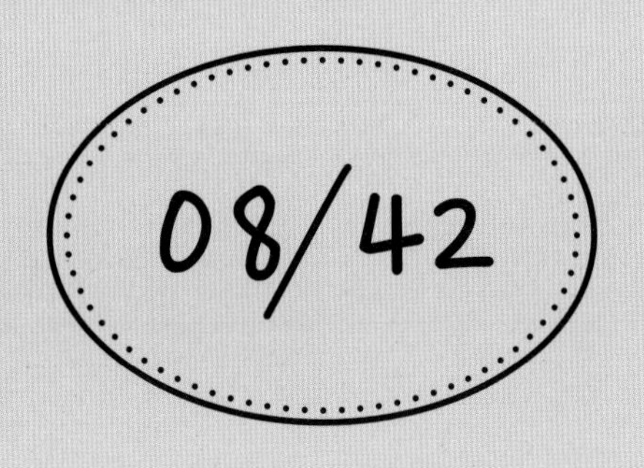


제8강

# 내가 가진 무기 - 항바이러스제

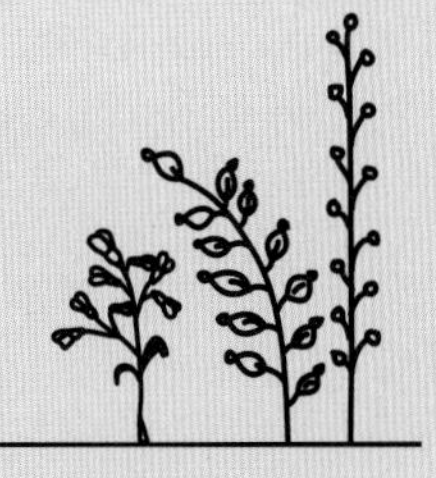

# 내가 가진 무기 - 항바이러스제

항바이러스제는 항생제와는 다른 시각으로 임해야 합니다.
우리가 세균을 공격하는 데 쓰는 항생제의 대부분은 세균 자체를 직접 파괴하는 mechanism을 발휘합니다.
그래서 자연스럽게 우리는 antivirals도 바이러스를 직접 공격하는 것이 가장 이상적일 것이라고 생각하기 쉽지요.
사실 그런 agent는 실제로 존재하긴 합니다.
그것은 바로 소독제입니다. 락스 같은 거 말입니다.
하지만 소독제는 specific antiviral은 아니며 human cell까지 해를 입힙니다.
따라서 바이러스를 직접 파괴하여 죽이는 약제는 인간에게 안전을 보장할 수 없어요.
이렇게 antiviral에 있어서 이상과 현실의 gap은 매우 큽니다.

제대로 된 항바이러스제가 되려면 바이러스를 제대로 잡아냄은 물론이지만 그와 동시에 숙주 세포에 위해를 가하면 안 됩니다. 만에 하나 숙주 세포에 지장을 준다 하더라도 최소한의 정도여야 하며, 대부분의 공격이 바이러스에게 집중되어야만 합니다.

항바이러스제의 원칙적인 목표는 무엇일까요?
바이러스를 죽인다?
소독제라면 맞는 목표이지만, 항바이러스제의 경우에는 목표를 조금 달리 해야 합니다.

우리는 바이러스의 다른 면을 target으로 삼아야 합니다.
그래서 우리는 바이러스의 life cycle을 자세히 검토하고, 거기에서 target을 찾습니다.

종류마다 차이는 있지만, 전반적인 바이러스의 생활사는 이렇습니다.
우선 바이러스가 host cell에 붙어서(attachment) 안으로 들어갑니다(entry).
들어가고 나면 viral proteins를 만들어 자기 몸을 구성할 구조물들을 만들어내고, 자기 자신을 복제하는 replication도 진행합니다.
이후 그 동안 만들어 놓은 구조물들을 제대로 구성하는 assembly, packaging을 거쳐 세포 밖으로 나가 새로운 host 세포를 찾아서 다음 life cycle을 진행하면서 기하급수적으로 증식합니다.
이러한 일련의 과정마다 우리는 공략할 과녁들을 추려낼 수 있겠습니다.

얼핏 보기에 가장 좋은 우선 순위의 과녁은 바이러스의 attachment 내지 entry를 차단하는 것 같습니다.
물론 그런 기전으로 작동하는 항바이러스제가 있습니다.
하지만 우리가 바이러스를 치료하겠다고 나서는 그 순간이라면 이미 바이러스의 entry 단계는 훨씬 지나서 인해전술로 나와 증상이 나타난 단계입니다.
당장 개떼같이 밀려오는 적군들을 물리치면서 그들이 증원되는 것도 막는 것이 가장 시급합니다.

그러므로, 항바이러스제에서 가장 우선시되어야 할 최우선 과녁은 증식을 억제하는 데에 있습니다.
그렇게 해서 바이러스가 주춤하면 그때 가서 host defense가 작동하여 진정으로 바이러스들을 죽일 수 있습니다.
사실 바이러스의 첫 방문을 차단하는 것은 neutralizing antibody의 역할, 즉 치료제라기보다는 vaccine의 영역으로 보는 것이 낫습니다.

다시 아까 했던 질문으로 돌아옵시다.
항바이러스제의 원칙적인 목표는 무엇일까요?
바이러스를 죽이는 것이 먼저가 아니라(이미 침입은 완료되었으므로), 신나게 진행되고 있는 바이러스의 증식에 강력하게 제동을 가함으로써 곧이어 숙주의 방어체계가 작동하여 바이러스를 제거하는 데 있습니다.

그럼 바이러스의 생활사에 의거하여 항바이러스제에는 어떤 것들이 있는지 살펴보기로 합시다.

8강

## 중합 효소(polymerase)를 방해하는 항바이러스제

### 1. Chain termination을 유도하는 Nucleoside 혹은 Nucleotide analogue

바이러스가 증식하는 것은 다시 말해서 DNA나 RNA가 증식한다는 얘기입니다.
DNA나 RNA를 구성하는 것은 핵산, 즉 nucleic acid입니다.
핵산의 기본 구조는 nucleoside 혹은 nucleotide입니다.
바이러스의 증식이란 마치 레고 블록이 한땀 한땀 쌓여서 늘려가듯이 nucleotide 한땀 한땀이 결합하면서 늘려가는 과정입니다.

따라서 바이러스의 증식을 억제한다는 것은 핵산이 하나 하나 늘어나는 과정을 차단한다는 것을 의미합니다.

Nucleoside는 sugar-base (ribose)의 기본 골격을 갖추고 있으며, 5'에 phosphate 기가 붙으면 nucleotide라 합니다. 이 5' 부분이 3'에 있는 -OH와 달라붙음으로써 DNA, RNA 가닥의 증식이 진행되는 것이죠(5' to 3' 방향으로 증식한다는 말입니다).
만약 이 5' to 3' 결합이 제대로 안 된다면?
증식이 제대로 안 됩니다.
그러기 위해서는 5'이나 3' 중 어느 하나에 결함이 있어야 합니다.
그 과정에서 3' 위치에 hydroxyl기(-OH)가 없는 nucleoside나 nucleotide analogue, 소위 짝퉁 레고 벽돌이 끼어든다면 어떻게 될까요?

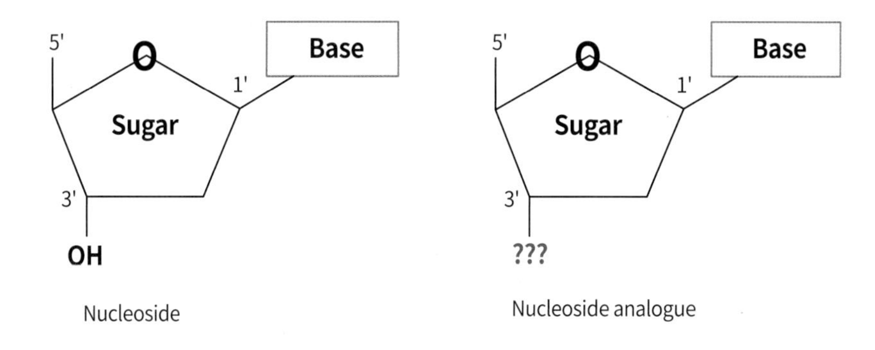


8강

이런 nucleoside analogue가 한참 신나게 증식이 진행 중인 바이러스에게 가서 끼어들게 되면, 진품과 짝퉁이 서로 경쟁을 하게 됩니다. 게다가 이 짝퉁이 증식을 주도하는 효소(DNA polymerase 혹은 RNA polymerase)에 달라붙는 친화도가 더 높다면 승산 또한 매우 높아집니다. 이렇게 짝퉁이 일단 달라붙고 나면 더 이상의 5' to 3' 결합이 진행되지 못하여 증식은 사실상 중단됩니다.

그래서 nucleoside, nucleotide analogue는 ribose, 즉 sugar 구조부터가 정상 핵산에 비해 의도적으로 뭔가 결함을 갖추고 있습니다.
항바이러스제의 스타인 acyclovir의 구조부터 한 번 볼까요?

1) Acyclovir (ACV)

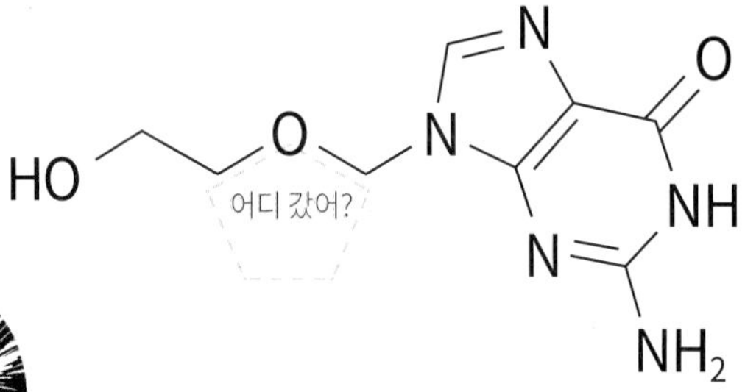

어디 갔어?

오, 맙소사!

아예 sugar 구조 자체가 완전히 망가져서 5' to 3' 결합이 될래야 될 수가 없어요!

이거 한 가지 예만 봐도 감이 잡히시죠?

결핍된 sugar 구조를 보면 왜 이름이 acyclovir인지 직관적으로 알 수 있을 겁니다.

원래 있었어야 할 cycle 구조가 없는(접두어 a-) 항바이러스제(접미어 -vir)라는 의미에서 acyclovir라는 이름이 붙은 겁니다.

ACV는 오로지 herpes virus가 감염된 세포에만 작용합니다.

그 이유는 바이러스가 내는 thymidine kinase (TK)하고만 놀기 때문입니다.

사람 세포도 kinase가 있지만 ACV와는 어울리지 않습니다.

ACV가 감염된 세포로 들어가면 바이러스의 TK와 반응하여 phosphorylation이 됩니다.

여기서 phosphorylation이란 phosphoryl group을 갖다 붙인다는 것입니다.

이게 무슨 의미인데요?

ATP를 예로 들면 알 수 있듯이 phosphoryl group이 결합된다는 것은 곧 에너지를 부여받았다는 뜻입니다.
다시 말해서, 그냥 놔두면 고철 덩어리에 지나지 않는 기기에 배터리를 꽉꽉 채워 넣었다고 보시면 됩니다.
따라서 phosphorylation이 된 ACV는 추진력을 가지게 되어 본연의 임무를 수행하기 시작합니다.

Kinase는 phosphorylation을시키는 효소들을 통칭합니다.
Kinase의 어원인 kine-가 '움직인다'는 의미를 갖고 있는 이유이지요.
이와 반대되는 효소가 phosphatase, 즉 phosphoryl group을 잘라내는 효소입니다.
이 phosphorylation을 총 3번을 하게 되면 ACV는 ACV-triphosphate로 완전체가 됩니다.
그리하여 DNA 증식 과정에 정상 nucleotide들과 경쟁을 하고, 만약 먼저 자리를 선점하면 더 이상의 DNA 증식은 진행되지 못하는 chain termination을 완수합니다. 그 결과 viral DNA polymerase의 작용이 억제되는 것이지요.

HSV-1, 2, VZV, EBV에 유효하고, CMV에 대해서는 앞으로 말씀드릴 ganciclovir보다는 못 합니다.

피부점막이나 성기 감염의 경우에는 5 mg/kg q 8 hours IV 10-14일이면 족하지만, herpes encephalitis같은 중증에는 용량을 2배로 올리고 치료 기간도 14-21일 정도로 충분히 줘야 합니다.
VZV는 HSV보다 말을 안 들어서 더 고용량을 줄 필요가 있기에 면역 저하 환자의 경우 zoster나 수두에는 10 mg/kg q 8 hours IV 7일은 줘야 합니다.
내성 HSV는 짐작하시는 바와 같이 스스로 TK를 결핍시켜서 저항하므로 kinase와 무관한 기전을 가진 약제로 바꾸어야 합니다.

부작용은 실제 임상에선 겪는 경우가 드물지만, 약리학적으로 신장에서 배설되므로 약의 crystallization으로 인한 신 기능 이상이 주입니다. 아주 드물게 기면(lethargy)이나 경련 등의 중추신경계 이상이 나타날 수 있습니다. 임산부는 아직은 위험한 사례가 보고되지는 않았으나 고용량 시 chromosomal breakage가 일어날 수 있다는 보고도 있으니 신중해야 하겠습니다.

ACV는 경구로도 복용이 가능하지만 400-800 mg을 하루 다섯 번이나 먹어야 하므로 꽤 부담스럽습니다. 그래서 하루 3번만 주면 되는 valacyclovir로 주는 걸 선호합니다. 이 약제는 구조에서 L-valyl ester를 지니고 있어서 경구 생체이용률이 ACV보다 우수합니다. 체내에 들어와서 hydrolysis가 되면 ACV로 변하기 때문에 좋은 생체이용률뿐 아니라 ACV 본연의 임무도 차질 없이 수행할 수 있습니다.

### 2) Famciclovir

이는 diacetyl 6-deoxyester of the guanosine analogue를 갖고 있으며, 70% 이상의 우수한 경구 복용 후 생체이용률을 보입니다. 체내에 들어오면 deacetylation과 oxidation 과정을 거쳐서 penciclovir가 되어 본격적으로 일을 시작합니다.

이 약제는 ACV와 비교해서 활성화 기전이 살짝 다릅니다.
먼저 viral TK로 phosphorylation 한 번, 이후 나머지는 cellular kinase의 도움을 받아 triphosphate 약제로 완전체가 됩니다.
ACV와 거의 동일한 spectrum입니다.
세포 내에서의 반감기가 7-20시간으로 꽤 길어서 경구 ACV처럼 하루 다섯 번까지 줄 필요 없이 하루 두 번 복용으로 충분합니다.

### 3) Ganciclovir (GCV)

역시 ACV에서처럼 구조를 보면 작용 기전을 추론할 수 있습니다.

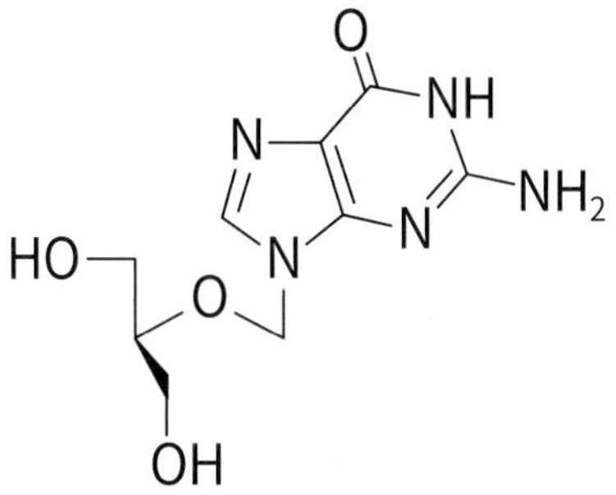

Guanosine과 유사한 구조입니다.

Ganciclovir는 CMV가 감염된 세포 내로 들어가면, 세 차례의 phosphorylation을 거쳐서 dGTP (deoxy-guanosine triphosphate)와 최대한 닮은 모습으로 변장을 합니다.

1차적으로는 바이러스 자체가 갖고 있는 viral kinase (UL97)에 의해 phosphorylation이 되고, 2차, 3차는 세포 내 kinase를 써서 phosphorylation을 완성합니다.

CMV의 DNA polymerase 입장에서는 이 둘을 감별하기가 매우 어렵습니다.

그 결과 진품 dGTP가 결합되지 못하고 ganciclovir triphosphate가 CMV DNA 가닥에 달라 붙어서 더 이상의 진행을 방해함으로써 CMV를 죽이게 됩니다.

HSV, VZV, CMV에 유효하며, 특히 CMV에 거의 전담 자객으로 쓰입니다.

임상에서는 CMV retinitis, pneumonia, colitis에 투여하는데, 더 자세한 건 에이즈 단원에서 다루겠습니다.

주로 신장에서 배설됩니다. 기전을 보면 알 수 있듯이 CMV가 ganciclovir에 내성을 보이는 건 UL97의 mutation에 의한 겁니다.

Ganciclovir의 주요 부작용은 골수 억제에 의한 neutropenia와 thrombocytopenia이며, 이는 꽤 흔해서, 실전에서도 이 문제 때문에 ganciclovir를 주는 동안에는 백혈구와 혈소판 수치를 각별히 신경을 씁니다.
대개 치료 시작하고 2주 정도에 나타나며, 할 수 없이 잠시 중단해야 하는 경우도 빈번합니다만, 1주 정도 쉬고 나면 대개는 다시 회복되니까 성급하게 완전 중단하지는 말아야 합니다.

그래도 부작용이 너무 심하거나 내성 등으로 인한 치료 실패로 판단된다면 2차 선택 약제로 cidofovir나 foscarnet을 쓰게 됩니다.

경구용으로는 valganciclovir가 있습니다. 이름을 보면 알 수 있듯이 valacyclovir처럼 이 또한 GCV에 L-valyl ester를 붙여서 경구 생체이용률을 향상시킨 약제입니다.

### 4) Cidofovir

이 약제는 cytosine의 유사체로 phosphonate nucleotide analogue입니다.
다시 말해서 ganciclovir가 guanosine과 경쟁하는 반면, cidofovir는 cytosine과 경쟁을 합니다.
다른 점은, diphosphate 구조 형태로도 항바이러스 작용을 한다는 것입니다.
왜냐하면 바이러스의 TK와는 놀지 않으며, 오로지 인간의 cellular kinase하고만 작용하여 cidofovir diphosphate 완전체가 되기 때문입니다.
그런 성향 때문인지 약간은 host DNA polymerase에도 영향을 끼칠 수 있습니다(부작용의 소지가 조금 더 많습니다). 본질적으로는 역시 바이러스 chain termination을 유도함으로써 viral DNA polymerase의 작용을 방해합니다.
작용 기전에서 알 수 있듯이, 바이러스 TK 변이나 결핍으로 생긴 ACV 내성 HSV 혹은 GCV 내성 CMV에도 잘 듣습니다. 단, CMV의 GCV 내성은 UL97뿐 아니라 UL54 변이로도 생길 수 있으며, 그런 경우에는 잘 안 듣습니다. 그때는

foscarnet을 쓰지요.
또한 HHV-6A, 6B, HHV-8에도 듣습니다.
경구용으로는 적합하지 않고, 오로지 IV 제제만 있습니다.

신장으로 주로 배설되며, 세포나 반감기가 48시간을 넘어갈 정도로 길기 때문에 투여 첫 2주 동안은 일주일에 한 번씩만 5 mg/kg을 주고, 이후 격주로 5 mg/kg씩 투여합니다.
신장 배설이므로 부작용은 신 기능 이상이 많고, 피부 발진, neutropenia도 생깁니다.

Herpes virus 계통 이외에도 면역 저하 환자에서의 adenovirus나 BK virus 감염, polyoma virus, papilloma virus, poxvirus 등에도 시도되고 있습니다.

**5) Remdesivir**
이 약제는 약간 궤를 달리합니다.
이는 1'-cyano-substituted adenine C-nucleoside analogue로, sugar 구조가 비교적 멀쩡합니다.

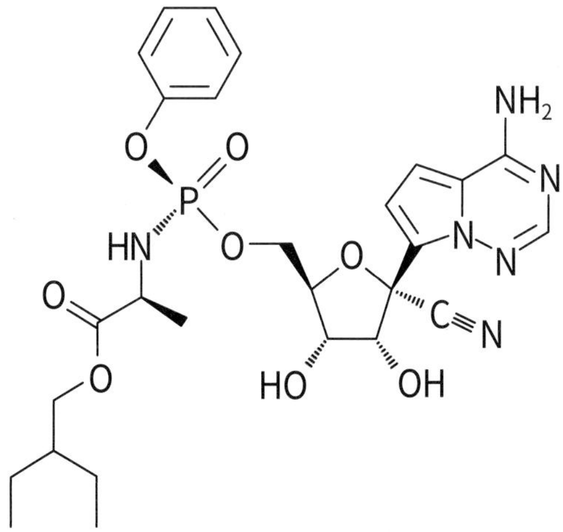

$NH_2$
N
O
O
P
HN
O
O
N
N
O
C
N
O
HO
OH

다음에 소개할 mutation 유도하는 nucleoside 약제의 성격에 더 가깝습니다. 그래서 기전도 조금 복잡한데, chain termination에 의한 viral RNA-dependent RNA polymerase (RdRp)의 작용을 방해하는 결과는 같지만, 앞서 소개한 약제들과는 달리 nucleotide가 하나씩 추가되는 게 곧장 중지되는 게 아니고 3-5개 정도까지 진행되다가 슬그머니 가동을 멈추게 합니다. 소위 delayed chain termination입니다. 이렇게 할 수 있는 이유는 viral exoribonuclease의 감시망을 피할 수 있기 때문입니다.

Exoribonulcease는 RNA replication 과정에서 mismatched nucleotides를 RNA strand의 3'-end에서 제거하여 misreading을 고치는 역할을 합니다. 구조 면에서 3'-OH group이 있기 때문에 다른 nucleoside analogues와는 달리 즉각적인 chain termination을 유발하진 않아서, 일단 chain elongation은 진행되기 때문에 exonuclease의 감시망을 잠시 피하는 것이며, 결국 이후 3-5개의 nucleosides가 추가될 때가 되어서야 chain termination이 늦게 일어나는 것입니다. Ebola virus나 RSV의 경우엔 5개, MERS-CoV, SARS-CoV-1, 그리고 SARS-CoV-2의 경우엔 3개까지 추가되다가 중단됩니다.

원래는 Ebola virus 잡자고 나온 약이지만 좀 실망스러운 결과를 얻었고, 현재는 COVID-19의 치료 약으로 현장에서 쓰이고 있습니다만 결정적인 해결책은 아닙니다.

## 2. Mutation을 유도하는 Nucleoside 혹은 Nucleotide analogue

방금 remdesivir에서 설명했습니다만, chain elongation은 어느 정도 진행되며, 이로 인해 엉뚱한 nucleotide들이 하나하나 달라붙은 결과로 virus의 mutation을 유도하는 약제입니다.



### 1) Ribavirin

기본적으로 ribofuranosyl 구조를 한 약제입니다.

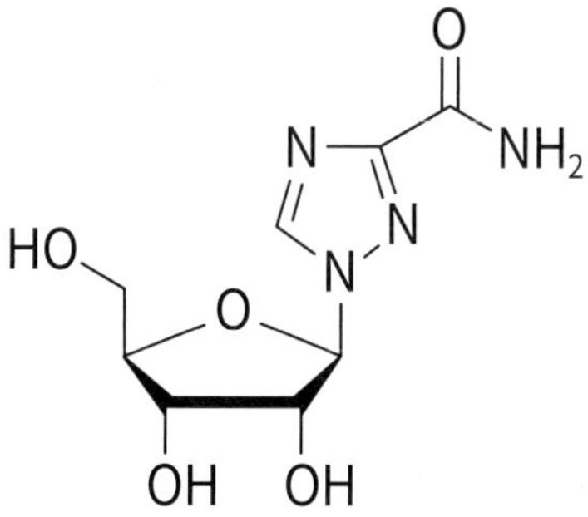

그래서 ribose 구조를 한 항바이러스제라는 뜻으로 riba + virin = ribavirin이라는 이름이 붙었습니다.

항바이러스 제제들이 그렇듯이 역시나 짝퉁 nucleoside이고, 이들 중에서 guanosine을 흉내내며 경쟁을 하는 것이 기본 작용 기전입니다. 그 결과로 원래 바이러스가 의도했던 과정이 진행되지 못하고 아무 짝에도 쓸모 없는 엉뚱한 RNA를 만들게 되며, 이러한 과도한 mutation으로 인해 바이러스가 죽습니다.

또 하나 마이너한 기전이 있는데, 바이러스가 인체 mRNA로부터 RNA 쪼가리를 일부 도둑질해다가 primer로 쓰는 짓을 방해합니다. 이는 바이러스 단원에서 한 번 언급한 바 있는 cap-snatching 혹은 mRNA capping 방해 기전입니다. 최근 개발된 독감 바이러스 치료제 baloxavir (Xofluza)와 흡사한 기전이지요.

주요 치료 대상은 Respiratory syncytial virus, C형 간염 바이러스, 그리고 출혈열 바이러스(VHF)입니다.
VHF 중에서도 Crimean-Congo hemorrhagic fever (CCHF), Lassa 열에 주로 쓰이며 효과도 인정되었습니다. 그러나 같은 출혈열인 *Filoviridae* (Ebola Marburg)와 *Flaviviridae* (Dengue, Zika)에는 효과없는 걸로 최종 결론이 났습니다.

애석하게도 SARS, MERS 에서는 효과가 없습니다.
이는 viral exoribonuclease의 자체 검열 기능 때문인데(앞서 remdesivir 문단에서 이미 설명했습니다), 코로나 바이러스는 하필 여러 RNA 바이러스 중에 특히 이 exoribonuclease가 가장 잘 갖추어져 있습니다.
그래서 특히 ribavirin은 근본적으로 코로나바이러스에 잘 듣지 못하는 겁니다.

기전에서 봤듯이 RNA에 특화된 약제임에도 불구하고 herpes simplex virus나 poxvirus 같은 DNA 바이러스에도 작용을 합니다. 이론적으로는 아무 효과도 없어야 하는데도 왜 그런지는 미스테리.

본질적으로 RNA에 돌연변이를 유발하는 기전이므로, 아무리 바이러스에 특화되어 있다 하더라도 사람의 RNA에도 영향이 아주 없다고 할 수는 없어서 임산부에게는 금기입니다.

또한 빈혈도 주요 부작용입니다. 주로 적혈구를 깨 버리는 용혈성 빈혈이지만 골수에서 적혈구 생성 작업을 방해하기도 합니다.

### 2) favipiravir-RTP (ribofuranosyl-5'-triphosphate)

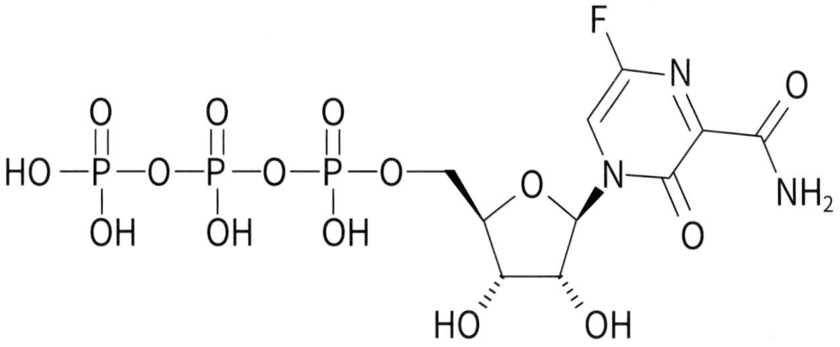

일명 T-705 혹은 Avigan으로 불리는 약제이며 원래는 influenza 치료제로서 개발되었습니다.
기전은 adenosine과 guanosine을 흉내내는 nucleoside analogue로서 RdRp를 억제하는 것이 기본이며, 구조에서 유추할 수 있듯이 chain elongation까지는 진행되지만 엉뚱한 nucleotide들이 붙게 되어 mutation을 유도합니다.
Influenza virus 외에 West Nile virus, yellow fever virus, 수족구병 바이러스, 기타 flaviviruses, arenaviruses, bunyaviruses, phlebovirus(Rift Valley fever), hantavirus, alphaviruses 등등 주로 뇌염 내지 출혈열 일으키는 바이러스들을 주요 대상으로 하고 있습니다. Ebola 치료에 대해서는 아주 초기에 투여해야만 효과가 있을까 말까 하는 수준이라 좀 더 검증이 되어야 합니다.
SARS-CoV-2에도 시도가 되었지만 만족할 만한 성과를 얻지는 못하고 있습니다.

### 3) Molnupiravir

Molnupiravir (MK-4482, EIDD-2801)는 beta-D-N4-hydroxycytidine-5'-isopropyl ester 구조를 갖고 있으며, 입으로 복용이 가능합니다.
이 약제가 viral mutagenesis를 유도하는 기전은 다음과 같습니다.

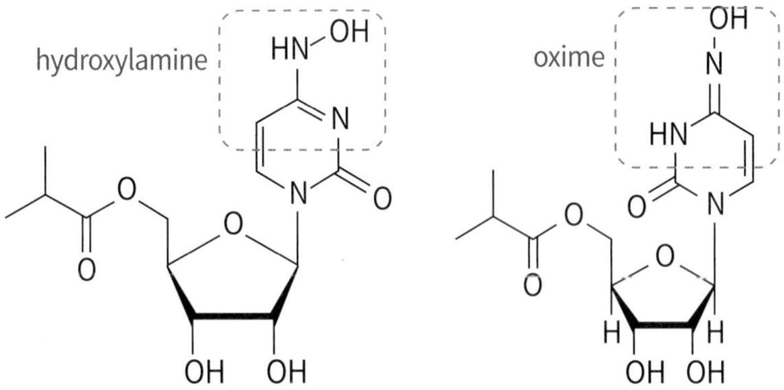

핵심 구조인 hydroxycytidine은 cytosine의 유사체로서 RNA replication 과정에 무난하게 합류하여 chain elongation에는 아무 지장이 없습니다. 그러나 곤란한 점은 순수한 cytosine과는 달리 바람을 잘 피는 성향이 있다는 겁니다.
다들 잘 아시다시피, 원칙적으로 cytosine (C)은 오로지 guanine (G)하고만 결합해야 하는데,
hydroxycytidine은 adenine (A)하고도 결합을 합니다.
좀 더 자세히 말하자면, hydroxylamine 구조일 때는 정상적 C:G 관계를 유지하지만, oxime 구조일 때는 C:A 결합이 가능해집니다.
원래는 incorporate 되지 말았어야 할 nucleotide가 mRNA sequence의 구성원이 되기 때문에, 그 결과 RNA의 mutation이 유발되어 바이러스는 더 이상 생존할 수가 없습니다.

Molnupiravir는 chain terminator가 아니며 viral exonuclease로부터도 안전하게 살아남아 viral RNA chain에 추가됩니다.
COVID-19 치료제로 쓰이고 있습니다만, 작용 기전 면에서 인간의 RNA, DNA에도 같은 작용을 할 소지가 있어서 주의가 필요합니다.

## 3. Nucleoside가 아니면서 polymerase를 방해하는 약제



### 1) Foscarnet

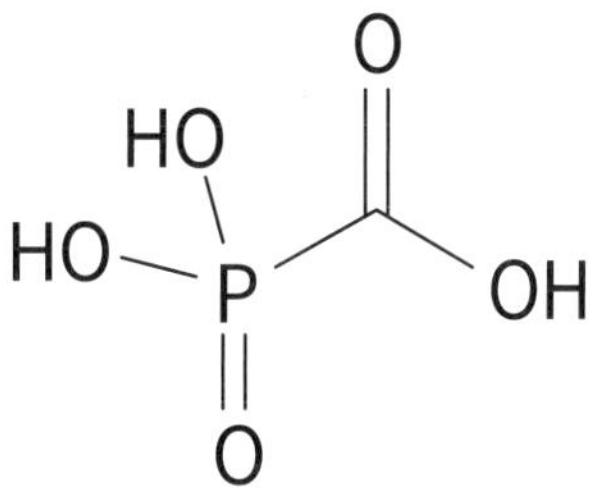

이 약제는 nucleoside가 아니고, phosphonoformic acid 구조입니다.
그래서 viral DNA와는 경쟁할 이유가 없습니다.
DNA polymerase의 작용을 방해한다기보다는 직접 그 효소로 돌진해서 pyrophosphate-binding site를 선점해버립니다. 즉, DNA polymerase의 배터리인 pyrophosphate를 내장하지 못하도록 함으로써 그 효소를 그냥 작동하지 않는 고철덩이로 만들어 버리는 것이죠.

따라서 CMV가 ganciclovir에 내성을 보이는 기전인 protein kinase와는 아무런 상관이 없습니다.

그래서 ACV 내성 HSV & VZV, GCV 내성 CMV에 치료제로 쓸 수 있습니다.

오로지 IV 제제로만 있으며, infusion pump를 통해 1-2시간 동안 여유 있게 줍니다.
CMV에는 60 mg/kg q 8 h, HSV에는 40 mg/kg q 8 h를 주며 유지 용량은 하루에 90-120 mg/kg 정도입니다.

본질적으로 phosphate이므로 뼈의 구성 성분이기도 하죠? 그래서 투여 후에 10-28% 정도는 뼈에 침착되어 수개월 가기도 합니다.

하지만 신장 독성이라는 좀 심각한 부작용을 갖고 있으며, calcium이나 magnesium 같이 divalent ion을 보면 득달같이 달라붙는 성질을 갖고 있기 때문에(pyrophosphate 라는 구조상 본질적으로 어쩔 수 없죠) 전해질 이상을 잘 초래하므로 사용에 주의를 요합니다.

**2) Trifluridine**

이는 pyrimidine nucleoside로서 trifluridine monophosphate 형태에선 thymidylate synthetase를 비가역적으로 억제하고, trifluridine triphosphate 형태에선 viral DNA polymerase를 억제합니다.
하지만 systemic toxicity 때문에 topical로만 씁니다.
주 대상은 HSV-1, 2, CMV입니다.

## 중합효소와 무관하게 증식을 방해하는 약제

### 1) RNA antisense nucleotide

Antisense RNA란 oligonucleotide로 RNA 증식 과정 중 lagging strand에서 유래한 부산물입니다. 이는 하필이면 어떤 protein을 coding하는 mRNA의 일부 sequence와 아귀가 딱 맞습니다.

따라서 만약 이 antisense RNA가 그 sequence에 가서 딱 결합해 버린다면?

원래는 어떤 protein을 만들어내야 하는데, 이 antisense RNA가 자리를 알 박기로 선점해 버리니 해당 mRNA가 일을 할 수가 없습니다.
이는 괜히 몽니를 부리는 게 아니고, 정상적인 상황에서 gene 발현이 선을 넘지 않도록 조절하는 순기능을 하는 겁니다.

이 특성을 이용해서 만들어낸 제품이 fomivirsen입니다.
이는 21개의 nucleotides로 이뤄진 phosphorothionate oligonucleotide로, CMV에서 immediate early region 2 부위를 선점하여 억제를 합니다.
CMV retinitis 치료에 있어서 intravitreal injection으로 투여합니다.
부작용은 당연히 안구의 염증(viritis, iritis)입니다.
기전은 이렇게 최첨단이지만 저변화는 이룩하지 못해서 현재는 나오지 않고 있습니다.

### 2) Cap-snatching inhibitor

이미 언급한 바 있는 약제로 influenza 치료제인 XoFluza (Baloxavir marboxil)가 이에 해당합니다.
Baloxavir는 아예 증식 과정 첫 번째부터 저지해버리는 기전입니다.

Influenza virus는 RNA dependent RNA polymerase로 증식하는데, PA, PB1, PB2의 복합체 구조를 가지고 있습니다. 이들 중 PB2가 핵 내에서 host의 mRNA 부위 중에서 5', 7 methylguanosine cap을 붙들어서 탈취해 옵니다. 그러면 PA가 이를 요리하는데, 10-15 nucleotides 정도로 보기 좋게 자르고 (endonuclease activity) 나머지는 버립니다.
이렇게 자른 RNA를 자기들 viral mRNA에 갖다 붙여서(즉, primer로 사용) 자기들의 mRNA를 증식하는 데 써먹습니다.
그 결과 viral mRNA가 완성되는데 이를 다시 말하자면 capped, polyadenylated, chimeric mRNA가 되는 겁니다.
이는 핵 밖으로 나가 cytoplasm에서 자기들 viral proteins를 마음껏 만듭니다.
Baloxavir는 바로 이 RNA dependent RNA polymerase의 endonuclease activity를 저지합니다.

지금까지의 임상 시험 결과, oseltamivir (TamiFlu)에 비해 바이러스 살상 능력이 3배쯤 빠른 것으로 알려졌고, 하루 한 번만 복용합니다. 앞에서 언급했지만, ribavirin도 일부나마 이 작용 기전을 보입니다.

### 3) Inhibition of helicase-primase complex

이 두 효소는 같이 손잡고 다닙니다.
이 중 helicase는 DNA 증식의 첫 단계로서 꼬인 DNA를 풀어내는 기능을 하며, primase는 이름 그대로 primer를 만드는 일을 하는데, short RNA segment를 생성하여 primer로 쓰게 합니다.
이 효소 복합체는 특히 HSV가 잘 쓰는 수법입니다.

이에 해당하는 약으로 amenamevir와 pritelivir가 있습니다.
작용 기전 면에서 phosphorylation이 필요없습니다.

주된 용도는 HSV 생식기 감염의 예방과 치료입니다.

### 4) Inhibition of viral terminase enzyme complex

이에 해당하는 약제가 letermovir입니다.

구조 면에서 dihydroquinazoline인데 어째 이름에서 quinolone의 향기가 납니다.

아니나 다를까?

기전이 좀 비슷합니다.

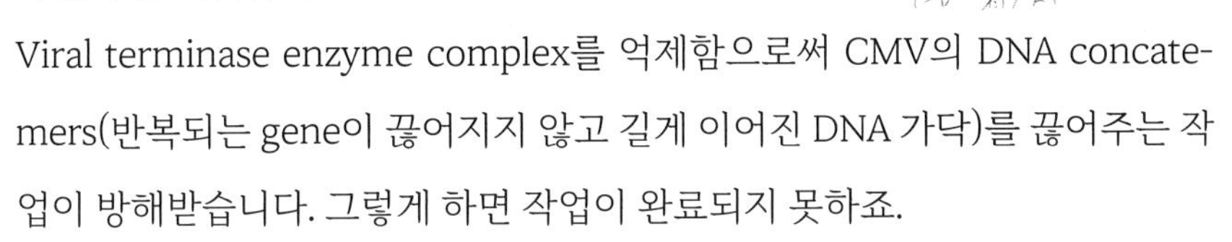

Viral terminase enzyme complex를 억제함으로써 CMV의 DNA concatemers(반복되는 gene이 끊어지지 않고 길게 이어진 DNA 가닥)를 끊어주는 작업이 방해받습니다. 그렇게 하면 작업이 완료되지 못하죠.

GCV, cidofovir, foscarnet에 모두 내성인 CMV가 대상입니다.



## Protease inhibitor

Protease는 virus의 mRNA가 polypeptide를 만들어낸 시점부터 중요한 역할을 합니다.

이것저것 중요한 구조물들이 polypeptide 하나에 다 줄줄이 엮여 있는데, 이를 적절하게 잘라줘야만 다음 단계로 진도를 나갈 수 있습니다.

비유를 하자면 프라모델을 조립해 보신 분이라면 금방 이해를 하실 겁니다.

무슨 우주선 같은 모형 제품 포장을 열어보면 모든 부속품이 한 프레임 안에 다 엮여서 있습니다.

이를 하나하나 가위로 잘라내서 부속품들로 정리하지 않으면 아무것도 만들 수 없습니다.

여기서 이 가위가 바로 protease입니다.

그러므로, 이 protease가 억제된다면?
바이러스는 아무런 소득도 얻지 못합니다.
대표적인 약제로 에이즈 치료제인 protease inhibitor가 있습니다.
이를 통해 polypeptide가 제대로 잘리면 역전사 효소나 integrase 등이 갖춰져서 완성된 바이러스 입자가 되지만, 억제돼서 제대로 마무리가 안 되면 겉만 멀쩡하지 전염성은 전혀 없는 바이러스 입자에 불과한 무용지물이 됩니다.

PI는 - navir 돌림 가문과 -previr 돌림 가문이 있는데, 전자의 경우가 HIV 치료제이고, 후자는 hepatitis C virus (HCV) 치료제입니다.

SARS-CoV-2는 2가지 종류의 viral protease를 가지고 있습니다.
3 chymotrypsin-like cysteine protease (3CLpro or Mpro, main protease)와 Papain-like serine protease (PLpro)인데, 이 중에서 Mpro를 target으로 한 protease inhibitors로 개발된 것이 nirmatrelvir (PF-07321332)입니다. 이는 주사용 Mpro inhibitor인 PF-07304814에서 비롯된 것으로 경구 복용 약제입니다.

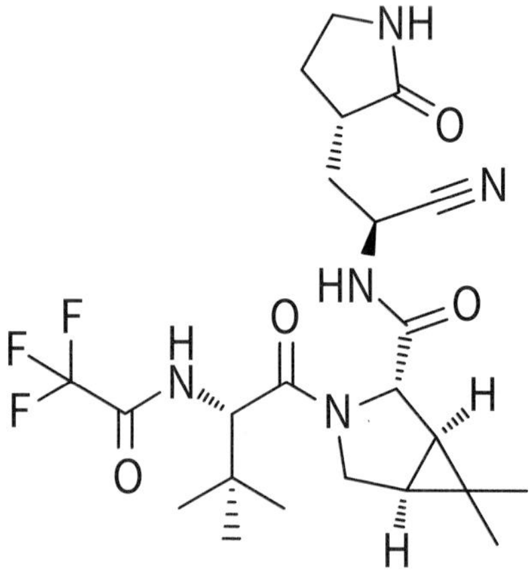

한때 HIV-1 치료에 쓰이는 anti-retroviral PI, 예를 들어 lopinavir/ritonavir가 COVID-19 치료제로 시도되기도 하였는데, Mpro는 cysteine protease인 반면에, anti-retroviral PI such as lopinavir/ritonavir는 aspartic protease inhibitor입니다. 또한 HIV protease에는 anti-retroviral PI의 catalytic site가 있지만, coronavirus에는 이것이 없습니다. 그래서 이 약제는 효과면에서 기대하기는 아마도 어려울 것입니다.
다만, 이 중에서 ritonavir가 합류하여 nirmatrelvir/ritonavir (Paxlovid)가 만들어집니다.
이 ritonavir의 원래 용도는 물론 항 HIV 약제이지만, CYP3A4를 매우 강력하게 억제하는 능력을 가지고 있어서 다른 PI 약제와 같이 투여되면 파트너 약제가 덜 대사되어 높은 혈중 농도를 장시간 유지할 수 있게끔 해 줍니다. 이 능력을 이용해서 nirmatrelvir에 붙여주어 작용 시간을 늘려준 것입니다.

COVID-19 환자에 사용하여 우수한 성적을 거두었기 때문에 현 시점에서는 COVID-19의 치료제로 각광받고 있습니다.

8강

## Inhibition of viral release

바이러스가 세포 내에서 모든 용건을 마치고 재무장을 하고 나면 세포를 떠나야 합니다. 바로 그 순간을 방해하는 것이 neuraminidase inhibitor로, influenza 치료제인 oseltamivir, zanamivir, peramivir가 해당합니다. 더 자세한 것은 influenza 단원에서 다루겠습니다.

또한 tecovirimat (Tpoxx)도 이 부류에 해당합니다. Poxviridae과(科)의 envelop protein인 P37을 억제하여 바이러스가 숙주로부터 도망가는 단계를 저지하는 약제로, 천연두(smallpox)와 원숭이 두창(monkey pox)의 치료제로 2018년 미 FDA 승인되었습니다.

## Entry inhibitor

가장 원천적인 protection은 역시 entry를 block하는 것입니다. 에이즈에서 쓰이는 maraviroc, enfuvirtide가 이에 속하며 특히 coronavirus의 spike protein을 직접 block하는 neutralizing antibodies가 여럿 개발되어 실제 임상에서 사용되어 왔습니다.

대한민국에서는 regdanvimab (CT-P59)가 개발되어 제한된 적응증들 내에서 경증과 moderate patients 에게 사용되고 있습니다.
AZD 7442 (tixagevimab + cilgavimab; Evoshield)는 회복기에서 얻은 항체들로, 반년에서 1년 가까이 유지될 수 있도록 조성되었고, 특히 Fc-receptors를 다량 경감시킴으로써 장기적인 합병증으로 우려되던 antibody-dependent enhancement의 위험도 유의하게 낮췄다고 합니다.

## Host-targeting antivirals

그런데, antiviral의 개발에 있어서 우리는 발상의 전환을 할 필요도 있습니다. 항바이러스제가 반드시 virus만을 공격할 필요까지는 없으며, virus가 사용하는 pathway를 방해해도 우리는 충분히 virus를 제압할 수 있습니다. 그래서 SARS-CoV-2가 사용하는 host protein을 targeting하는 약제들도 활발하게 검토되고 있습니다.

바이러스는 mutation으로 virus-targeting antiviral에 저항을 할 수 있는 반면에, host proteins는 우리를 배신하지 않습니다.
또한 이 약제들은 broad-spectrum antivirals가 될 가능성도 내포하고 있습니다.

그런 면에서 host-targeting antiviral은 virus-targeting antiviral보다 더 이상적인 치료제일 수도 있겠습니다. 다만, host에 작용한다는 면에서 toxicity의 우려는 있습니다.

8강

현재 host-targeting antivirals로 연구되고 있는 것들로는 receptor-blocker로서 angiotensin converting enzyme 2 (ACE2) mimic인 CTC-445.2d 가 있으며, entry-inhibitor로서 transmembrane protease serine subtype 2 (TMPRSS2)를 억제하는 camostat 와 nafamostat가 있습니다.

또한 sabizabulin이 새로이 각광을 받고 있는데, 이 약제는 세포 내의 microtubule을 방해해서 바이러스가 세포 내에서 이동하는 것을 봉쇄합니다. 바이러스의 교통망이 막히니 원하는 곳에 도달하지 못하므로 증식도 못하고 새 바이러스 입자 조립하기도 못하는 등, 바이러스가 자손을 만들기 위해 해야 할 일들이 모두 원천 봉쇄됩니다. 그와 더불어 염증성 cytokine의 분비 또한 원천 차단됩니다. 이 모든 기전들이 결국 바이러스의 작용을 막아버리는 것입니다. 원래는 항암제로 개발되고 있던 약이지만, 이러한 기전 때문에 COVID-19 치료제로도 시도되고 있습니다.

## Inhibition of viral uncoating

바이러스가 세포 안으로 들어오자마자 하는 일은 uncoating이며, 이를 억제하는 약제가 amantadine, rimantadine입니다. 사실 이 약들은 이 기전 외에도 influenza virus의 M2 protein을 억제하는 것이 주요 기전이긴 합니다. 현재는 neuraminidase inhibitor가 월등히 효과가 더 좋아서 뒤로 밀린 상태입니다.

이걸로 끝?

아닙니다. 더 있어요.

그런데 나머지 약들 중에서 간염 바이러스에 작용하는 항바이러스제는 다루지 않겠습니다.

우리 영역이 아니고 Hepatology의 영역이라서 제가 안 쓰는 약이라 그렇습니다.

그리고 influenza와 HIV에 사용하는 항바이러스제는 별도의 단원들에서 더 자세히 다루겠습니다.

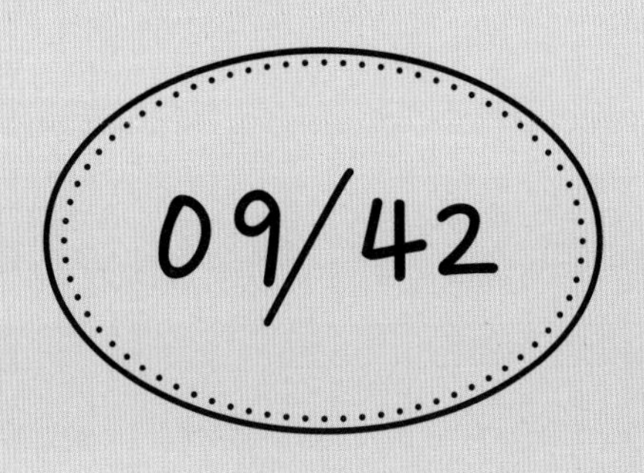


제9강

# 곰팡이를 이기자

# 곰팡이를 이기자

이제 진균(곰팡이) 감염을 치료하는 항진균제를 얘기해 봅시다.
제가 여기서 진균 감염이라 일컫는 것은 심부 진균 감염(deep mycoses)에 국한해서 쓰는 말입니다.
무좀 같은 표재성 진균 감염은 피부과 선생님들의 영역이고 생명에 위협을 주는 질환은 아니기 때문에(괴롭기는 마찬가지입니다만) 굳이 다루지 않겠습니다.

Deep mycoses는 다른 세균이나 바이러스 질환들에 비해 그리 흔하게 만나는 감염증은 아니죠.
우리 눈에는 안보이지만 지금 이 시각에도 곰팡이 균의 포자와 mold는 우리 주변에 나풀거리며 돌아다니고 있고 수시로 우리 몸과 부딪히고 있습니다. 그럼에도 불구하고 진균 감염은 우리에게 일어나지 않습니다.
우리 몸의 innate immunity가 웬만한 진균들은 잘 차단하기 때문에 그렇습니다.

이를 뒤집어 말하면, 우리의 면역능이 수준 이하로 떨어지는 순간 진균 감염이 파고 들어온다는 의미가 됩니다.
즉, 진균 감염은 면역 저하 상태에서 주로 생기는 질환인 것입니다.
물론 예외도 있습니다.
Endemic mycosis 같은 건 정상 면역인 상태에서도 얼마든지 이환될 수 있습니다.
다행스럽게도 이는 미국 같은 이역만리 외국의 일이며, 우리나라에는 없습니다.
또 하나 다행인 게, 항진균제는 항생제나 항바이러스제와 비교하여 그 가짓수가 많지 않아서 공부할 양이 많지 않습니다. 앞서 언급했듯이 deep mycoses는 면역 저하 상태라는 비교적 흔치 않은 특수한 전제에서 생기기 때문에 그 만큼 수요가 상대적으로 적은 탓일 겁니다.

항진균제의 시작은 1950년에 *Streptomyces noursei*에서 추출하여 만든 nystatin이 시조라고 할 수 있습니다. 곧 언급할 amphotericin B의 족보인 polyene 항진균제의 시작인 셈입니다. 참고로 nystatin은 NY, 즉 New York에서 따온 이름입니다. 항진균 효과는 좋지만, 전신 투여용으로는 위험하기 때문에 국소적으로만 쓰입니다. 오늘날에도 *Candida* 점막 질환에 가글링 제제로 쓰이고 있긴 합니다.
그래서 전신 투여가 가능한 약제 개발의 필요성이 절실해져서 여러 연구팀이 여러 *Streptomyces* 종들을 대상으로 곰팡이 잡을 물질을 추가로 찾아내려고 열심히 노력하기 시작하였습니다.
그 결과 마침내 amphotericin B가 발견됩니다.

## Amphotericin B (Am-B)

1953년, Orinoco 강에서 채취한 흙 검체에 있던 *Streptomyces nodus*에서 추출한 polyene 물질에서 amphotericin B가 만들어집니다.
원래 추출된 물질은 amphotericin A와 amphotericin B였는데, 후자가 항진균 작용을 잘 보여서 선택이 되었습니다. 이 물질은 동물실험을 거치고, 임상시험까지 성공적으로 완료해서 정맥 주사제로서 항 진균 치료제로 쓰입니다.
Amphotericin-B도 nystatin처럼 polyene 구조를 기본으로 하고 있습니다.
Polyene이란 적어도 이중 결합을 3개 이상 가지고 있는 유기물을 말하며, Am-B는 총 7개의 이중 결합을 지니고 있습니다.



Am-B 는 크게 3가지 요소로 이루어져 있습니다.

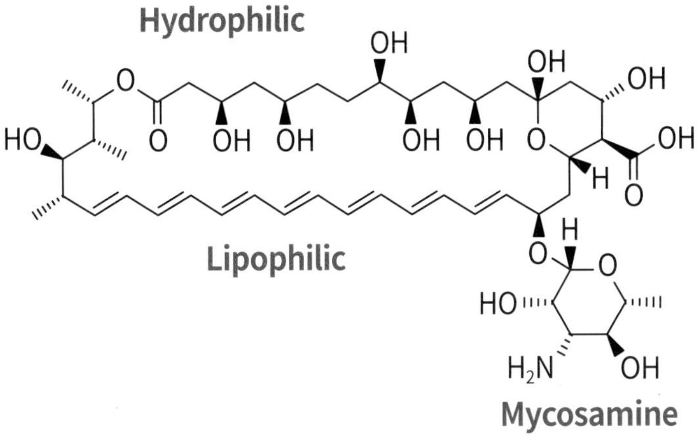

Hydrophilic
Lipophilic
Mycosamine

하나가 hydroxyl 기들이 잔뜩 달린 사슬로, 수산화기들이 풍부하므로 물과 잘 반응하여 잘 녹습니다(hydrophilic polyhydroxyl chain).

이와 연결된 또 하나의 요소는 7개의 이중 결합으로 구성된 사슬이며 지방과 친합니다(lipophilic polyene hydrocarbon chain).
세 번째 요소로 mycosamine이라는 amino sugar가 하나 붙어 있습니다.
이 mycosamine은 Am-B의 일원으로서 곰팡이 균에 접근하게 되면, 곰팡이 균 세포막 표면에 있는 ergosterol의 hydroxyl기에 적극적으로 반응합니다.
그리고 사실 mycosamine은 ergosterol뿐 아니라 -sterol 돌림의 물질이라면 모조리 다 가서 달라 붙습니다. 그러한 물질 중에 인간의 세포 표면에는 cholesterol이 있으며, 이 약제의 부작용 면에서 문제가 될 수 있습니다.

이 구조에 있는 carboxyl기(-COOH)는 물과 만나면 수소 이온을 냅니다. 즉 산으로서 행동합니다.
반면에, mycosamine에 있는 amine (-NH2)기는 이와 반대로 수소 이온을 기꺼이 받아 먹는 염기로서의 역할을 합니다. 이렇게 한 몸인데 산으로도 작용하고 염기로도 작용하는 양 다리 걸치기(ampho-)를 하기 때문에 양 다리 반응을 잘 한다(amphoteric)는 뜻으로 amphotericin-B라는 이름이 붙은 것입니다.

Am-B는 구조 면에서 hydrophobic 부위가 겉에 있기 때문에, 원 재료 그대로는 물에 녹지 못합니다.
그래서 정맥 주사가 가능하기 위해 계면 활성제인 sodium deoxycholate로 싸줍니다.
이것을 포도당 용액에 넣으면 micelle을 이루면서 녹아 있게 되어 정맥 주사가 가능해집니다.
일종의 colloid solution이죠.
일단 체내로 들어가서 곰팡이 균을 만나면 mycosamine이 ergosterol을 발견하고 반갑게 달려들어 꽉 잡아버립니다. 이를 축으로 하여 나머지 두 구조가 세포막을 쪼개기 시작하여 구멍을 내 버립니다.

이들 중 hydrophobic (lipophilic) 구조물은 세포막의 phospholipid에 찰싹 달라 붙어 양 옆으로 밀어내면서 구멍을 더 넓힙니다. 나머지 hydrophilic 구조물은 구멍의 내면에 위치하면서 물과 각종 전해질들이 무질서하게 들락날락하게끔 조장합니다. 그 결과, 진균의 세포막에 뚫린 구멍이 더 넓어지면서 붕괴에 이릅니다.
그리하여 곰팡이 세포의 내용물이 마구 흘러나오는 것은 물론이고, 세포 대사, 전기적 활동 등이 엉망이 되어 결국 곰팡이는 죽음에 이릅니다.

그런데 mycosamine이 ergosterol뿐 아니라 인간의 cholesterol도 좋아하기 때문에, 진균을 죽이는 기전이 인간 세포에도 작용할 소지가 있습니다.
그뿐 아니라, 좀 더 심각한 부작용들이 꽤 많아요.

써 보신 분들이면 누구나 공감하겠지만, Am-B는 환자들에게 그다지 우호적인 약은 아닙니다.
다양한 부작용들에 시달리게 되는 경우가 잦으며, 그 중에서도 대표적인 부작용이 두 가지 있습니다.

우선, 약제 주입 시에 곧 나타나는 부작용으로, 발열, 전신 오한, 몸살 등이 있지요(infusion-related toxicity).
그리고 또 다른 부작용은 콩팥 기능 손상으로, 이는 즉시 나타나는 것이 아니고 어느 정도 시일이 지나서 약제가 축적되어야 나타나는 부작용입니다(acute renal injury as a cumulative toxicity).

주입 시에 나타나는 몸살 등의 부작용이 생기는 원인을 알아봅시다.
우선, amphotericin-B가 어디서 만들어졌는지 상기해 보세요.

우리 인간들 입장에서야 항 진균제이지만, 본질적으로 다시 잘 따져보면 세균(*Streptomyces nodus*)이 내는 2차 대사 물질입니다. 그러므로 인체 내의 면역 체계 입장에서는 외부 침입자, 그것도 세균으로 간주할 수밖에 없습니다. 그렇다면 인체는 세균에게 대응하는 프로토콜대로 움직여야 하겠죠.
그래서 Toll-like receptor 2 (TLR-2)와 CD14가 제일 먼저 나서서 이 낯선 물질인 amphotericin-B를 세균 취급하듯이 잡아 챕니다. 이후로는 염증 과정과 동일합니다. 면역 세포들 내에서 signal이 진행되고, 궁극적으로 염증 물질들(proinflammatory cytokine)인 interleukin-1beta, TNF alpha, IL-6, IL-8 등등이 태풍처럼 몰아칩니다. 그 결과가 주입 후 몸살, 발열, 오한 등으로 나타나는 것입니다.

신 독성의 원인과 기전은 좀 복잡합니다.
amphotericin-B 자체가 신장에 들어가는 소동맥들을 수축시키기 때문에 신장으로 들어가는 혈류가 줄어들고, 그만큼 제대로 노폐물을 거르지 못합니다. 그리고 amphotericin-B가 혈액 내로 들어오면, 그 때까지 에스코트해주고 있던 deoxycholate가 떨어져 나가고, 대신 혈중 beta-lipoprotein이 다가와서 이 약제를 택시처럼 태워서 전신에 날라 줍니다. 처음엔 HDL과 LDL에 반반씩 타지만, 곧 이어서 대부분이 LDL에 옮겨 타서 다니게 됩니다. 이 LDL이 정착하는 주차 구역이 풍부한 곳이
바로....
콩팥의 신 세뇨관입니다. 따라서 LDL을 타고 온 Am-B는 콩팥 조직으로 다량 들어옵니다. 그 결과, 신장 세뇨관 세포들이 파괴되어 신 독성에 이르게 되는 것이죠.

여기까지 설명을 살펴 보면 이들 부작용들을 해결하기 위한 방법들이 보입니다.

첫째, 주입 직후에 나타나는 부작용이니, amphotericin-B가 체내에 들어온 이후 천천히 유리되도록 하는 방안.
둘째, TLR-2나 CD14가 인지하지 못하도록 할 방안.
마지막으로 LDL보다는 HDL을 주로 탈 것으로 이용하게 하는 방안.

이 방안들은 amphotericin-B를 기름에 넣음으로써 해결하게 됩니다.
이를 lipid-associated formulations of amphotericin-B (LFABs)라고 하며, 1990년대 중반에 집중적으로 3가지 보완 상품으로 나옵니다.



LFAB's (Lipid-associated Formulations of amphotericin-B) 제품으로 1995년에 amphotericin-B lipid complex (ABLC)가 나오고, 곧 이어 Am-B colloidal dispersion (ABCD)가 1996년에, 그리고 liposomal Am-B (LAMB, Ambisome)이 1997년에 나왔습니다.

이들 세 제품 모두 amphotericin-B를 녹이고 있던 기존의 deoxycholate를 기름(lipid)으로 대체하였습니다.
ABLC는 리본 모양으로, ABCD는 원반 모양으로, LAMB는 liposome에 박아넣은 형태로 제작되었습니다.
이러한 구조의 의도는 체내에 들어가서 기존 제품보다 좀 천천히 하나씩 나오도록 했다는 것입니다.
그 결과, 주입 직후 생기던 몸살, 오한, 발열 등의 부작용이 눈에 띄게 줄어들었습니다.
이는 lipid가 감싸게 되면 TLR-2나 CD14가 인지하지 못함으로써 proinflammatory cytokine 폭풍을 미연에 방지할 수 있었다는 점도 크게 기여를 한 것이죠.
그리고 신장 독성도 뚜렷하게 감소하였는데, 천천히 유리되는 덕을 본 것도 있지만, lipid에 싸여 있는 상태이면 HDL에서 LDL로 갈아타는 일이 훨씬 줄어드는 현상도 중요한 요인입니다. 콩팥에는 HDL이 주차할 수 있는 수용체가 거의 없기 때문에 HDL을 타고 이동하는 amphotericin-B들은 콩팥을 거치지 않게 됨으로써 신 독성이 원천 봉쇄되는 것이죠.
이렇게 부작용을 최소화했을 뿐 아니라, 항 진균 작용 면에서도 기존 amphotericin-B의 효과를 낼 수 있고, 더 많은 용량을 줄 수 있다는 것, 그리고 lipophilicity가 강화됨으로써 전신 곳곳에 잘 파고 든다는 장점 등이 발휘되어, 기존 Am-B의 단점을 많이 상쇄하게 됩니다.

Am-B deoxycholate (ABD)는 투여 후 극히 적은 %가 소변과 담즙으로 배설됩니다. 그만큼 체내에 오래 머문다는 것인데, 처음 주입 후 혈중에서의 반감기가 24시간입니다. 더 중요한 것은 그 단계 이후 축적된 조직들 속에서 대사되어 사라지는 데 걸리는 시간, 즉 beta-phase 반감기가 무려 15일이라는 사실입니다. 따라서 Am-B의 효과가 나타나는 데는 기대했던 것보다 좀 느리다는 사실을 감 잡으셔야 합니다. 대신 좀 오래 가죠.

ABD는 5% 포도당 주사액에 녹여서 2-4시간 정도 천천히 줘야 하며, 생리 식염수에는 침전이 되므로 피해야 합니다.
ABD는 투여 시 처음에 test dose로 1 mg만 15분 동안 눈치 보면서 줍니다.
물론 해열제와 항히스타민제, 소량의 스테로이드를 전 처치 약으로 같이 줘야죠.
1시간 후 환자에게 별 문제가 나타나지 않으면 곧장 0.5 mg/kg, 즉 가장 기본적인 하루 용량으로 본격 투여를 시작합니다. 과거에는 1 mg, 8 mg, 15 mg으로 천천히 사나흘 동안 올리는 방법을 쓴 적도 있습니다만, 제대로 효과를 보려면 24시간 내로 정량을 줘야 하기 때문에 이제는 가능한 한 첫 날에 투여량을 확립하도록 합니다.
적용 질환마다 용량이 다릅니다.

Esophageal candidiasis에는 0.3mg/kg.
Endemic mycosis에는 0.5 mg/kg, 우리나라에서 쓸 일은 없겠지만.
Cryptococcosis, 특히 meningitis 때는 0.6-1.0 mg/kg입니다. CSF 투과율이 썩 좋지 않아서 이 정도는 줘야 하거든요.
Febrile neutropenia 환자의 경험적 치료에는 0.5-1.0 mg/kg를 줍니다.
Invasive aspergillosis와 mucormycosis에는 1.0-1.5 mg/kg입니다.

LAMB의 경우는 환자가 잘 견디어내기 때문에 ABD보다 최소 3배 이상 많은 용량을 줄 수 있습니다.
LAMB는 기생충인 visceral leishmaniasis에도 하루 3-4 mg/kg의 용량으로 사용됩니다.

Am-B가 잘 안 듣는 진균으로는 *Aspergillus terreus, Scedosporium, Trichosporon, Candida lusitaniae, C. auris*가 있습니다. 이들은 다음에 소개될 다른 항진균제들로 치료해야 합니다.

## Triazoles

Amphotericin-B는 1980년대까지는 침습성 심부 진균 감염증에 사실상 거의 유일한 항진균제였습니다. 그런데, 이 약제 자체가 가지고 있는 독성으로 힘들어하는 환자들이 워낙 많다는 애로 사항이 컸습니다.
이는 1990년대에 가서야 triazole이 나옴으로써 뒤늦게나마 임상의로서는 선택의 폭이 조금이나마 넓어졌습니다.
Triazole은 이름 그대로 질소가 함유된 약인데, 사실 이 약이 나오기 훨씬 전부터 azole 계통의 약은 이미 개발되어 사용되고 있었습니다. 이때는 질소가

2개 함유된 imidazole 약제들로, ketoconazole, miconazole, clotrimazole 등이 쓰였습니다. 그런데 이들은 간 독성 등의 부작용 문제 때문에 사용하는 데 한계가 있었고, 무엇보다 주사제가 없었습니다.

Triazole은 질소가 3개 있는 구조로 이루어져 있습니다.

이는 CYP450-dependent lanosterol 14alpha-demethylate의 heme group에 개입하여 lanosterol이 ergosterol로 변환되는 것을 방해합니다. 그 결과 ergosterol이 줄어들고 methyl sterol 성분이 증가하는데, 이로 인하여 진균의 phospholipid cell membrane에 지장이 와서 붕괴가 됩니다.

Triazole로 처음 나온 것이 fluconazole이었습니다.

## 1. Fluconazole

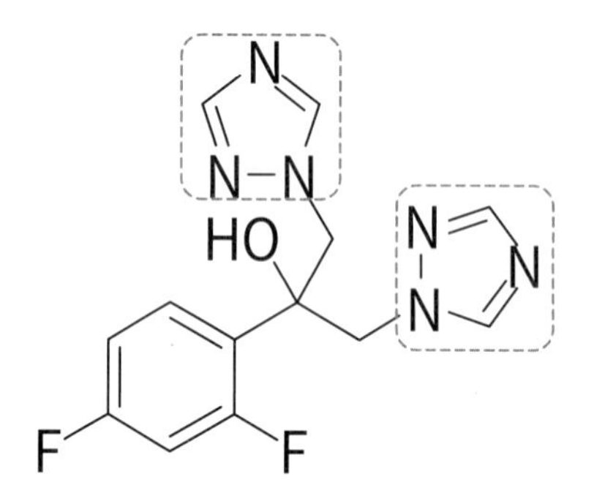


Flu-라는 이름이 시사하듯이, 불소를 두 개 붙이고, triazole도 양 쪽으로 한 쌍이 붙은 저돌적인 구조입니다.

경구로 90% 이상이 제대로 흡수되며, 물에도 잘 녹아서 주사제로도 가능합니다.

조직 침투력이 상당히 좋아서 중추신경계로도 잘 들어 갑니다.

반감기는 30시간 정도라 하루 한 번 투여로도 충분합니다.
부작용은 전반적으로는 그리 심하지 않은 편입니다.
기본적으로 간독성과 QTc 연장이 있으며, 아주 고용량(2,000 mg/day)을 주면 neurotoxicity가 올 수 있습니다.
기형 유발 가능성이 있어서 FDA category D에 해당합니다.
주로 *Candida* 감염증에 쓰입니다.
Oropharyngeal candidias에는 100-200 mg.
Esophageal candidiasis, candidemia에는 200-400 mg을 줍니다.
그러나 candidemia의 경우는 echinocandin에 현재 2순위로 밀려있습니다.
Candidemia에는 echinocandin을 먼저 주고, 안정화되면 그 때 가서 fluconazole로 전환하곤 합니다.

9강

Cryptococcosis에도 사용되는데 1차 선택 약제는 아닙니다.
중추 신경계 감염일 경우에는 LAMB + flucytosine 2주 투여 후 consolidation 요법으로 들어갈 때 하루 400-800 mg으로 최소 8주간 투여합니다. 이후 유지 요법으로 200-400 mg을 1년간 투여합니다.
단, 에이즈 환자의 경우엔 CD4$^+$ cell count가 100/uL를 넘고 HIV RNA가 검출 안 되는 게 3개월을 넘을 때까지 하염없이 줘야 합니다. 이 목표치를 달성하더라도 CD4$^+$ count가 다시 100미만이 되면 재 시작해야 합니다.
만약 flucytosine을 구할 수 없으면(국내에서 희귀 의약품이라 얼마든지 생길 수 있는 상황입니다) Am-B와 더불어 fluconazole 800 mg 2주간 투여를 1차로 시작하고 이후는 동일합니다.
Am-B를 투여할 수 없는 상황이라면 fluconazole 800-1,200 mg + flucytosine 2주로 시작합니다.
폐 cryptococcosis이되 경증에서 중등도 정도라면 처음부터 fluconazole을 하루 400 mg씩 6-12개월 동안 투여합니다.

그 밖에 우리나라에 해당 사항은 아니지만 coccidioidomycosis에 유효합니다. 하지만 histoplasmosis, blastomycosis, sporotrichosis에는 효과가 떨어집니다.
또한 aspergillosis, mucormycosis, scedosporiosis 같은 mold 감염에는 듣지 않습니다.

## 2. Itraconazole

Fluconazole에 이어 나온 triazole인데, 이는 fluconazole 과는 달리 mold에 잘 듣습니다.
다만 사람에 따라 생체이용률 등의 약리약동학적인 지표들이 들쑥날쑥한다는 게 문제이긴 했으나, 침습성 aspergillosis 치료에 amphotericin-B의 약간 약한 대안으로 가치가 있습니다.

경구 생체이용률은 50%를 넘고 suspension은 거의 90%선입니다.
음식과 함께 먹습니다.
중추 신경계로는 잘 들어가지 못 합니다.
체내에 들어가면 거의 다 protein-binding을 하고, 대사는 간에서 다 이루어집니다.
신 기능이나 간 기능 이상 시에도 용량을 조절할 필요가 없습니다.

부작용은 triazole의 기본인 간 독성과 QTc 연장입니다.
그런데 fluconazole에 비해 부작용이 은근히 다양하기도 합니다.
좀 독특한 것이, 순환기 계통 부작용을 나타낼 수 있습니다.

그 이유는 사람의 11beta-hydroxysteroid dehydrogenase를 억제하는 성질로 인해 mineralocorticoid excess를 초래하거든요. 그래서 고혈압을 유발하며, hypokalemia나 말단 부종도 올 수 있고, negative inotropic effect까지 가세하면 심부전까지 초래할 수 있습니다. 그래서 울혈성 심부전이나 ventricular fibrillation 경력이 있는 환자에서는 주지 않는 게 좋습니다.

혈청 농도에서 0.5 mg/L 이상이 되어야 치료 효과를 기대합니다.



## 3. Voriconazole

그리고 2002년에 최강의 triazole인 voriconazole이 등장합니다.

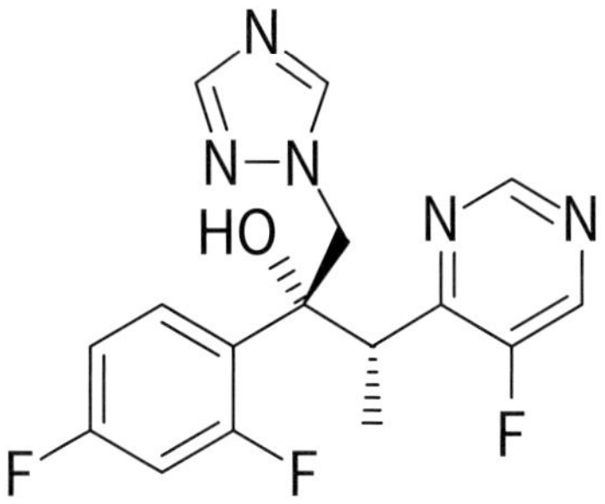

기존의 amphotericin-B와 fluconazole을 아우르는 항 진균 범위에다가 fluconazole에 잘 안 듣던 *Candida glabrata, C. krusei*도 치료 가능합니다.
이 약제가 등장하기 이전까지 침습성 aspergillosis의 최우선 약제였던 amphotericin-B를 차석으로 밀어내고, 현재는 가장 먼저 써야 하는 약제로 치료지침 자체를 바꾸어 놓습니다.

경구 생체이용률이 90%를 넘는데, 식사와 함께 먹는 itraconazole과는 달리 공복에 복용해야 합니다. 음식과 함께 복용하면 생체이용률이 30%까지도 떨어지기 때문입니다.

체내 침투 능력이 좋아서, 중추 신경계에도 매우 잘 파고 듭니다.

주로 간에서 대사되며 신장과는 무관합니다.

CYP3A4, CYP2C19, 그리고 CYP2C9에 완전히 대사되기도 하지만 이들 효소의 억제제로 작용하기도 합니다.

또한 CYP2C19*2 genotype의 경우는 slow metabolizer 경향을 보입니다. 이 genotype은 특히 일본을 비롯한 아시아인들에게 많아서, 우리나라 사람들도 예외가 아닐 것입니다.

간 이상이 있는 환자에서는 용량을 조절해야 하지만 신 기능 이상 때는 굳이 조절할 필요가 없습니다.

단, IV 제제의 경우는 cyclodextrin이 포함되어 있기 때문에 중증 신부전에는 쓰지 않는 게 좋겠습니다.

부작용으로는 간 독성과 QTc 연장을 기본으로 하고, 특히 시력에 문제가 생기는 것이 주목할만 합니다.

워낙 중추 신경계로 잘 들어가는 탓일 겁니다.

투여 후 30-60분에 잘 나타나는데 눈앞이 번쩍거리거나 photophobia, color change 등이 주요 증상입니다. 다행히 1시간 내에 정상으로 돌아옵니다.

또한 visual & auditory hallucination이 나타날 수 있습니다.

매우 드물지만 confusion, agitation, myoclonus도 생깁니다.

이들 모두 혈청 농도 > 5.5 ug/mL를 넘을 때 나타날 수 있는 현상들입니다.

환자의 7% 정도에서 skin rash와 photosensitivity가 올 수 있는데, 이건 적지 않은 빈도이므로 유의해야 합니다. 장기간 투여 시 피부 암까지도 올 수 있습니다.

그 밖에 탈모나 손발톱 이상도 옵니다.
구조에서 보시듯이 fluorine이 많이 함유된 약제라 체내 fluoride 과잉 축적으로 인한 periostitis나 exostoses, bone pain, alkaline phosphatase 상승 등이 올 수 있습니다. 다행히도 이는 약을 중지하면 정상으로 돌아옵니다.
치료 시 혈중 농도를 모니터하는데, 1.0-5.5 ug/mL를 유지해야 치료 효과를 기대할 수 있습니다.
이보다 낮으면 치료 효과가 불량하고, 높으면 부작용에 시달립니다.

앞서 언급했다시피 invasive aspergillosis에 Am-B보다 월등한 효과를 보입니다. 또한 allergic bronchopulmonary aspergillosis (ABPA)에도 유효합니다.
Febrile neutropenia 환자의 경험적 치료에 1차 선택 약제로 쓰입니다.
다른 mold 감염인 fusariosis, scedosporiosis에도 효과가 있습니다.
그러나 mucormycosis와 sporotrichosis에는 듣지 않습니다.

Candidiasis의 경우 fluconazole이 안 듣던 *C. glabrata*와 *C. krusei*까지 포함해서 잘 듣습니다.

9강

## 4. Posaconazole

Posaconazole은 면역 저하 환자에서 예방약의 용도로서 주로 사용되는 약제입니다.
Spectrum이 꽤 넓어서 HIV 환자의 candidiasis, cryptococcosis, 기존 약에 안 듣는 aspergillosis, fusariosis, mucormycosis에도 유효합니다. Endemic mycoses에도 효과가 좋습니다.
반감기가 27시간 정도로 하루 한 번 투여가 가능합니다.

70% 이상이 대변으로 제거되기 때문에, 간이나 신장 이상이 있을 때도 용량 조절할 필요는 없습니다.
부작용은 역시 간 독성과 QTc 연장을 기본으로, 고혈압과 hypokalemia 등이 있습니다.
고혈압을 일으키는 기전은 itraconazole과 같습니다.
혈중 농도 모니터 상에서 0.7 ug/mL 이상이 예방 용도에 적합하며, 치료 용도로는 1.0 ug/mL를 넘어야 합니다.

## 5. Isavuconazole

Isavuconazole은 mucormycosis와 invasive aspergillosis 치료에 쓰입니다.
아직 신약이라서 검증이 더 필요합니다만, spectrum이 꽤 넓어서 진균 감염 대다수를 치료 범주에 포괄할 수 있습니다.
다른 약제와 비교해 보면 invasive aspergillosis의 경우 voriconazole보다 살짝 열세이고, mucormycosis에 대해서는 Am-B와 대등하며, candidiasis는 echinocandin보다 살짝 못 합니다.

반감기가 130시간이며 경구 생체이용률이 98%이고 Vd가 450 L나 됩니다.
즉, 오래 머물면서 체내 구석구석 잘 스며드는 약제입니다.
간 이상이나 신장 이상 시에도 용량 조절은 필요 없습니다.
부작용이 좀 독특한데, 다른 azole과는 달리 QTc가 오히려 단축됩니다.
그 밖에 간 독성, 두통, 소화기 증상, hypokalemia가 생길 수 있습니다.

## Echinocandins

Echinocandin은 peptide들이 뭉친 덩어리에 기다란 lipid가 달라붙어 있는 모양, 즉 lipopeptide입니다.
당연히 lipophilicity가 좋고, 그 만큼 곰팡이의 세포벽에 잘 달라붙습니다.

Echinocandin은 기존의 amphotericin-B와 같은 polyene이나 triazole과는 공격 표적이 다릅니다.
기존 항진균제들이 세포막의 ergosterol을 집중 공략했다면, echinocandin은 또 다른 세포막 성분이자 사실상 대다수의 지분을 가지고 있는 glucose 중합체인 beta-(1, 3)-D-glucan을 주로 공격 대상으로 삼습니다.
이는 (1→3)-beta-D-glucan synthase를 방해함으로써 세포벽의 근간인 glucan 생성을 저지합니다.

Echinocandin은 1970년대에 *Papularia sphaerosperma*에서 추출한 pneumocandin에서 유래했습니다.
이 pneumocandin은 적과 아군을 가리지 않아서, 사람의 적혈구도 무차별로 깨는 부작용을 보였습니다.
그래서 이 fatty acid를 다른 안전한 lipophilic한 것으로 갈아 끼우는 시행착오를 거듭한 끝에 2001년에 가서야 나온 것이 caspofungin입니다.
Caspofungin은 fatty acid chain으로 dimethyl-myristoyl을 선택하여 닻으로 삼았는데, 이 닻은 기존의 pneumocandin과는 달리 사람 적혈구에 위해를 가하지 않습니다.
또한 구성분인 ethylene diamine이나 hydroxyproline 등이 물에 잘 녹아서, 투여하기 좋은 조건을 조성해 주었습니다.

2005년에는 micafungin이 나왔으며, 2006년에는 anidulafungin이 나옵니다.
치료 대상은 *Candida*에 주로 치우쳐 있습니다.
*Aspergillus*는 완전히 죽이지 못하는 fungistatic 작용에 그칩니다.
이는 *Candida*에 비해 *Aspergillus*의 cell membrane 구성 성분으로서 glucan 양이 상대적으로 적기 때문입니다. 또한 *Cryptococcus, Mucorales, Fusarium*에는 별로 효과가 없습니다.
특히 *Crytococcus*는 세포막이 (1→3)-beta-D-glucan이 아니라 (1→6)-beta-D-glucan이라서 근본적으로 이 약제가 들을 수가 없습니다.
한편 *Candida* 중에서 *C. parapsilosis*는 잘 안 들으며 *C. lusitaniae, C. guilliermondii*에는 fungistatic activity를 보입니다.
그나마 요즘 가장 말썽꾸러기로 떠오른 *C. auris*에 아마도 현재 유일한 대항마일 것입니다.

Caspofungin과 micafungin은 간에서 주로 대사되어 bile로 배설되는데, 의외로 CYP450과는 무관합니다.
Anidulafungin은 간과는 무관하고, 혈장 내에서 거의 다 대사가 됩니다.

구조 면에서 덩치가 커서 중추 신경계나 전립선, 콩팥으로는 잘 들어가지 못합니다.
반감기는 caspofungin이 9-11시간, micafungin이 11-17시간, anidulafungin이 24-26시간입니다.

부작용은 앞서 언급했듯이 인간 세포에 별 영향을 안 주기 때문에 드문 편입니다.
가끔 소화기 증상이나 infusion-related reaction, thrombophlebitis가 생길 수 있습니다.

현재 이 삼형제 이외에 신약으로 rezafungin이 검증 단계 중에 있습니다. 이는 장시간 체내에 머물기 때문에 1주일에 1번 투여가 가능합니다.

## Flucytosine (5-fluorocytosine, 5-FC)

Flucytosine은 fluorine을 붙인 pyrimidine analogue입니다.
전신 투여 가능한 항진균제가 Am-B 외에는 별로 없던 어려운 시절에 명맥을 유지하던 옛 항진균제입니다. 제가 전공의하던 1980년대에 invasive fungal infection을 경험적으로 치료할 때 Am-B만으로 안 들으면 flucytosine을 같이 처방하곤 했습니다. 이 약이 참 독해서, 복용받는 백혈병 환자분들은 하나같이 다 이 약을 싫어했습니다. 알 수는 또 좀 많은가요. 주다 보면 이게 약인지 독약인지 살짝 혼동이 올 때도 있었어요.

나름 어려운 시절에 치료에 많은 도움을 주긴 했지만 부작용과 독성이 심한 탓도 있고, 이후 새로운 항진균제들이 나오면서 자연스럽게 도태되어 지금은 국내에서 희귀 의약품 센터를 통해서야 처방이 가능합니다.

이 약을 복용하면 거의 다 괴로워하는 이유가 있습니다.
바로 cytosine 구조의 본질적인 성질에 기인합니다.
Cytosine은 원래 우리 몸 안에서 자기 구조를 잘 유지하지 못 합니다.
틈만 나면 amino기(-$NH_2$)가 싹 달아나면서(de-amination) 산소기로 바뀝니다.

그 결과 uracil로 둔갑을 합니다.

9강

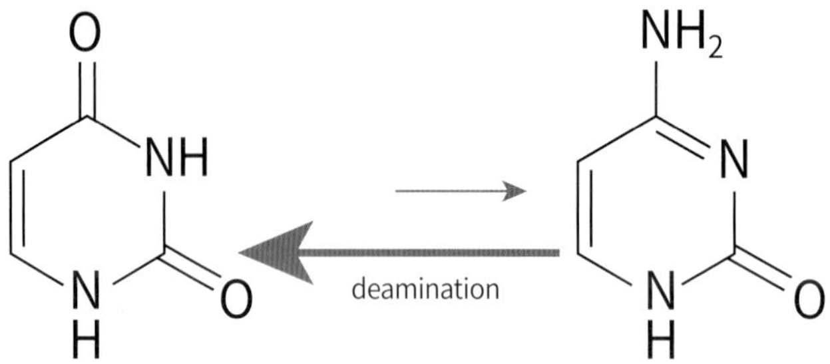


Uracil　　Cytosine

이게 DNA 동네에서 일어나면 비상이 걸립니다.

있어선 안 될 pyrimidine이니까요.

그래서 우리 몸은 uracil DNA glycosidase가 출동하여 uracil들을 다 제거합니다.

그런데 uracil과 한 끗 차이로 유사한 구조가 바로 thymine입니다.

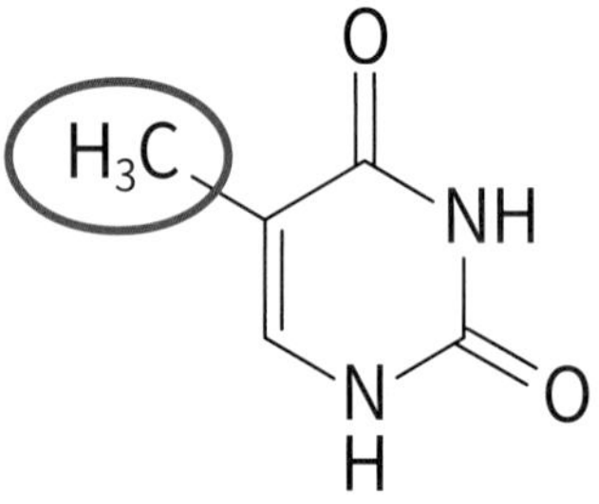

Thymine

얼핏 비슷해 보이지만 5번 위치에 methyl기가 덤으로 붙으면서 uracil DNA glycosidase가 건드리지 않고 지나가게 되지요.

그래서 같은 pyrimidine이라 해도 RNA에는 cytosine과 uracil이 있는 반면에 DNA에는 cytosine과 thymine이 있는 겁니다.

진균에서는 cytosine permease가 flucytosine을 받아다가 세포 내로 들어오면서 cytosine deaminase가 작동됩니다. 그럼 무엇이 될까요?
네, cytosine이 uracil이 됩니다.
즉, 5-fluorocytosine이 5-fluorouracil이 됩니다.

5-fluoroCYTOSINE → 5-fluoroURACIL

5-fluorouracil은 매우 친숙한 이름입니다.
네, 맞습니다.
그 유명한 항암제입니다.
이 물질이 세포 내에서 protein과 DNA 합성을 억제하는 것입니다. 항 진균제가 체내에서 항암제로 변하니 환자분이 오죽 힘들겠습니까.

주요 부작용은 leukopenia, thrombocytopenia, 간 독성, 장염 등입니다.

경구 생체이용률이 높아 잘 흡수되고 배설은 주로 신장으로 됩니다.
조직 침투성이 좋아서 중추 신경계로도 잘 들어갑니다.

25-37.5 mg/kg q 6 hours로 주는데, 혈중 농도는 100 ug/mL 미만이어야 합니다.

주로 cryptococcosis나 candidiasis에 Am-B와 병용해서 씁니다.
말을 잘 안 듣는 *C. lusitaniae*에도 유효합니다.
그러나 mold 감염에는 치료 효과를 별 기대 안 하는 게 좋습니다.

정리하겠습니다.
지금까지 소개한 항진균제의 작용 기전은 다음 그림으로 요약될 수 있습니다.

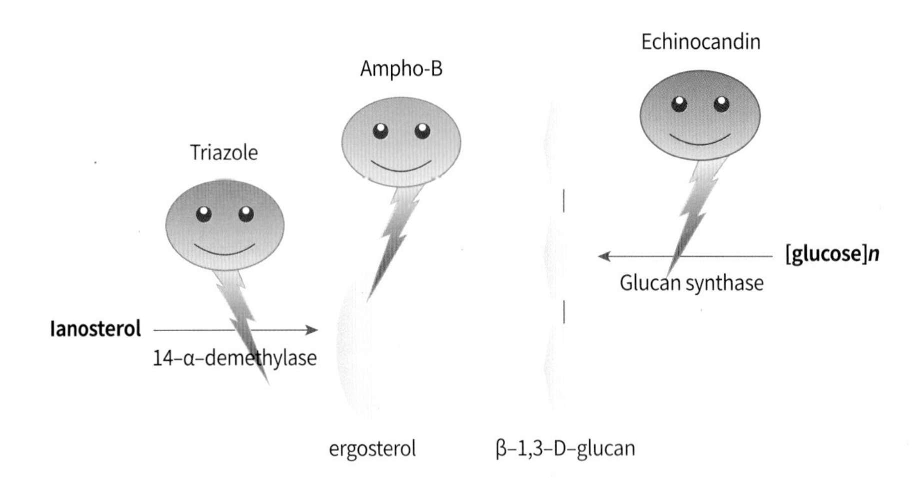


간단히 보자면, triazole과 Am-B는 ergosterol을 겨냥하고, echinocandin은 glucan을 겨냥한다고 보시면 되겠습니다.

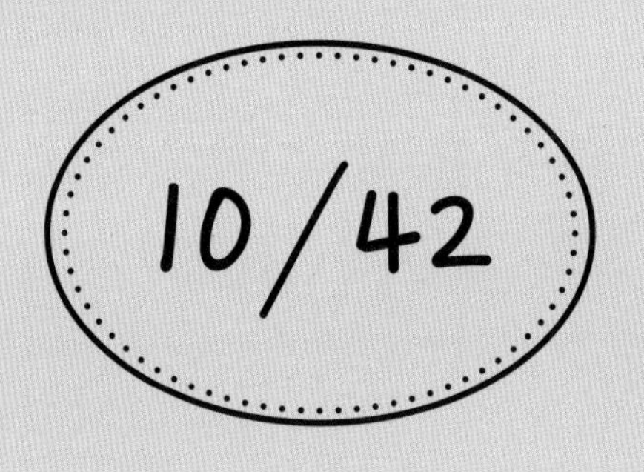


제10강

# 다가올 침략에 대비하자

# 10 다가올 침략에 대비하자

통상적으로 백신(vaccine)은 천연두 접종을 창시한 에드워드 제너(Edward Jenner)가 1796년 맨 처음 시작한 것으로 우리는 알고 있습니다. 공식적으로 분명한 사실입니다.

그런데 말입니다.
어떤 감염 질환에 대항하려면 그 감염 질환과 비슷한 경험을 먼저 하게 하면 나중에 진짜를 만났을 때 제대로 극복할 수 있다는 그런 발상이 과연 18세기 말이나 돼서야 나왔을까요? 그 정도 아이디어는 그보다 훨씬 전에도 생각해 낸 사람이 있지 않았겠냐는 것입니다.

사실 제너 이전에 그런 생각을 한 이들은 있었습니다.
무려 10세기에 중국 송나라에서 천연두 환자의 고름을 분말로 만들어 건강한 사람의 코나 피부에 바르는 민간 요법이 있었습니다. 한 마디로 live NON-attenuated vaccine인 셈입니다. 이 요법은 페르시아와 터키 등에도 알려지게 되는데, 팔에 작은 상처를 내고 천연두의 고름을 도포해서 덮는 방법이었습니다. 이를 1716년 당시 터키 주재 영국 대사의 아내인 메리 워틀리 몬태규(봉태규가 아닙니다, Mary Wortley Montagu)가 처음 보고 관심을 가지게 되고, 1721년 영국에 돌아와 홍보하기 시작합니다. 그러나 별 신뢰를 얻지 못해서 붐을 일으키지는 못했습니다. 그녀가 만약 저명한 의사였다면 역사는 다시 쓰였을지도 모르겠어요.

이후 거의 반세기 이상의 세월을 지난 18세기 말 영국의 의사 에드워드 제너는 우두에 전염된 소젖을 짜는 여인들에게는 천연두가 발병하지 않는다는 사실을 알아차립니다.
거기서 착안하여, 우두에 걸린 여성의 손바닥 종기에서 고름을 채취하여 8살 소년 James Phipps(제임스 핍스)에게 접종을 하였고, 그 결과는 성공이었습니다. 어릴 때 읽은 위인 전기에서 제너는 아직 아가였던 자신의 어린 자식에게 맨 처음 접종했다는 감동의 일화로 적혀 있지만, 실제 첫 접종은 남에게 한 것이었어요. 아, 물론 자기 아들은 그 후에 접종한 게 사실입니다. 역사는 이렇게 살짝 애교스럽게 왜곡되어 전해지기도 합니다.
지금 와서 보면 제너의 이 시도는 운도 따르긴 했어요.
앞서 언급한 중국, 페르시아, 터키의 민간 요법과 원칙은 같습니다만, 사람 천연두(smallpox)가 아니고 우두(cow pox)로 선택했다는 것부터 말이죠. 옛 요법대로 접종했다면, 오늘날의 시각으로 보면 사람에게 특화된 있는 그대로의 바이러스 덩어리이니 위험의 소지가 다분했을 겁니다. 이종인 우두로 택한 건 신의 한 수였던 셈입니다, 본격적인 면역학이 아직 발흥하기도 전인데 말이죠.

이후 이 접종법을 확립하는 과정은 많은 저항과 비판과의 싸움이었습니다.
하지만 결국 제너 사후 1840년에 영국 정부는 우두법을 공식 인정하고 실시하게 됩니다.
제너는 소에서 얻은 고름으로 접종을 한다는 의미에서 vaccination 내지 vaccine이란 용어를 만들어냅니다. 라틴어로 암소를 vacca라고 부르는 데서 기인

했습니다. 원래 의미는 천연두 예방 접종에 국한한 용어였지만 1880년대에 루이 파스퇴르(Louis Pasteur)가 chicken cholera와 탄저균 예방 접종약을 만들면서 모든 예방 접종에 사용하는 용어로 vaccine의 의미를 확대합니다.
초창기 백신은 대량 생산이 숙제였는데, Ernest Goodpasture가 달걀을 배지로 하여 바이러스를 배양하는 방법을 개발하여 백신 개발에 새로운 장을 엽니다. 이렇게 해서 황열 백신과 독감 백신이 나오게 되지요. 현재는 세포 배양으로 대체되지만, 당시로서는 매우 획기적이었습니다

이후 많은 백신들이 개발되어 오늘날에 이르는데, 우리는 백신에 있어서 또 한 명 기억해야 할 위대한 인물이 있습니다.  그가 바로 모리스 힐먼(Maurice Hilleman)으로 무려 40여개의 백신을 개발했는데, 그 중에 중요한 것들만 나열하자면 다음과 같습니다: 홍역 백신, 볼거리 백신, 수두 백신, A형 및 B형 간염 백신, 폐렴알균 백신, 수막알균 백신, *Haemophilus influenzae* 백신.
이렇게 이루어 놓은 업적을 보면 그저 경악스러울 뿐입니다.
제너뿐 아니라 힐먼에게도 우리는 감사해야 하겠습니다.

10강

이제 본격적으로 백신 이야기를 시작합시다.

백신이란, 어느 특정 미생물을 표적으로 하여 원본보다 힘을 빼거나 혹은 유사품을 우리에게 미리 체험시킴으로써 장차 만날 수 있는 미생물에 대비하는 능력을 키워주는 것입니다. 오해하면 안 되는 것이, 이는 치료제가 아닙니다. 물론 그 미생물을 마주하게 되면 훌륭하게 물리칠 가능성이 더 높지만, 꼭 백전백승을 하는 것은 아닙니다. 그러나 만약 대비가 안 되었으면 겪었을 수 있는 것보다 덜 고생을 하게 해줍니다.
대비하는 능력을 갖게 되는 것은 우리 몸 속의 면역 체계를 훈련시켜주는 데에 기인합니다.

## 백신을 맞으면 생기는 일들

백신의 작용 원리에 앞서서 이의 근간이 될 면역 반응, 즉 immunity 전반을 싸움에 비유해 보지요.
난생 처음 만난 상대와 싸운다고 가정해 봅시다.
상대에 대한 사전 정보도 없이 맞장을 뜨게 되니, 그냥 막무가내로 치고 받고, 코피도 흘리고 하면서 악전고투를 합니다. 어쨌든 그럭저럭 상대를 격퇴시키는 데는 성공했습니다.
이게 바로 innate immunity입니다.
이렇게 참전한 용사들은 macrophage나 dendritic cell (DC) 같은 phagocytes, complements, natural killer (NK) cells 등입니다.

격렬한 싸움을 한 번 겪고 나니, 남은 것은 멍과 코피만이 아닙니다.
그 상대와 주먹을 섞어본 '경험'이 쌓였습니다.
그 경험을 갖게 된 것이 바로 초전에 참전했던 phagocytes, 즉 macrophage와 DC입니다.
이들은 이 시점부터 phagocytes라기보다는 antigen presenting cell (APC)라는 정체성을 가지게 됩니다.
특히 DC는 자신이 가진 노하우를 후학들에게도 전수하려는 교육 본능이 매우 강합니다.
이 DC가 vaccination 후의 효과 함양 첫 단계에서 핵심적인 역할을 합니다.
상대는 "다음에 두고 보자!" 하면서 물러났습니다.
그러므로 대비를 해야 하며, 다음에 다시 만날 때는 처음 싸울 때보다는 더 효율적으로 잘 싸워 이겨야 합니다.
초전에 어떻게 싸웠는지 복기도 하고, 비디오 분석도 하고, 앞으로 더 잘 싸울 수 있도록 나의 초식들도 다듬어 가면서 잘 준비를 합니다.

즉, 다음 전투에 대비하여 상대방에게 '적응'을 해 놓고 기다린다는 것이죠.
이를 adaptive immunity라고 합니다.

여기에 해당하는 구성원은 앞서 언급한 APC가 있고, 이들에게 전수받는 후학들이 바로 T lymphocytes, B lymphocytes입니다.
T cell은 크게 CD4$^+$, CD8$^+$ lymphocytes로 대별됩니다. 특히 CD4$^+$ cell이 중심 역할을 합니다.
B cell은 항체를 만들어내는데, CD4$^+$ cell의 도움이 필요합니다.
CD4$^+$ cell은 다시 Th1, Th2 cell로 나뉘고, 특히 Th1이 cell-mediated immunity에 중요합니다.



선험자인 APC(특히 DC)는 나중에 helper가 될 CD4$^+$ cell에게 지식을 전수합니다.
그런데 CD4$^+$ cell도 DC 못지않게 똑똑해서 오히려 DC도 CD4$^+$ cell에게 많이 배웁니다.
훈장질 30년을 해 온 제 입장에서도 매우 공감이 되는 순간입니다.
제가 후학을 의무적으로 가르치기도 하지만, 똑똑한 후학을 만나게 되면 저 또한 그에게 배우고, 신선한 자극과 동기 부여를 받게 되었던 일이 적지 않았거든요.
둘 사이의 교육 과정은 class II major histocompatibility complex (MHC) antigen이 매개체가 되어 줍니다.
그리고 helper T cell은 B cell도 만나서 항체를 제대로 생성하라고 가르침을 줍니다.

APC는 CD8$^+$ cytotoxic T lymphocyte (CTL)와도 교류를 해서 CTL이 감염된 세포를 처리하게끔 참교육을 해 줍니다. 이 과정에서는 class I MHC antigen이 매개체입니다.

어찌 보면 기전 면에서 innate와 adaptive immunity의 차이는 MHC가 개입했는지 여부가 구별점이 되겠습니다.

자, 그럼 이를 기반으로 해서 백신을 맞고 나면 무슨 일이 생기는지를 하나하나 짚어 봅시다.

앞서 설명한 바와 같이 백신으로 들어온 항원은 PAMP로서 APC가 인지합니다. 그 순간 APC는 proinflammatory cytokine들과 chemokines 등을 분비하여 몸을 염증 상태처럼 조성하게 되고, 마침 백혈구들까지 몰려와서 난리가 나기 시작합니다. 백신 맞고 처음 하루 이틀 사이에 발열과 몸살로 고생했다면, 바로 이런 난리가 증상으로까지 표면화됐을 가능성이 높습니다.
특히 type I interferon (IFN-I)이 백신 접종 초기에 있어서 중요한 역할을 하는데요.
IFN-I은 어느 특정이 아닌 interferon- alpha와 beta, 그리고 각종 다른 interferons가 복합된 패거리들을 말합니다. IFN-I에 대한 receptor는 체내 모든 nucleated cells에 다 마련되어 있어서, IFN-I이 달라 붙으면 intracellular signal transmission이 일제히 진행되어 각 세포들로 하여금 각종 다양한 cytokine들을 생성해내게끔 합니다.
특히 DC를 다시 자극하고 costimulator도 발현되게 함으로써 $CD4^+$, $CD8^+$ cells에 antigen을 전달하고 교육하게끔 분위기를 조성합니다.
즉, 일종의 adjuvant 역할도 하는 셈이군요.

자, activated DC에 집중해 봅시다. 사실상 백신 접종 초기의 주인공이니까요. 이 DC는 이번 접종으로 얻은 소중한 경험을 혼자만 간직하지 않고 후학들에게도 가르쳐 주겠다는 교육 본능을 발휘하여 lymph nodes로 이동합니다. 거기서 T lymphocytes와 만나 antigen presentation을 하면서 연수 교육을 시작하죠.

먼저 $CD4^{+}$ cell과의 교육 성과를 보죠.

DC는 자신이 얻어온 antigen을 제공할 때 MHC class II와 co-receptor를 매개로 하여 helper T-cell과 다음과 같이 거래를 합니다:

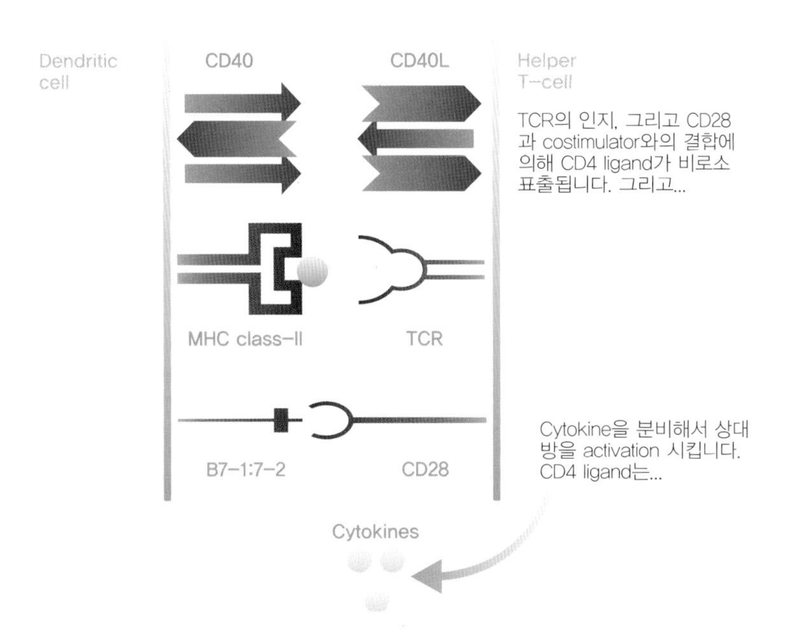


- T cell receptor(TCR)가 DC의 MHC-class II molecule을 인지합니다.
- CD28과 costimulator B7.1 & B7.2의 결합에 의해 CD40 ligand (CD40L)가 표출됩니다.
- CD40 in dendritic cell과 CD40L in helper T-cell이 결합하여 cytokine이 분출되어 면역 세포들을 활성화시킵니다.

연수 교육을 마친 똑똑한 helper T cell은 크게 두 가지 루트를 탑니다.

하나는 Th1, Th2, Th17, Treg (regulatory T cell)로 분화를 하여 각자 할 일을 합니다.

Th1의 경우는 IL-12 존재 하에 이뤄지며, 그 결과 IL-2와 interferon gamma도 분비됩니다.
Th2는 IL-4의 존재 하에 이뤄지며, 이후 IL-4 & 5가 분비됩니다.
Th17은 IL-17을 냅니다. 이는 transforming growth factor (TGF) beta, IL-6의 영향 하에 생깁니다. 원래는 mucosal defense를 담당하는 역할입니다. 그래서 만약 이 Th17 cell이 장점막에서 대폭 감소하거나 소실되면($CD4^+$ cell의 절대수가 크게 감소하는 경우입니다) 장내 세균이 탈출하려 하면서 (microbial translocation) 끊임없이 소규모 국지전이 지속되어 만성 염증으로 갑니다. 에이즈 환자가 만성 염증에 시달리는 이유가 바로 여기에 있습니다.
만약 IL-21, IL-1 beta가 주로 작용하면 Th17 cell은 pathogenic cell로 변하여 만성 염증뿐 아니라 autoimmune disease까지 유발하게 됩니다.
Treg cell은 일명 suppressor T cell이라 불리던 것입니다. 전반적으로 다른 T cell 형제들의 업무를 억제함으로써 적절한 선을 넘지 못하도록 조절하는 역할을 합니다.

나머지 하나는, follicular helper T (Tfh) cell로 분화되어 장차 항체를 만들 B-cell를 만나러 가서 교육을 시행합니다.
여기서 Tfh cell이 만나는 B cell은 아무나 만나는 게 아닙니다.
Tfh cell이 배운 항원과 동일한 항원을 이미 만났던 B cell에 한해서입니다.
그러한 같은 경험이 없는 순진한 B cell을 만난다면 Tfh cell은 소 닭 보듯이 그냥 무심히 지나칠 뿐입니다.

사실 백신으로 항원이 들어왔을 때 B cell도 그 항원을 맛보게 됩니다.
소위 antigen-primed B cell입니다.
다만, "항원이다! 당장 항체를 내서 죽여라!"하고 대응할 수도 있지만, "우리가 맛본 게 도대체 뭐지?"하고 의아해 하며 돌아다니다가 lymph node로 들어옵니다. 거기서 같은 경험을 한 helper T cell을 만나는 기연을 얻게 되지요.

이를 cognate contact라고 합니다.

즉, 공통의 관심사를 갖고 있는 이들끼리의 만남이라고나 할까요?

어째 학연, 지연으로 선후배가 끌어주는 모습이 연상됩니다.

그런데, Tfh cell과 antigen-primed B cell이 lymph node 안에서도 향우회를 하는 구역이 어디냐는 것에 따라 B cell의 진로가 달라집니다.

Germinal center 밖에서 만나게 되면 항체를 만들어내는 세포로 분화하고 증식하긴 하는데, short-lived plasma cell이 됩니다.

10강

반면에, germinal center 안에서 만나면 dendritic cell과 했던 그 상황과 거의 비슷하게 재현됩니다.

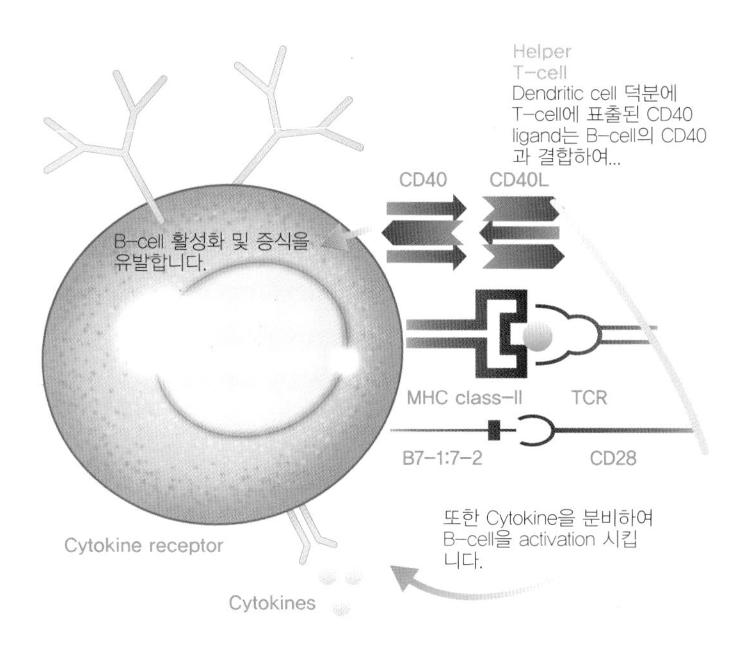

- TCR이 dendritic cell의 MHC-class II molecule을 인지합니다.
- CD28과 costimulator B7.1 & B7.2의 결합에 의해 CD40 ligand (CD40L)가 표출됩니다.
- CD40 in DC와 CD40L in helper T-cell이 결합하여 B-cell activation & replication을시키고 cytokine을 분출하여 B-cell을 활성화시킵니다.

이렇게 배움을 얻은 B-cell은 isotype switching과 증식을 하고, 이후 affinity maturation을 통해 long-lived plasma cell이 됩니다. 이들은 졸업식 후 lymph node를 떠나 골수 등으로 가서 자리를 잡거나 소수정예의 memory cell로서 lymph node에 남아 은둔하면서 훗날 다시 올지도 모를 병원체에 대비합니다.

B cell이 T cell의 도움 없이 항체를 낸다면 T-cell independent antibody response라고 합니다.
Lymph node로 들어와서 T cell과 만나는 기연을 통해 항체를 형성하는 경우를 T-cell dependent antibody response라고 합니다.
전자의 경우는 polysaccharide vaccine이 좋은 예이고(예: Prodiax vaccine) memory cell 형성이 안되어 일정 기간 지나면 항체가 다 고갈되기 때문에 반드시 추가 접종을 해 줘야 합니다. 반면에, 후자의 경우는 protein conjugate vaccine에서의 항체 형성 기전으로 memory cell 형성까지 무사히 마칩니다.

$CD4^+$ T cell 일부도 memory T cell이 되며 역시 은둔하면서 미래의 재앙에 대비합니다.

이들은 나중에 그 병원체가 다시 침략해 오거나 booster shot을 치룰 경우 매우 빠른 속도로 anamnestic response를 보이게 되는 것입니다.

그런데 말입니다.

## 도대체 항체가 하는 일은 무엇일까요?

항체, 즉 immunoglobulin은 세균의 표면을 도배하면서 phagocyte가 잡아먹기 좋게 양념을 맛있게 칩니다(opsonization). 그리고 complement와 반응하여 세균을 파괴하기도 하며, 세균이 내는 toxin을 무력화시키기도 합니다. 또한 세균의 표면에 있는 adhesin을 선점하여 세균이 점막 등에 달라붙는 것을 미연에 방지하는 작용도 합니다.

10강

## 그럼 바이러스에 대해서는 어떤 활약을 할까요?

바이러스를 만나면 그대로 파괴를 할까요?

그랬으면 좋겠지만, 사실은 바이러스가 우리 숙주 세포에 달라붙는 첫 단계를 원천적으로 막아버립니다. 이게 소위 말하는 neutralization antibody, 즉 중화항체입니다. 바이러스의 속살인 matrix나 그 밖의 구조물에도 작용하는 항체들도 있지만, 바이러스에 대한 백신의 작용은 사실상 이거 하나라고 봐도 무방합니다.

그 이상을 바란다면 이미 백신이 아니고 항바이러스제이거나 소독약이지요.

백신은 치료제가 아니고 예방약이라는 사실을 잊지 마세요.

그리고, 항체가 방어 기전의 다는 아닙니다.

항체 못지 않게 중요한 방어기전이 바로 cell-mediated immunity입니다.

### 세포 면역이 하는 일은 무엇일까요?

CD4$^+$ cell을 총지휘관으로 하여 CTL이 일을 합니다.
백신 맞고 어느 정도 세월이 지나면 항체뿐 아니라 memory T cell도 소수정예만 남아서 국가 상비군 역할을 하며 은둔을 합니다. 그러다가 해당 병원체가 들어오면 급격히 증식을 하여 충분한 CD4$^+$ cell이 만들어지면서 지휘관 역할을 합니다. 그래서 B cell의 항체 생성은 물론이고 CTL로 하여금 병원체의 항원이 present된 세포들을 몰살시킴으로써 방어 임무를 완수합니다.

## 점막 면역의 문제

다수의 감염 질환은 원인 병원체가 점막으로 침투하면서 시작됩니다.
예를 들어 호흡기나 소화기 감염질환은 시작되는 장소가 점막이지요.
점막에서는 일차적으로 IgA가 방어를 맡습니다.
그런데, 현행 백신들 대다수가 근육이나 피하 주사로 놓기 때문에 일단 혈액과 lymph node에서 IgM이나 IgG는 만들어내도 점막에 필요한 IgA를 당장 만들지 못합니다.
그렇다면 백신들 대다수는 점막 방어를 못하니까 무용지물일까요?

백신을 근육 혹은 피하 주사로 주면 점막은 무관하고, 해당 IgA는 생기지도 않으며 혈액 속에서만 항체가 생기는 건 맞습니다. 그러나 이건 처음에만 그렇습니다.
그런데, 면역 교육자인 DC가 결국 이 문제를 해결합니다.
이 DC가 lymph nodes에서 각종 면역세포들을 교육하는 것은 이미 앞에서 자세히 설명한 바와 같습니다.

교육 받은 면역 세포들은 일단 혈액 속에서 놀지만, 열심히 헤엄쳐서 저 멀리 호흡기나 장 점막까지도 도달합니다. 다시 말해서, 백신을 주사로 접종받아 생기는 면역은 혈액에서만 국한되는 게 아니고, 호흡기 점막까지도 영향권에 든다는 말씀이죠.
점막 면역을 의식한다면 호흡기 감염 질환인 경우 코로 직접 주입하는 백신이 필요합니다.
그렇게 하면 아예 첫 단계인 호흡기 점막(주로 상기도)부터 아주아주 일찍 원천 봉쇄가 가능하죠.

하지만, 호흡기 점막에 만들어 놓은 국경 수비대만으로는 부족하며, 이 또한 혈액에서 열심히 헤엄치는 면역세포들이 급히 와서 도와주는 것이 필요해요.
물론 점막 백신에 의해 생긴 면역이 주사 백신보다는 대응이 빠르겠지요.
하지만 막아낸다는 점에서는 어차피 마찬가지입니다.
혈액에는 우글대던 방어 참교육을 받은 면역 세포들은 호흡기 점막에 무슨 일이 생기면 그리로 헤엄쳐 가서 본연의 임무를 수행합니다. 물론 호흡기 방어벽을 용케도 통과해서 혈관 내로 침투해 들어온 병원체에 대해서도 자비를 보이지 않습니다.

결론적으로, 백신을 코로 주면 점막 면역으로서 원천봉쇄라는 면에서 더 좋긴 합니다. 하지만 근육이나 피하 주사로 백신을 주면 아무 소용 없다는 오해는 하지 마시기 바랍니다

그리고 cell-mediated immunity는 놀고 있답니까?

따라서 점막 면역은 기존 백신이 커버할 수 있습니다.
아니라면 현재 쓰고 있는 백신들 전부를 폐기 처분해야죠.

## 백신 접종 후 시간 경과에 따른 변화

백신 접종 받자마자 면역이 확립되면 좋겠지만, 안타깝게도 만리장성은 하룻밤에 세워질 수는 없는 법입니다.

그나마 쓸 만한 immunity가 나타나기 시작하려면 적어도 2주는 걸려야 합니다.

잘 아시다시피 IgM이 먼저 나타나고 이후 시차를 두고 IgG로 판도가 바뀝니다.

이후 이 IgM이 중화 작용뿐 아니라 precipitation, 그리고 complement fixation 등 항체 본연의 업무를 전담합니다.

항체는 대략 6주 정도에 최고치까지 도달하고, 이후 슬금슬금 떨어져 갑니다.

여기까지가 통상적인 면역능 출현의 순서와 시기입니다만, 일부는 처음 접종해서는 면역능이 잘 안 생기곤 합니다. 대표적인 것이 홍역-볼거리-풍진(measles-mumps-rubella, MMR) 백신이죠. 대부분의 소아가 1차 접종만으로는 면역능이 잘 안 생깁니다. 그래서 추가 접종을 받는 것입니다.

앞서 말씀 드린 anamnestic response는 기존 1차 면역 반응보다 단기간에 최고치로 올라섭니다. 통상 4-5일 내로 완료되는데, 항체뿐 아니라 세포 면역까지 동원됩니다.

## Vaccine의 여러 틀(platforms)

**1) Live attenuated vaccines**

맨 처음 개발된 백신이 약독화 생백신입니다.

최초의 공식 백신인 smallpox나 앞서 언급했던 MMR, Rotavirus, 수두, 황열 백신이 대표적입니다.

Polio vaccine과 herpes zoster vaccine도 live vaccine입니다만 혼동해서는 안 될 것이 있습니다.

같은 polio vaccine이라 해도 경구로 시행하는 Oral polio vaccine (Sabin vaccine, OPV)이 live vaccine이고 Salk vaccine (Inactivated polio vaccine; IPV)는 inactivated vaccine입니다.

Herpes zoster vaccine도 ZostaVax가 live vaccine이지, 후속으로 나온 Shingrix는 inactivated vaccine입니다. 저는 어쩌다 보니 이 두 가지 백신들 중에서 polio vaccine은 어릴 적에 OPV로, zoster 백신은 나이 50 넘어서 Zostavax, 즉, 둘 다 live vaccine으로 맞았네요.

Influenza vaccine 중에서도 코로 뿌리는 종류는 live attenuated vaccine입니다.

세균 백신으로는 결핵 예방 백신인 BCG (Bacillus Calmette-Guerin), typhoid vaccine, cholera vaccine이 있습니다. 여기서도 typhoid의 경우는 경구로 먹는 Ty21a만 live vaccine이며, Vi capsular polysaccharide vaccine (ViPS)는 subunit vaccine이고, typhoid conjugate vaccine은 conjugate vaccine입니다.

콜레라 백신도 CVD103-HgR (Vaxchora)만 live vaccine이고 WC-rBS (Dukoral)과 BirWC (Shanchol, mORCVAX)는 inactivated vaccine이니 헷갈리지 마세요.

생백신이 앞으로 소개할 다른 유형의 백신들보다 절대 우위에 있는 장점은 면역능 획득 후 지속 기간이 가장 길다는 점입니다. 심지어 평생 면역도 가능한 백신들도 있습니다.

그런데 단점도 만만치 않습니다.
바로 안전성의 문제인데요.
이는 비록 약독화시켰지만 엄연히 살아있는(live) 미생물입니다. 몸 안에 들어가면 병독성 발휘는 부진해도 어쨌든 증식을 하긴 합니다. 따라서 면역 저하 환자의 경우라면 위험할 수 있습니다. 그러므로 호중구 저하 환자나 에이즈 환자 등에게는 접종하면 안 됩니다.

**2) Killed or inactivated vaccine**
Inactivated vaccine은 해당 병원체를 열이나 화학적 처리 등으로 죽여놓고 만든 것입니다. Live vaccine이 아니라는 넓은 의미에서 subunit vaccine까지 다 포괄합니다만(죽여 놓은 후, 화학적 처리로 필수 항원을 솎아낸 것이므로), 이는 별도로 다루겠습니다.
Live vaccine보다야 안전하겠지만, 면역능 유도와 유지에 있어서는 아무래도 더 약할 수밖에 없습니다.
그래서 추가 접종이 필요합니다.

앞서 언급했던 cholera, typhoid, polio (IPV)가 이에 해당하고, influenza, rabies, hepatitis A, pertussis 백신이 inactivated vaccine입니다. 최근에 나온 COVID-19 vaccine인 Sinopharm BIBP, Sinopharm WIBP도 inactivated vaccine입니다.

### 3) Subunit vaccine

Killed 혹은 inactivated vaccine으로 넘어 오면서 기존 live vaccine의 위험성은 대폭 줄였지만, 그래도 병원체 자체로 구성된 제품이었습니다. 그러니 아직 위험 소지가 완전히 사라진 것은 아니지요. 죽은 병원체라 해도 그 구성분들 중에 인체에 해로운 반응을 유발할 성분들이 없으리라고 보장은 못하니까요.
그래서 그 다음 단계로 개발된 것이 subunit vaccine입니다.
이는 병원체 전체가 아닌, 그 구성분 중에서 면역을 유도할 수 있는 성분 단위만 딱 골라내서 만든 백신입니다. 그 성분이란 polysaccharide나 protein, peptides 등이었죠.

Subunit vaccine은 이 성분들에 따라 분류됩니다.
당연히 기존 백신들보다는 안전도가 높았지만, 만드는 과정이 복잡하여 시간이 많이 걸리고, immunity 유도와 유지가 기존 백신들보다는 열등해서 추가 접종이 필수라는 단점은 여전합니다.
종류별로 살펴 봅시다.

#### (1) Polysaccharide subunit vaccine

폐렴알균 백신인 Prodiax, 수막알균 다당류 백신, ViCPS 백신 등이 polysaccharide vaccine입니다.
Polysaccharide 는 이름 그대로 polymer 모양, 즉 그러니까 같은 형태의 구조물들이 끊임없이 이어집니다.
Polysaccharide 전체 덩치를 보았을 때 이와 결합하려면 웬만하면 아무데나 찔러도 쉽게 달라 붙을 수 있음을 의미합니다.
그런 연유로, 항체를 만들어내는 B-cell 의 입장에서는 그 누구의 도움 없이도, 다시 말해 helper T-cell과 MHC class-II 매개가 없어도 비교적 손쉽게 자기 혼자 달라 붙어서 항체를 만들어낼 수 있습니다.

그래서 이 polysaccharide subunit antigen은 T-cell independent antigen입니다.
그런데 B cell은 항체 만드는 건 잘 했는데, 거기까지가 다입니다.
왜냐하면 isotype switching이 거의 안 일어나고, affinity maturation 을 통한 내부 경쟁이 안 벌어져서 그 결과 memory cell이 전혀 안 남습니다.
만들어 놓은 항체들을 그냥 그렇게 얼마 동안 곶감 빼먹듯이 쓰다가 결국 고갈되는 것이지요.
그래서 세월이 지나 재고가 바닥나면 다시 맞아야 합니다.
폐렴알균 백신인 Prodiax의 경우 접종 후 5년 지나면 다시 맞아야 하는 이유입니다.
이 문제는 protein conjugate vaccine으로써 해결을 합니다.

### (2) Protein subunit vaccine

반면에 protein subunit vaccine은 T-cell dependent antigen을 갖추고 있어서, memory cell을 남기기 때문에 polysaccharide vaccine보다는 면역 유지 기간이 더 깁니다.
Hepatitis B, acellular pertussis vaccine 등이 이에 해당합니다.
또한 코로나 19용 백신인 NovaVax COVID-19 vaccine (Nuvaxovid, Covovax)도 protein subunit vaccine입니다(뒤에 기술할 virus-like particle vaccine으로 분류되기도 합니다).

### (3) Conjugate vaccine

앞서 언급했지만, polysaccharide vaccine의 짧은 수명이라는 단점은 상대적으로 긴 수명인 protein을 덮어 씌움으로써 해결합니다. 이것이 conjugate vaccine입니다. 접종 후 체내로 들어오면 면역 체계는 이 백신을 protein으로 간주하고, protein에 걸맞게 접대 과정을 밟게 합니다. 즉, T-cell dependent antigen으로서 대우를 해주게 되어 memory cell을 남깁니다. 그 결과, 면역능 유도가 더 나아지고, 유지 기간도 길어지는 것입니다(사실상 평생).
폐렴알균 백신인 PreVena, 수막알균 백신인 Menveo, Haemophilus influenzae type b conjugate vaccine 등이 이에 해당합니다.

### 4) Outer membrane vesicle vaccine

Outer membrane vesicle (OMV)은 좀 신기한 구조물입니다. 이는 그람 음성균이 동료들에게 전할 어떤 메시지를 담기 위해 세포막 일부를 뜯어내어 마련한 편지 봉투입니다. 여기서 메시지란 다른 동료 균들에게 함께 행동을 취하자는 내용이 든 물질인데, 그게 DNA나 RNA가 될 수도 있고 signal 전달 단백질이 될 수도 있습니다. 그렇게 함으로써 멀리 떨어진 동료들과 합심하여 무언가를 하는 수단이 됩니다. 아마 biofilm을 만들거나, quorum sensing의 용도로 쓰일 겁니다.
소위 말하는 전령 정도라고나 할까요?
꼭 스타워즈에서 제국의 대 항공모함에서 나온 전투기 타이 파이터가 연상되지 않습니까?
이 타이 파이터가 혈중에 나오면 당연히 우리 면역 체계가 "요 놈!"하고 잡아 족치려 할 겁니다.
이게 바로 면역 유도성이 상당히 좋다는 것이죠.
바로 이런 특징을 이용해서 필요한 항원을 담은 것이 OMV 백신입니다.

대표적인 예가 B형 수막알균 백신입니다.
수막알균 serotype B는 이전까지는 골치거리였습니다. 다른 serotype은 백신을 만들 수 있었지만, 유독 이 serotype B만은 어려웠습니다. 그 이유는 태아의 신경세포 표면에 표현된 alpha-2,8-N-acetylneuraminic acid와 유사한 구조를 가지고 있어서 인체 면역 체계가 이 B 혈청군을 self로 인식하므로 immunogenicity를 발휘하지 못하기 때문이었습니다. 결국 OMV 기반으로 백신을 만들어 내어 현재 해결은 된 상태입니다.

### 5) Virus-like particles

Viurs-like particle (VLP)은 항원이 위치한 바이러스의 표면을 인위적으로 흉내내서 만든 무늬만 바이러스인 가짜 구조로, 원래보다 항원을 더 많이 과장되게 배치해 놓았습니다. 그래서 매우 강한 면역 반응을 유도합니다. 대표적인 예가 B형 간염 바이러스와 human papillomavirus 백신입니다.

### 6) Vaccines using adenoviral vectors

바이러스를 vector로 이용하는 백신은 원래는 암을 예방하기 위한 용도였지만, 최근 코로나 19 백신으로 개발되면서 처음 세상에 공개되었습니다.
이는 증식 능력이 거세된 adenovirus에 해당 항원(코로나 19의 경우는 spike protein이겠죠)을 만들어내는 DNA를 탑재하여 접종을 하게 합니다. 체내에 들어간 바이러스는 오로지 숙주 세포에 DNA를 전달만을 하고 장렬히 전사합니다. 숙주 세포 내에 들어간 DNA는 세포 핵에 도달하여 항원을 만들어냅니다.

여기서 오해하면 안 되는 것으로 명심해야 하는 게 있습니다.
세포 핵에 도달하니까 숙주에 mutation을 유발하는 것으로 잘못 생각하기 쉽습니다.
결론부터 말하면 절대로 그럴 일은 없습니다.
세포 핵에 들어는 가지만, 숙주의 chromosome에 가서 같은 식구인양 틀어박히는 게 아닙니다. 그런 짓을 하는 건 에이즈 바이러스 같은 retrovirus뿐입니다. 숙주 chromosome은 전혀 건드리지 않고, 그 밖에서 시설물들을 무단 사용하면서 자신의 mRNA를 만들고 cytoplasm으로 조용히 빠져 나와 ribosome으로 가서 나머지 작업을 완수하는 겁니다. 따라서 염려하시는 것처럼 mutation이 일어날 소지가 원천적으로 없습니다.

그런데, adenovirus는 아시다시피 감기 바이러스라 우리 면역 체계가 이 놈을 단 한 번도 못 만났을 리가 없습니다. 아무리 증식 능력이 거세된 놈이라 해도 우리 몸에 들어온 이상, 과거의 불쾌한 기억을 갖고 있는 우리 면역계가 이 놈을 그냥 놔둘 리 없습니다.
그래서 adenovirus vector는 성공적인 택배 업무를 완료하지 못하고 중도 낙오할 위험성이 있으며, 이는 접종이 반복될 수록 더 심해질 것입니다.
그래서 (제가 맞고 고생했던) AstraZeneca 코로나 19 백신 같은 경우는 사람이 아닌 chimpanzee adenovirus (ChAdOx1)를 택배 기사로 사용하기도 했습니다.

10강

### 7) Nucleic acid-based mRNA vaccine

이 mRNA 백신 또한 코로나 19 덕분에 예정보다 일찍 세상에 선을 보였습니다.
항원을 encoding하는 mRNA를 lipid nanoparticles에 담아 접종하여 숙주 세포가 받아들이게 합니다.
이는 RNA라서 숙주의 핵까지 들어갈 필요 없이 cytoplasm에서 모든 작업을 완료하므로 이 또한 mutation을 일으킬 가능성이 제로입니다. 숙주 세포 내에서 항원이 만들어지면 세포 표면에 전시하게 되고 이것이 DC에 의해 인지되어 진행되는 과정은 앞서 자세히 설명한 immunization 과정과 동일합니다.

여기서 하나 짚고 넘어갈 것은, 이 백신에 쓰이는 mRNA가 자연산이 아니라는 사실입니다.
그냥 자연산 mRNA를 백신으로 쓰면 숙주 세포에 도달하기도 전에, 혹은 도달하더라도 mRNA를 남으로 인식하는 면역 기전(특히 ribonuclease나 TLR-7 & 8)때문에 모조리 몰살당하여 좌절됩니다.
그래서 mRNA 내의 nucleoside 일부를 살짝 바꿔서(uridine을 pseudouridine으로, 그리고 cytosine을 methylcytosine으로) 입체 구조 또한 변형시킴

으로써 우리 면역 체계가 인지하지 못하게끔 만듭니다. 이러한 구조의 RNA를 modified RNA (ModRNA)라 합니다.
현재까지 나온 mRNA 백신은 Pfizer와 BioNTech의 BNT162b2, Moderna의 mRNA-1273가 있습니다.

### 8) Nucleic acid-based DNA plasmid vaccine

아데노바이러스 벡터 백신과 mRNA 백신에 이어 또 다른 platform의 새로운 유형의 백신으로 DNA plasma 백신이 있습니다.
이게 작용 기전이 참으로 재미있습니다.
한 마디로 세포에 찰나의 시간 동안 구멍들을 숭숭 뚫어서 주입하는 방식입니다.
코로나 19 DNA plasmid vaccine을 예로 들면, spike protein 유전자 DNA를 plasmid에 얹어서 주입합니다. 그런데, 그냥 plasmid 하나 달랑 접근시켜 봐야 인체 세포는 꿈쩍도 안 하니까 억지로 문을 열어야 합니다.
그래서 고안한 방법이 매우 기발해요.
접종 주사기가 특수한데, 주사 놓으면서 순간적으로 전류를 쾅하고 때립니다.
그러면 세포는 '어머낫!' 하고 놀라며 여기저기 스위스 치즈처럼 구멍들이 숭숭 뚫립니다.

이를 electroporation이라 합니다.
그 찰나의 시간 동안 plasmid가 도둑처럼 잽싸게
그 구멍들을 통과해 들어가는 것이지요.
아이디어는 좋은데 아직은 검증 단계에 있습니다.

## Adjuvants

생백신 이외의 백신은 항원만 줘서는 만족할 만큼의 면역능을 얻기가 어렵습니다. 그래서 보완책이 필요한데, 그것이 바로 adjuvant입니다.

흔히 사용되는 것이 aluminum salts인데 monophosphoryl lipid A를 파트너로 함께 하기도 합니다.
어떤 식으로 해서 면역 반응을 증폭시키는지에 대해서는 기전이 확실하게 규명된 것은 아닙니다만, 이 aluminum이나 lipid A (endotoxin이잖아요!)가 PAMP로 작용하여 innate immunity를 약 올려서 증폭시키는 것으로 보시면 될 겁니다.

이들 둘 외에도 adjuvant로 사용되는 것으로는 squalene-based oil-in-water emulsion, synthetic oligodeoxynucleotides가 있습니다.
그런데 통상적으로 쓰이는 adjuvant는 유감스럽게도 세포 면역에 있어서는 Th1보다는 Th2로 기울어지는 경향이 있습니다. 이런 경향을 뒤집고자 최근 개발된 adjuvant가 AS03과 Matrix-M입니다. 이들은 NovaVax에 adjuvant로 첨가되어 Th1 세포 면역이 잘 발휘되도록 하고 있습니다.

## 그 밖의 첨가물들

방부제(preservative)로 최근까지 쓰인 것이 thimerosal (thiomersal)입니다. 이는 organomercury compound, 즉 수은을 함유한 유기물로 세균과 곰팡이가 스는 것을 방지합니다.
하지만 수은을 함유하고 있다는 것 때문에 백신 부작용의 주범으로 많은 의심을 받았고, 한때 소아 자폐증의 원인으로도 지목되기도 했습니다. 이는 과학적 근거가 없는 것으로 판명이 되었지만, 아예 의심과 비판을 원천 봉쇄한다는 의도에서라도 현재는 소아 예방접종 백신에는 포함되지 않고, influenza 백신에만 미량 첨가되어 있습니다. Thimerosal 입장에선 조금 억울하기도 할 겁니다.

Influenza와 황열 백신은 처음부터 달걀에서 배양된 것으로 시작했기 때문에 계란 성분이 들어 있습니다. 그래서 달걀 allergy 있는 경우에는 금기입니다만, 최근 influenza vaccine은 세포 배양으로 만들기 때문에 더 이상 금기가 아닙니다.
그 밖에 formaldehyde나 2-phenoxyethanol이 첨가된 백신이 있으며, 특히 polyethylene glycol (PEG)은 최근 코로나 19 백신의 성분 중에서 allergy를 일으키는 물질로 지목되었습니다.

## Adverse effects

제너가 처음 우두 접종을 들고 나왔을 때 이에 반대하는 움직임도 매우 강렬했습니다. 우두를 맞으면 암소가 된다나, 뭐라나 하면서 말이죠.
결국 모두에게 받아들여지긴 했지만 이러한 백신 반대 운동과 음모론은 근대를 지나 현대에 와서도 사실상 여전히 계속되고 있습니다.
뭐, 이해가 가기는 합니다.
실제로 백신을 접종 받고 심각한 부작용과 합병증이 생긴 사례들이 속출하니까 이런 비판 반응들이 나오는 게 무리가 아닙니다.
문제는 근본적으로 공리주의에 입각한 백신 접종의 정책이 옳으냐, 아니면 단 한 명의 목숨도 중요하다는 주장이 옳으냐의 갈등이 되겠으며, 코로나 19 pandemic 시대의 백신 접종 정책 역시도 이러한 논란에서 벗어나지를 못하고 있습니다.

아마도 백신에 대한 부정적인 인식의 계기는 앞에서 언급했던 MMR백신의 자폐증 유도 주장과 더불어, 포드 대통령 시절 처음 시행했던 국가 독감 백신 접종 사업이었을 겁니다.
1918-1919년 스페인 독감의 악몽을 사전 예방하기 위해, 그런 낌새를 보이던 1976년에 미국 포드 대통령은 의욕적으로 독감 백신 접종 캠페인을 시작했고 4천여만 명이나 접종을 받았으나, 길랑바레 증후군(Guillain-Barre syndrome)이 이 기간 동안 갑자기 50여 명이나 발생하는 바람에 전격 중지하게 됩니다.
이는 당연히 여론의 악화를 가져오고, 포드 대통령 또한 대선에서 지미 카터에게 패배하는 빌미를 제공했으며, 독감 백신에 대한 부정적인 인식이 팽배하게 되었습니다.

사실 현재 접종되고 있는 백신들은 엄격한 임상 시험 과정을 거치며 검증을 받은 제품들이기 때문에 전반적으로는 안전하다고 보는 게 맞습니다.
백신 맞고 생기는 부작용들은 대체로 발열, 접종 부위 통증, 근육통 등으로 요약됩니다.
드물게나마 부작용이 나타나는 경우는 백신 성분도 성분이지만, 앞에서 백신 작용 기전에서 언급했던 접종 직후의 nonspecific innate immunity도 유력한 원인이며, host factor도 고려를 해야 할 필요가 있습니다.
생명을 위협할 정도의 위중한 부작용은 일단 언론에 보도되면 큰 사건으로 다가오지만 사실은 흔한 사건은 아닙니다. 안전성 면에서 임상 시험을 통해 철저한 검증 과정을 거친 것인데 그럴 리가 없지요.

요즘 들어 주목 받는 부작용으로 ADE (antibody-dependent enhancement of entry)가 있습니다.
특히 뎅기열 백신을 맞은 이후에 일어날 수 있는 일로서 제시되었는데, 백신을 맞았음에도 불구하고 뎅기 바이러스를 차단하기는커녕 오히려 뎅기 바이러스 감염을 더 조장한다는 역설적인 상황을 일컫는 현상입니다.
이는 뎅기에 대한 항체에서 Fc (crystallizable fragment) 부위가 매개하는 것으로 기전이 밝혀졌으며, 사실상 뎅기 바이러스를 2번째로 조우하는 셈이라 severe dengue로 갈 위험성이 크다는 점에서 중요합니다.
'항체가 오히려 우리에게 해를 준다? 우릴 지켜주는 수호신인데?'하고 의아해 하시는 분들이 꽤 많으실 겁니다.

말이 나온 김에 immunoglobulin의 정체성에 대해서 확실히 하고 넘어갑시다.

영어로는 immunoglobulin이지만, 번역 용어로는 막을 항(抗)자인 항체(抗體)니까 우리를 외세의 침략으로부터 방어해 주는 믿음직한 슈퍼 히어로처럼 보이시죠?
사실 저조차도 항체라는 말을 쓸 때마다 저도 모르게 그런 느낌을 받습니다.

왜 이런 현상이 생기냐 하면, 우리가 면역학을 배우고 이해하려고 할 때 자기도 모르게 의인화해서 비유를 하며 익히는 경향이 있어서 그럽니다.
의인화로 비유하다 보니 자기도 모르게 들게 된 편견인 셈이죠.
이는 사람이라면 자연스럽게 하게 되는 편견이기도 합니다.
이를 정확히 간파한 사람이 바로 프랜시스 베이컨입니다.
그는 '우리 인간은 자각하지 못한 사이에 자신의 감각과 인식으로 스스로를 속인다'고 하였습니다.
그것을 '우상'이라고 불렀습니다.
우상은 4가지인데, 동굴의 우상(아집), 시장의 우상(팔랑귀), 극장의 우상(권위에 굴복), 그리고 종족의 우상입니다. 이 의인화에 의한 편견이 바로 종족의 우상입니다.
전형적인 예가 '새가 구슬피 우네' 같은 표현입니다.
새가 뭐가 슬퍼서 구슬피 울겠습니까?
그냥 본능적으로 성대를 진동할 뿐인데.

Immunoglobulin도 마찬가지입니다.
Immunoglobulin은 지능이 없습니다. 그냥 단백질일 뿐입니다.
그냥 B cell 표면에 멍하니 있다가, 혹은 떨어져 나와 혈류를 어슬렁거리다가 우연히 자기 품 안에 딱 맞는 물질(항원)을 만나면 그냥 결합할 뿐이지 그 이상도, 그 이하도 아닙니다.
한 마디로 그냥 receptor일 뿐입니다.
그래서 세포 표면에 있는 receptor들 중에 immunoglobulin과 동족인 종류의 receptor들이 이미 흔합니다.
대표적인 게 그 유명한 T cell receptor입니다.

Immunoglobulin은 두 팔을 벌린 Y자 모양입니다. 그 두 팔이 항원과 결합하는 부분, 즉 Fab (antibody binding) fragment입니다. 나머지 부분이 바로 Fc fragment입니다.
항원과 결합하고 나면 바로 이 Fc fragment가 '날 잡아 잡수'하고 멀거니 노출됩니다.
짚신도 짝이 있다고, 이 또한 분명히 궁합이 맞는 짝이 있을 겁니다.
그게 바로 Fc receptor입니다.

이 receptor는 하필이면 monocyte나 macrophage에 많습니다.
다시 뎅기 바이러스를 예로 들자면, 뎅기 바이러스를 붙잡은 immunoglobulin은 이 Fc receptor에 Fc 부위가 결합되어 붙잡힙니다. 그러다 보면 뎅기 바이러스가 Fc receptor-Fc portion 결합을 매개로 하여 얼렁뚱땅 세포 안으로 자연스럽게 들어갑니다. 일단 들어가면 오히려 바이러스가 더 잘 증식되어 나중에 바이러스가 더 많이 퍼지게 되는 것입니다.

하지만 코로나 바이러스 백신의 경우는 뎅기 바이러스 백신 같은 생백신, 즉 바이러스 자체가 달라 붙은 게 아니고 항원이 붙은 걸로 시작하는지라, 코로나 바이러스가 증식하는 상황이 벌어지지 않는 전혀 다른 기전입니다. 항체와 항원이 결합되면 그대로 면역 복합체(immune complex) 형성이 됩니다. 그렇게 되면 complement가 활성화되는데, 하필 그 부위가 호흡기 점막입니다. 그 결과 오히려 호흡기계의 염증을 악화시키는 역설적인 결과를 초래할 수 있습니다.

뎅기와는 달리 이 부작용은 아직 현실화되지는 않았지만 향후 코로나 19 백신 접종 후 오랜 기간이 흐른 뒤에 나타날 수 있는 소지가 있기 때문에 고려는 하고 있는 게 좋겠습니다.

이번 기회에 면역학 기전을 접할 때는 의인화에 의한 비유에 너무 몰입하지는 마시고, 필요할 때는 냉정하게 바라보시기 바랍니다. 앞으로도 그런 상황을 많이 마주하게 될 테니까요.

## Breakthrough infection

백신을 맞고서도 그 병원체에 감염되는 경우를 돌파 감염이라고 합니다. 이는 해당 백신 접종이 충분한 immunity를 제공해 주지 못했거나, 접종 받은 지 오래돼서 immunity가 저하되어 있는 상태에서 감염이 되기 때문에 일어납니다. 거듭 강조하지만, 백신은 치료제가 아니고 예방책이므로 돌파 감염이 됐다고 해서 슬퍼하거나 두려워할 필요는 없습니다.

돌파 감염은 정도의 차이일 뿐, 일어나선 안 될 일이 일어난 게 아니기 때문입니다.
돌파 감염 현상은 코로나 19 pandemic인 현재는 주로 백신과 관련해서 선호되는 용어지만 사실은 새삼스러운 것도 아닙니다.  사용 범주도 백신뿐 아니라 더 넓어서, 원래 세균 혹은 곰팡이 감염에 주로 쓰던 용어였습니다.
A라는 균이 있고 B라는 항생제가 이 균을 확실하게 죽인다는 증거까지 있다면 항생제 B를 A균 감염에 사용하면 이론적으로는 반드시 들어야 하겠죠. 그런데, 실제 상황에서는 안 듣는 일이 종종 생깁니다.
요인은 여러 가지가 있지만, 아마도 가장 흔한 건 해당 환자의 면역 상태가 무너진 경우일 것입니다.

우리가 항생제와 균의 관계에서 약간 오해하고 있는 것이, 오로지 이 양자간의 관계일 뿐이라고 간주하는 것입니다.

사실은 항생제만 균과 맞장 뜨는 게 아니고, 환자의 수비력(면역력)도 힘을 보태어 균과 싸우는 것이어요.
임진왜란 때 조선의 정식 관군들만 싸운 게 아니고 백성들이 의병활동을 벌여서 저항했듯이 말이죠. 만약 의병운동이 안 일어났다면? 뭐긴 뭐야, 병자호란 되고 삼전도의 삼배구고두례 치욕이죠.
그래서 특히나 면역 저하 환자의 침습성 곰팡이 감염질환에서 이런 난감한 돌파 감염이 생기는 경우를 주로 보게 됩니다.
헷갈리면 안 되는 게, 만약 균이 그 항생제에 저항하기 때문에 (공식 용어로 내성균 되시겠다) 안 듣는 거라면, 내성에 의한 감염이지 돌파감염이 아니어요.

백신과 관련된 돌파 감염도 이런 맥락에서 보면 됩니다.
예를 들어, 코로나 19를 잡으라고 만든 백신이지만 열이면 열 모두 통하는 건 아닙니다.
같은 이유로, 이 세상 모든 백신들 중에 100%의 완벽한 방어율을 보여주는 놈은 없습니다.

결론 내리자면, 돌파 감염이란 일어나선 안 될 일이 일어난 게 아니며, 어떤 상황에서건 일어날 일 중의 하나일 뿐입니다. 물론, 이게 도가 지나치면 해당 백신은 물 백신이라는 의심을 사기 충분하지만, 현재 접종 중인 백신들이 무용지물이라고 호들갑을 떨 필요까지는 없습니다.
그리고 일정 수준 이상의 집단 면역을 달성하는 것은 흔히 알려져 있듯이 백신 미접종자를 보호하는 것만이 아니며 (소위 무임승차 효과), 바로 이 돌파 감염도 최선을 다해 경감시킬 수 있습니다.

## Eradication 성공 사례

백신 반대 운동이 아직도 성행하지만, 인류 역사에서 백신이 공헌한 바가 매우 크다는 것은 분명한 사실입니다.
가장 큰 결실은 역시 smallpox의 박멸이죠. 아직 제 어깨에는 천연두 백신 흉터가 남아 있습니다만, 아마 요즘 젊은 세대는 그런 사람이 하나도 없을 겁니다. 왜냐하면 더 접종할 필요가 없었을 정도로 천연두를 몰아냈기 때문입니다.

소아마비는 어떻구요?
제가 어릴 적인 1960년대에는 다리 절고 다니는 이들이 자주 보였었습니다.
사실 1950-60년대만 해도 polio는 공포의 질병이었습니다.
이젠 어떻습니까?
적어도 국내에서는 거의 보기 어려운 질병이 되었습니다.
소아 사망의 절대적인 원인 중 하나였던 diphtheria도 이제는 드물디 드문 감염 질환이 되었으며, 홍역, 볼거리, 풍진도 가끔씩은 보지만 막상 이 또한 희귀해졌지요.

저만 해도 어릴 때 홍역, 수두 등 앓을 만 한 건 다 앓았습니다. 홍역 앓을 때는 거의 죽음 직전까지 갔었다고 하더군요. 1960년대 당시에는 국가 소아 예방접종 사업이 시작되기도 훨씬 전입니다. 제가 그 고난들을 겪으면서 죽지 않고 무사히 오늘까지 살아온 것은 정말 조상이 돌보고 천운이 있었다고 밖에 말할 수 없습니다.

아무리 부인을 하여도, 과거, 그것도 반세기도 안 된 과거와 비교해 보아도 백신의 발명으로 인류가 각종 감염병으로부터 생명을 구할 수 있게 되었다는 것은 엄연한 사실입니다.

과학의 발전으로 인류의 안녕에 공헌한 증거가 있으면 그대로 인정합시다.

## 예방 접종 프로그램

소아 예방 접종 프로그램은 이 강의에서 다룰 영역이 아니라서 더 자세히 논하지 않겠습니다.
자세한 것은 질병관리청으로 접속해서 표준 예방접종 일정표를 참조하시기 바랍니다.

(https://nip.kdca.go.kr/irgd/introduce.do?MnLv1=1&MnLv2=4)

성인예방접종도 질병 관리청에 잘 정리되어 있습니다.

(https://nip.kdca.go.kr/irgd/introduce.do?MnLv1=1&MnLv2=4&MnLv3=2 )

백신에 관련해서 추천할 만한 과학 교양서로는 율라 비스 저, 김명남 옮김 '면역에 관하여 (열린책들 간)'를 권합니다.

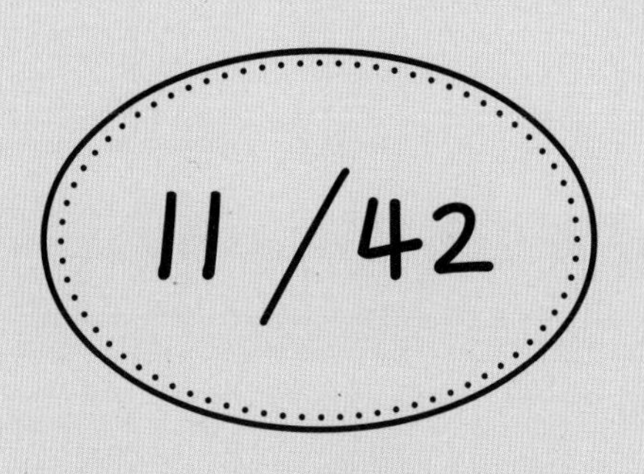


제11강

# 적은 내 곁에 있다 - 의료 관련 감염

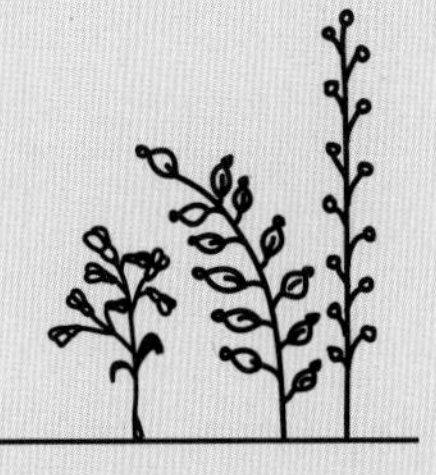

# 적은 내 곁에 있다 - 의료 관련 감염

이제 의료 관련 감염(health care-associated infection, HAI)에 대하여 다루어 보도록 하겠습니다.
한때는 병원 감염(hospital-acquired or nosocomial infection)이라 지칭했으나, 의료 행위와 관련된 감염은 병원이라는 공간을 넘어 퇴원 후 요양 시설이나 기타 의료 기관, 그리고 지역 사회까지 전파될 수 있기 때문에 보다 포괄적인 개념으로서 HAI라는 용어로 대체되었습니다.

병원(hospital)의 어원은 라틴어 hospes인데, 손님 혹은 낯선 이방인을 뜻합니다.
여기서 더 파생된 단어가 hospitium인데, 영어로 hospitality, 즉 찾아오신 분들을 따뜻하게 환대한다는 의미입니다.
병원은 영국과 미국에서 18세기 초에 들어서야 환자를 치료하는 제대로 된 기관으로서의 역할을 하기 시작합니다. 그 결과 런던에서 시작하여 미국까지 건너가 뉴욕, 펜실배니아, 그리고 보스턴에 대형 종합병원이 차례로 건립됩니다. 이에 따라 병원 규모만큼이나 많은 환자들이 입원하게 되겠죠. 오늘날도 마찬가지이죠. 역시 대마 불사입니다.
그런데 말입니다.
20세기 중후반에 들어서 병원 내 의료진들은 뭔가 문제가 생기기 시작함을 인지하게 됩니다.
병 고치러 들어온 환자들이 입원 전에는 없었던 감염이라는 병을 얻는 겁니다.
결국 이건 큰 문제임을 각성하게 되지요.

이 인식은 병원이란 곳의 정체성에 대해 원점으로 돌아가서 다시 숙고를 하게 됩니다.
병원이란 어떤 곳입니까?
환자들이 들어와 모이는 곳입니다.
환자들은 각자 자기의 병을 가지고 오기도 하지만, 병원체도 가지고 올 수 있으며, 병원도 그런 면에서 완벽하지 않습니다.
병원에서는 각종 항생제와 소독제를 사용하는 와중에 병원체들 중에서도 살아남는 것들이 나옵니다.
그리고 병원에 터전을 잡습니다.
그리하여, 환자로부터 시작되었건, 아니면 병원 자체에서 시작되었건, 어쨌든 병원은 병원체들이 집합하는 장소가 됩니다.
결국 의료진은 병원에서 환자가 갖고 온 병과 싸우지만, 그와 동시에 또 다른 적과도 싸워야 합니다.
그 것이 바로 병원 감염, 오늘날의 의료 관련 감염(HAI)입니다.

적은 내 곁에 있는 것입니다.

## HAI의 개요

HAI란 의료 행위와 관련된 모든 감염입니다.

- 환자가 의료 기관에 입원한 지 48시간 후
- 혹은 퇴원 후 2주 이내
- 또는 수술 후 30일 이내에 발생하는 감염으로 정의됩니다.

사실 이 정의는 종전의 병원 감염과 다르지 않습니다.



의료 관련 감염이라는 개념을 감안한다면 종전에는 원외 감염 혹은 지역사회 감염의 범주에 들어가던 감염 질환들의 일부들도 다음과 같은 조건들이 충족된다면 추가로 의료 관련 감염에 확대되어 포함됩니다.

- 감염이 일어나기 30일 이내에 집에서 정맥 주사로 치료를 받았던 경력이 있거나
- 창상 치료, 그 밖의 전문적인 간호 관리(예를 들어 방문 간호)를 받은 경우
- 30일 이내에 개인 병원을 방문하거나 혈액 투석을 받은 경우
- 감염 발생 90일전 이내에 급성 질환 치료를 받기 위해 이틀 이상 입원했던 경우(예를 들어 개인 소규모 종합병원 응급실 진료 경력)
- 요양 병원 같은 만성 환자 진료 기관에 입원하고 있던 경우

의료 관련 감염관리의 역사는 1840년대 오스트리아의 의사 Semmelweis가 손 위생 개념을 고안한 것을 기원으로 볼 수 있으나, 본격적으로 병원 감염이 중요한 주제로 떠오른 것은 1950년대부터입니다.

당시 항생제가 의료계에 도입되면서 감염질환이 정복되는 듯 보였으나, 곧 구미 각국의 병원에서 *Staphylococcus aureus* 감염 질환 사례가 늘어나면서 의료 관련 감염관리가 중요한 문제로 떠오르기 시작한 것입니다.
이후 그람 음성균 감염, 의료기기 관련 감염의 증가, 각종 항생제 내성의 발현 등 다양한 문제들의 대두와 이에 대한 대처로 오늘날에 이르렀습니다.
21세기 이전까지는 의료 관련 감염의 1/3 정도는 막을 수 없는 것으로 인식되었었으나, 이제는 의료환경에서 불가피하게 생기는 사례이기보다는 최대한 예방해야 하는 대상으로 개념이 바뀌었습니다.
이러한 인식의 변화는 의료 관련 감염 업무에 종사하는 전문인력에 대한 호칭에도 변화를 주게 되어, 감염관리 실무자(infection control practitioner)에서 감염예방 전문가(infection preventionist)로 변경됩니다. 이 호칭이 시사하는 것은, 감염관리 업무는 실무(practice)에서 그치지 말고 반드시 막아내야(prevention) 한다는 은연 중의 압박이라 할 수도 있습니다.
그래서 감염관리에 대한 의료 기관의 책임과 역할이 크게 강조되고 있습니다. 의료 관련 감염을 예방하기 위한 제도의 확립을 위해 의료법이 개정되고, 의료 기관 인증평가 또는 임상 질 지표 평가에서도 감염관리가 차지하는 비중이 높아지고 있습니다.

의료 관련 감염은 치료의 대상이라기 보다는 관리의 영역입니다.
그래서 의료 기관은 감염관리실과 감염관리 전담 인력, 그리고 감염관리 위원회를 구성하여 의료 관련 감염을 관리하고 있습니다.
감염관리 업무에 무엇이 있는지를 나열하자면 다음과 같습니다.

- Surveillance를 행합니다. 이를 통해 평소 원내 미생물 분리 양상을 파악함으로써 새로운 상황 발생에 대처하기 위한 기반 자료를 구축합니다.
- 원내 동시 다발 감염(outbreak)이 생기면 신속히 차단하기 위한 제반 조치를 취합니다. 발생 시작점을 조사 및 파악하고 더 이상의 전파를 막기 위한

intervention을 합니다.
- 전염력 위험이 있는 감염일 경우 전파 기전에 맞게 적절한 격리 방침을 시행합니다.
- 중환자실 같은 의료 관련 감염 취약 지역들을 정기적으로 꾸준히 관리합니다.
- 의료진, 환자, 간병인, 방문자 등을 대상으로 감염관리 관련 교육을 합니다.
- 정부 보건 당국과 긴밀한 유대 관계를 유지합니다. 앞서 언급한 surveillance 등의 자료와 정보들을 정부 기관, 타 의료 기관 감염 담당 부서들과 네트워크를 통해 공유합니다.
- 항생제 남용 방지를 위한 조절 프로그램을 운용합니다(antimicrobial stewardship).
- 직원 감염관리 업무도 중요합니다. 예를 들어 입사할 때 vaccination 실시, needle stick에 대한 대처, 옴에 걸린 환자뿐 아니라 접촉한 직원들에 대한 조치 등이 있습니다.
- 손 위생 등의 개인 위생 관리를 모니터링하면서 수행률이 최대치가 되도록 합니다.

11강

등등....
이와 같이 챙겨야 할 일들이 정말 많습니다.

의료 관련 감염은 이제는 정부와의 네트워크 관계입니다.

오늘날 의료 관련 감염에 대한 관심은 감염관리 전문가에만 국한되지 않고, 모든 의료진과 의료 관련 정부 공공기관, 그리고 시민단체 등에 이르기까지 범위가 확대되고 있습니다. 의료 관련 감염관리는 의료 기관 각자가 시행하는 체제로 시작되었지만, 효율성과 정보 공유, 지침의 일관성의 필요로 인하여 네트워크 구축 체계로 발전하고 있으며 향후에도 민관 합동의 토대에서 점차 더

통합적으로 이루어질 것입니다.
개입이란 궁극적으로 규제나 법률에 의한 강제성을 의미합니다. 이러한 안들을 만드는 정책 입안자나 국회의원들은 그들의 납세자 혹은 투표권자인 국민들(우리 의료인의 시각에서는 의료 소비자)을 의식하지 않을 수 없지요.

문제는, 의료계는 진료 지침 하나를 만들더라도 확실히 검증된 과학적 근거에 기반하는 것을 기본으로 하지만, 정부 공공 기관이나 의료 소비자들은 이러한 틀에 익숙한 집단이 아니며 시류나 사회 정서를 주로 반영하는 경향이 있습니다. 이러한 괴리 때문에 관련 각종 법안이나 규제안 등은 의료계의 입장에서는 완전히 수긍하기 어려운 것들일 가능성이 높습니다.

향후 의료계는 이러한 동향에 대해 대비를 잘 해야 합니다.
특히 2015년 메르스(MERS-CoV), 2020년부터의 코로나 19 팬데믹에서 겪었듯이 의료 관련 감염은 필연적으로 민관 합동의 틀로서 다뤄져야 한다는 교훈을 얻은 이 시점에서, 향후에도 감염관리는 정부 공공기관과의 상호 협동으로 진행될 것입니다.

물론 민관 합동으로 감염관리에 임하는 체제가 과연 성공적인 감염관리의 성취에 도움이 될지 회의적인 시각도 적지 않습니다. 그러나 효율적인 감염관리를 위해서는 민간 의료 기관 각자가 하는 것보다는 민관 합동으로 마련된 체계를 통해 정보 공유와 통일된 감염관리 교범으로 행하는 것이 더 나을 것입니다. 민관 합동의 과정을 통해 전국 주요 병원들이 하나의 네트워크로 들어옴으로써 정보의 공유와 일관된 지침 적용 등의 장점들이 다른 단점들을 상쇄하고도 남기 때문이죠. 따라서 민관 합동에 의한 감염관리는 원론적으로 필연적인 추세이며, 그 과정에서 수반되는 각종 문제점이나 갈등들을 잘 조율해가면서 보완을 하는 것이 최선일 것입니다.

## 의료 관련 감염관리 숙지를 위한 필수 지식

실질적인 면에서의 의료 관련 감염관리를 요약하자면 전염(감염의 전파 경로)의 차단과 내성과의 싸움이라 할 수 있습니다. 이를 수행하기 위한 필수 지식들은 다음과 같습니다.

### 1. Mode of transmission

11강

의료 관련 감염의 전파 경로에는 공기(air-borne), 비말(침 방울; droplet), 접촉(contact) 전파가 있습니다.
침 방울의 크기가 5 μm보다 작으면 공기 전파, 크면 비말 전파로 분류됩니다.
결핵, 홍역, 수두가 대표적인 공기 전파 감염 질환이고 이들 이외의 호흡기 감염 질환들이 비말 전파 질환입니다.

비말 전파의 경우, 한계 범위는 평균 3피트(약 1미터)입니다.
이는 격리 조치 시에 밀접 접촉을 규정하는 기준이 됩니다.
단, 이는 절대적인 구분은 아닙니다.
비말 전파에 해당한다 하더라도 밀폐된 공간이거나 aerosol이 조성되는 환경이라면 얼마든지 비말 전파에서 공기 전파로 바뀔 수 있는 일종의 상대적 개념으로 간주하시는 게 좋습니다.

대표적인 예가 원내에서 기관지 흡인 등의 조치로 연무질(aerosol)이 만들어지는 경우입니다.
Aerosol은 5 μm 미만뿐 아니라 그보다 큰 침 방울도 같이 섞여서 공기 중에 부유하고 있습니다.

이 aerosol에 대해서는 이어지는 내용에서 별도로 다시 설명드리지요.
환자에서 배출된 침 방울은 다른 이의 호흡기 내로 직접 들어갈 수도 있으나, 실제로는 배출물이 어딘가에 떨어져 묻고, 이를 손으로 만져서 다른 이에게 들어가게 되는 경우가 빈번합니다.
그래서 손 위생이 중요한 것이죠.

한편, 근래 들어 공기, 비말, 그리고 접촉 전파에 더해서 환경 혹은 무생물에 의한 전파의 중요성도 점차 커지고 있습니다. 침대 난간이나 이불, 옷감 같이 환자가 쓰는 물품, 청진기나 혈압계, 근무복 같이 의료진이 만지는 사물들, 병실 바닥이나 수도관 등의 환자 주변의 시설물들이 숨어있는 의료 관련 감염의 발원지 중 하나라는 사실 또한 주목하여 이에 대한 조치를 강화해야 합니다.

이상의 경로들에 대해 잘 숙지했다면, 이제 어떻게 대처해야 하는지를 정할 수 있습니다.
그래서 자연스럽게 표준, 접촉, 비말, 공기 주의(precaution)의 원리로 넘어 갑시다.

## 2. 주의(Precaution)

먼저 caution과 precaution부터 구별을 하겠습니다.
접촉 주의니 비말 주의니 하는 용어에서 '주의'는 'precaution'을 번역한 용어입니다.
Precaution은 사전적 의미로 '주의'라는 뜻이지만, 이 단어에서 pre-를 떼어내도 역시 '주의'로 번역됩니다.
우리 말로 똑같이 '주의'로 번역되는 caution과 precaution의 차이는 무엇일까요?

Precaution의 경우는 caution에 더해서 '행동'이 수반됩니다.
즉, 전염 위험이 있는 질환에 대처하여 적절한 방어 조치를 취한다는 의미를 내포하고 있는 매우 동적인 용어입니다.

그래서 precaution에는 갖가지 위생 수칙들이 내포되어 있습니다.
원래는 임상에서 만나는 모든 것이 다 차단 대상이라는 universal precaution으로 시작되었으나, 과잉 방어라는 점과 이에 따른 비용의 과다 수요 등이 큰 걸림돌이 되어, 이후 보다 실전적으로 조정이 됩니다. 현재는 가장 기본적인 수칙들로 구성된 표준 주의 혹은 standard precaution을 기본으로 하고, 감염 전파 경로에 따라 접촉, 비말, 공기 주의 등으로 세분화되고 있습니다.

11강

**1) 표준 주의(standard precaution)**
Standard precaution은 기존 universal precaution의 항목들 중에서 '이 정도는 기본적으로 하셔야죠'라는 기본 틀로 이루어져 있습니다.

제1원칙은 모든 혈액, 체액, 분비물 및 배설물(땀은 제외), 균열된 피부와 점막은 전염성 있는 병원체를 안고 있다는 전제 하에서 조치를 시작합니다.
우선 손 위생을 필두로 하여 장갑, 가운, 마스크, 고글 혹은 안면 보호구를 기본으로 하고, 호흡기 위생 및 기침 예절, 주사 등의 작업에서의 안전 추구, 그리고 척수 천자 등의 시술에서 마스크를 착용해야 하는 등의 원칙들로 구성되어 있습니다.

그리고 이 standard precaution만으로 감염 전파를 완전히 차단하지 못할 경우, transmission-based precautions로 보완을 하는 것입니다.

### 2) 접촉 주의(contact precaution)

접촉으로 전염되는 경로는 직접적인 것과 간접적인 것으로 나눕니다.

직접적인 접촉 전파는 감염원에서 매개체를 거치지 않고 직접 전염되는 기전입니다. 감염된 혈액이나 체액이 직접 점막으로 튄다거나, 옴의 전염 등이 대표적인 예입니다.

간접적인 접촉 전파는 매개체에 의해서 전염되는 기전이며 대표적인 것이 의료진의 손에 의한 전파입니다.

접촉 주의를 해야 하는 경우들은 다음과 같습니다.

- **아직 원인 병원체가 규명되지 않은 경우의 예**
  - 감염성으로 의심되는 급성 설사
  - Vesicular rash: 수두로 의심된다면 airborne precaution으로 전환해야 합니다.
  - 다제 내성균(multidrug-resistant organism, MDRO) 경력자
  - MDRO가 만연한 곳에 있던 피부 연조직 혹은 비뇨기 감염 환자
  - 완벽하게 덮지 못하는 abscess 혹은 draining wound

- **원인 병원체가 규명된 경우의 예**
  - *Burkholderia cepacia* pneumonia in cystic fibrosis
  - *Clostridioides difficile* infection
  - Acute viral conjunctivitis
  - 깊게 패인 욕창 궤양의 감염
  - 기저귀 차고 있거나 실금이 있는 환자의 감염성 설사
  - 옴이나 이 감염

- 소아의 enteroviral infection, furunculosis, parainfluenza infection.
- Hepatitis A, E(기저귀 차고 있거나 실금 있는 환자)
- 전신에 퍼진 피부 점막 HSV
- MDRO
- Norovirus, Rotavirus
- *Staphylococcus aureus*에 의한 심한 피부 연조직 감염. major SSTI

내용을 살펴보면 '이런 질환도 접촉 주의를 해야 해?'하고 의아함을 자아내는 것들이 꽤 있을 것입니다.
예를 들어 포도알균에 의한 뾰루지라든가 깊게 패인 욕창 같은 질환들 말이죠.
얼핏 보기에 쉽사리 전염이 될 것 같지 않은 질환이라 하더라도, 여기저기 신나게 돌아다녀서 통제가 어렵고 전염의 위험 소지가 다분한 소아들, 혹은 병변이 너무 크고 분비물이 많아서 묻거나 튀기 십상인 경우들은 모두 접촉 주의에 해당된다는 사실을 유념해야 합니다.

필수는 아니지만 MDRO라면 1인실에 격리하는 것이 원칙입니다. 접촉 전후 손 위생은 항상 기본이며 1회용 물품을 사용하고, 가능하면 환자를 돌보는 의료진은 각각 전담제로 하는 것이 좋습니다.
손 위생에 더하여 개인 위생으로 가운과 장갑은 병실에 들어갈 때 착용해야 합니다.
마스크는 필수는 아닙니다.

분비물, 배설물과 접촉을 하거나 이에 의해 오염된 점막이나 균열된 피부와 접촉할 때는 접촉 전후 손 위생과 장갑 착용, 가운 착용을 의무적으로 해야 합니다.

### 3) 비말 주의

여기서부터는 마스크 착용이 의무입니다.

비말 주의의 핵심은 비말의 크기와 유효 위험 거리입니다.
비말 주의는 직경 5 μm 이상의 침 방울이 해당사항인 반면, 5 μm 미만짜리 침 방울이라면 공기 주의에 해당됩니다.
직경 5 μm 이상인 경우는 통상적으로 3 ft 이내가 한계입니다. 물론 이는 절대적인 것은 아니며 천연두나 SARS의 경우는 6 ft 정도로 설정하기도 합니다. 그래서 밀접 접촉의 기준을 평균 3 ft로 간주하기는 하되, 미지의 신종 질환이나 병독성이 강한 병원체의 경우에는 6-10 ft 정도까지는 두는 것이 좋습니다.
호흡기를 통해 전염되는 것이므로 독방에 격리해야 하며, 여의치 않은 경우엔 cohort로라도 해결해야 합니다(대량 집단 발생하는 경우에 해당하는데, 실제로는 이런 일이 더 빈번할 것입니다). 이 때는 환자들끼리 서로 3 ft씩 간격을 두어야 하며 커튼은 필수입니다.
환자와 의료진 모두 마스크를 써야 합니다.

### 4) 공기 주의

공기 주의는 5 μm 미만의 침 방울이라 가벼워서 체공 시간이 더 길고 3 ft라는 한계선 없이 더 멀리 전파될 수 있습니다.
공식적으로는 결핵, 홍역, 수두, 전신에 퍼진 대상포진이 해당되는 질환입니다.
지금은 현실성이 없지만 천연두도 여기에 해당합니다.
최근은 신종 질환인 MERS, SARS-CoV, SARS-CoV-2 (COVID-19)도 공기 주의에 준해서 취급합니다.

격리 방법은 비말 주의와 유사하나, 격리하는 방의 설정에서 공기의 환기와 음압 설정을 해야 한다는 점에서 더 철저합니다.

의료진이 착용할 마스크도 일반 외과용 마스크가 아닌 N95 마스크(respirator)를 착용합니다.
N95 respirator란 어느 특정 회사의 상품이 아니고 에어로졸을 95% 걸러낼 수 있다는 뜻입니다.

여기서 잠깐!

에어로졸(aerosol)이란 무엇일까요?



## 3. 에어로졸(Aerosol)

격리니, 공기전염이니, 비말 전파니 하고 따질 때 항상 거론되는 용어가 에어로졸(aerosol)입니다.
번역하면 연무질(煙霧質), 즉 연기와 안개로 이루어진 일단의 혼합 물질입니다.

Aerosol은 colloid입니다.

Colloid란 교질(膠質)이라고 번역됩니다.
교(膠)란 아교같이 끈끈한 성질, 혹은 적어도 2개 이상의 이질적인 물질들이 섞여서 초래된 혼란스러운 상황 등을 표현하는 용어입니다. 다시 말해서, 어느 물질이 다른 물질에 혼재되어 있기는 하되, 녹아 들지는 않고 팽팽하게 공존하는 양상의 혼합 물질을 말합니다.
다시 말해서 액체, 기체, 고체 중 어느 한 가지 성질을 가진 물질이 다른 물질을 만나 섞이되, 본연의 성질을 잃지 않고 유지하면서 공존하는 것입니다. 만약 녹아버리면 상대방 물질이 갖고 있는 성질로 통일되어 버리는 것이기에 더 이상 colloid가 아니며, 이때는 녹을 溶자, 액체 液자, 용액(溶液; solution)입니다.

에어로졸은 액체 혹은 고체가 기체에 뛰어들어서 만남으로써 조성된 것이되 동화되지 않고 각자 섞여 있는 상태의 물질입니다.
여기서 혼동하면 안 되는 것이 있는데, 기체가 액체에 뛰어들어 만들어진 것은 에어로졸이 아니어요. 그런 경우는 '거품'이라고 합니다. 예를 들어 우리가 매일 아침 세수할 때, 세숫물을 양 손바닥에 담아 얼굴에 뿌리면서 무엇을 하지요? 대부분은 숨을 내쉬면서 '어푸푸'할 것입니다. 다시 말해서 액체 물질을 향해 기체를 쏘는 행위이죠. 그 결과 무엇이 생긴다?
거품입니다.

에어로졸은 그 반대로 공기를 향해 액체나 고체가 가해져서 생긴 것입니다.
그렇게 되는 전형적인 상황은 무엇일까요?

기침이나 재채기입니다.
이 상황에서 튀어나온 갖가지 크기의 침 방울(비말)들이 공기 속에 동동 떠있으면서 보이지 않는 뭉게구름 혹은 안개 같은 걸 조성한 것이 바로 에어로졸입니다.

비말은 호흡기계에서 생기는데, 전반적으로 보면 구강, 성대(후두), 그리고 폐기관지에서 발원합니다.
먼저, 구강에서는 기침하는 순간 우리가 흔히 말하는 큼직한 침 방울들이 튀어나옵니다.
최소 20 μm가 넘어가는 크기이며 전반적으로 100 μm 넘는 것들이 주종을 이룹니다.

성대 혹은 후두는 기침이나 재채기에 있어서 가장 주된 역할을 합니다.
따라서 비말 생성에서도 주도적인 셈이고, 구강에서 생성되는 비말보다는 직경이 작은데 보통 1 μm 넘는 정도의 크기를 가진 것들입니다.

그리고 폐 기관지에서 생성되는 비말은 해부학적인 크기 면에서 구강이나 후두보다 훨씬 작고 좁으므로, 거기서 생성되는 비말은 당연히 크기가 작아서 직경 1 μm 이하짜리들이 주를 이룹니다.
염증으로 형성된 점액성의 액체들이 기관지를 차지하고 있는 상황에서, 이 액체들에는 자연스럽게 응축되려는 힘과 기관지로부터 찢어져 나가려는 힘들이 팽팽히 작용하며 맞서고 있습니다(shearing stress). 여기에 갑자기 기침이나 재채기로 초당 200 m에 달하는 폭풍이 쏜살같이 지나간다면 이 끈적이는 액체들을 기관지 벽으로부터 찢어 발기는 힘이 최고조에 달합니다.
조금 더 자세히 살펴보자면, 첫 기침을 하고 나서 말단 기관지가 일시적으로 찌그러졌다가 곧장 숨을 들이 마시면서 다시 열리는 순간 '톡!'하고 액체 끈끈이 필름들이 찢어짐과 동시에 일제히 응축하게 됩니다. 그 결과 1 μm 이하짜리의 자잘한 비말들이 순간적으로 뭉게뭉게 생김과 동시에 기침 혹은 재채기에 의한 추진력을 받고 외부로 한꺼번에 튀어 나가는 것입니다.

보통 기침이나 재채기 한 번에 3천 내지 4천 개의 침 방울들이 튀어나온다고 합니다.
이는 대략 5분 정도 수다를 떨면 나오는 규모입니다.
이렇게 한 번 튀어나온 침 방울들은 덩치가 커서(대략 직경 50-100 μm 이상) 무거운 것들은 곧바로 떨어지며, 이보다 작은 것들은 공기에 노출되는 즉시 물기가 말라버리면서 크기가 줄어듭니다.
그래도 시간이 지나면 결국 떨어지게 되어 있으나, 기침이나 재채기라는 매우 센 힘을 받은 비말들 하나하나는 중력에 저항하면서 중력에 힘겹게 버팁니다.
대략 직경 10 μm 이하의 비말들은 제법 잘 버티며 공기 중에 동동 떠 있게 되

11강

고, 특히 5 μm 미만으로 매우 작고 가벼운 비말들은 좀 더 오래 공중에 떠 있습니다.

침 방울들은 대략 초당 100-200 m의 속도로 튀어나오지만 이동할 수 있는 거리는 평균 3 ft를 넘지 못합니다(일부는 6-10 ft까지 가는 경우도 있긴 합니다). 따라서 이 위험 반경 3 ft 밖에만 있다면 일단은 전염될 위험은 희박해집니다. 밀접 접촉(close contact)이라는 용어를 정의하는 경계 거리가 바로 3 ft인 근거죠.
그러나 기침이나 재채기로 한껏 힘을 받은 5 μm 미만의 가벼운 비말들은 aerosol로서의 체공 시간이 상대적으로 길기 때문에, 어디선가 바람까지 불어온다면 더 오래 떠 있을 수 있을 뿐 아니라, 3 ft라는 경계선을 수월하게 통과해서 더 먼 거리로 이동할 수 있습니다. 이것이 바로 공기 전파(air-borne)의 원리입니다.

여기서 오해하지 말아야 할 것이 있는데, 공기 전파의 주범인 에어로졸은 5 μm 미만짜리 비말들만의 모임이라고 생각하기 쉽습니다. 그러나, 에어로졸은 다양한 크기, 즉 5 μm 미만이건 그 이상이건, 심지어는 100 μm짜리 침 방울들도 다 같이 모여서 공기 중에 섞여 있는 뭉게구름을 형성하는 것입니다. 이들 중에 증발되어 덩치가 줄거나 오래 떠 있는 것들이 공기 전파에 관여하게 됩니다.

비말 전파를 하는 병원체는 어떤 변수가 작용함으로써 언제라도 공기 전파로 전환될 수 있습니다. 이는 aerosol을 인위적으로 만들 수 있는 상황을 말합니다.

대표적인 것이 기관지 삽관이나 가래 흡인하기 등등, 병원에서 흔히 행하는 시술들입니다.

즉, 비말 전파를 하는 감염질환이라 하더라도 병원 내에서 인위적으로 aerosol을 생성해 낼 수 있는 상황이라면 얼마든지 공기 전파로 둔갑할 수 있는 것입니다.

따라서 기본적으로 비말 전파를 한다는 메르스(MERS-CoV)나 독감 등에 걸린 환자에게 기관지 삽관 등의 시술을 하는 경우 그 때부터는 공기 전파로 바뀔 수 있습니다.

심지어는 접촉으로 전파되는 질환도 공기 전파로 바뀔 수 있습니다. 예를 들어 MRSA의 경우에도 에어로졸을 만들 수 있는 시술을 받은 직후나 혹은 기침 등을 매개로 해서 의료진의 콧속까지 달라붙을 수 있습니다.

그리고 aerosol이 생성되는 것은 꼭 이런 진료 시술에만 국한된 것은 아닙니다.

11강

Aerosol은 지금 이 순간에도 일상에서 흔히 만들어지고 있습니다

우리는 알게 모르게 일상에서 aerosol을 수시로 만들어냅니다.

대표적인 예로 샤워를 하거나 수도를 트는 경우 보이지 않게 aerosol이 자욱하게 생깁니다.

여기에 더해서 우리가 하는 행동 하나하나가 aerosol을 흩뿌리게 됩니다.

우리가 몸을 움직일 때마다 그 주위의 공기에서는 소용돌이가 일어납니다(vortexing).

문을 휙 하고 여는 순간, 열린 문과 공간을 중심으로 공기가 소용돌이치며, 심지어는 걸어갈 때도 다리 사이로 공기가 휘몰아칩니다.

이러한 모든 상황들이 우리가 기침이나 재채기를 해서 생기는 비말 내지 aerosol에게 여기저기 이동할 수 있는 추진력을 제공하는 것입니다.

여기까지 이해했으면 자연스럽게 한 가지 의문이 들게 될 것입니다.

기침이나 재채기를 하면 aerosol이 생기고 그 구성 성분들 중에 5 μm 미만짜리들도 수두룩한데, 왜 결핵, 홍역, 수두는 공기 전파인 반면에 독감을 비롯한 호흡기계 바이러스 질환들은 통상적으로 비말 전파로 분류될까?

공기 전파의 단계까지 성공하려면 비말의 덩치뿐 아니라 필요한 요건이 더 있기 때문입니다.
바로 비말 내에 있는 병원체가 목표에 도달할 때까지 가혹한 환경에서 살아남을 수 있는 능력입니다.
"에취!"하고 추진력을 받아 공기 중에 동동 떠 있는 동안 아무 일도 일어나지 않고 무난하게 이동할 거라고 생각하면 경기도 오산입니다. 비말에 안주하여 체공하고 있기엔 주변 환경이 너무나 적대적이기 때문이죠.

일단 비말이 말라버리면서, 앉아 있을 평수가 점차 줄어들고, 급기야는 천둥벌거숭이로 대기에 나앉게 됩니다. 습도도 생존에 영향을 미치며, 산소 또한 매우 적대적입니다. 거기에다 천연 소독제라 할 수 있는 자외선도 가해집니다. 이런 여러 가지 위해 요인들이 작용하는 와중에 살아남는 병원체가 공기 전파를 완수할 수 있는 것입니다.

독감을 예로 들어보면, 기침 한 번에 나오는 비말들 중 약 40% 정도가 5 μm 이상이며 20% 정도가 1-5 μm, 나머지 40% 정도가 1 μm 정도 크기입니다. 즉, 비말의 절반 정도가 크기 면에서 공기 전파의 소지를 가지고 있습니다. 하지만 이 무리들은 앞서 언급한 가혹한 환경에서 거의 살아남지 못합니다. 그래서 광활하게 트인 공간에서 공기 전파의 기전으로 감염되기엔 무리이며, 비교적 넓지 않고 개방되지 않은 공간에서나 전파가 가능한 것이죠(예를 들어, 좁은 교실, 만원 지하철이나 버스 등 대중 교통수단 내부).

반면에 결핵의 경우는 작디 작은 종말 기관지에서 기원하기 때문에, 기침 한 번에 나오는 비말들 거의 다 5 μm 미만의 크기입니다(0.65-4.7 μm). 게다가 구조적으로 웬만한 소독제에는 다 견디는 철옹성의 세포벽을 가지고 있기 때문에, 가혹한 환경에 던져져도 끈질기게 살아남습니다. 그래서 모두 공기 전파를 성공시키는 것입니다.

## 4. 손 위생(Hand hygiene)

손 위생은 의료 관련 감염관리에 있어서 가장 중요한 핵심입니다.
또한 의료진 자신이 원내 감염의 주요 원인이 될 수 있는지 여부는 손 위생의 준수에 달려있습니다.
사람은 무의식 중에 자신의 코나 눈 등을 하루 평균 15회 이상 만진다고 합니다.
그러므로 아무리 가운이나 마스크 같은 개인 보호 장구를 잘 착용한다 하더라도, 환자 및 주위 환경과의 접촉에 이어서 자기 신체를 손으로 만지는 일이 반복되다 보면 언제든지 원내 감염을 유발할 소지가 충분합니다.
결국 모든 감염관리 행위는 손 위생으로 귀결됩니다.

그러나 손 위생이라는 행위가 일견 단순해 보이긴 해도 실제로 이행하는 경우가 별로 높지 않다는 것이 문제입니다.
실제 손 위생 수행률을 불시에 습격해서 측정해 보면 20-60% 정도 나옵니다.
그나마 60%는 매우 높은 수치죠.
그런데 예를 들어 병원 인증 평가를 받게 되면 귀신 같이 100%를 달성하는 기적을 보여주는 일도 종종 일어납니다. 남이 본다고 의식할 때 갑자기 모범생이 되어 손을 잘 씻는 현상을 Hawthorne effect라 부르기도 합니다.

수행률이 불량한 이유는 무엇일까요?
한 마디로 귀찮기 때문입니다. 이건 어쩌면 본능이라고 봐도 될 겁니다.
귀찮음의 이유로는 여러 가지를 들 수 있지만, 무엇보다도 손 위생을 하는 데에 몇 분이나 되는 충분한 시간을 투자해서 물과 항균 비누로 씻어야 한다는 원칙이 가장 큰 제약 사유일 겁니다.

눈코 뜰 새 없이 바쁜데 몇 분씩, 그것도 하루에 수차례 손을 씻으라면 성실히 준수할 사람은 거의 없을 것이죠.

이 문제의 해결은 결국 시간 단축에 있으며, 항균 비누 못지 않은 살균력을 지닌 대안품이 있다면 가능합니다.
이 대안이 바로 알코올 제제(waterless alcohol)나 chlorhexidine 제품입니다.
알코올은 속효성이고 빨리 마르기 때문에 잠깐 바르는 것으로 충분합니다.
Chlorhexidine은 효과가 오래 지속됩니다.
그러므로 반드시 물과 항균 비누를 고집할 필요는 없으며, 이러한 제제로 대체하는 것이 추세입니다.
단, 눈에 띌 정도로 혈액이나 체액 등의 오염 물질이 손에 묻은 경우는 예외로, 이때는 반드시 물과 비누로 씻어야 합니다.

이렇게 해서 시간 절약 문제는 해결되지만, 그럼에도 불구하고 습관이 안되거나 귀찮아서 이행을 안 하는 경우도 많습니다. 이는 손 위생을 즐겨 할 수 있도록 동기 부여를 하는 것이 필요한데, 동기가 부여되는 정도는 개인마다 천차만별이라 그다지 쉬운 일은 아니며, 감염관리와 행동과학의 차원에서 해결 과제라고 할 수 있습니다.

손 위생의 가장 중요한 원칙은 무조건 환자와의 접촉을 전후해서 실시해야 한다는 것입니다.
이 원칙만 잘 지킨다면 손 위생을 제대로 수행할 수 있으며 나아가서 원내 감염의 관리와 예방에 큰 기여가 될 것입니다.

## 5. 발생률(incidence)의 개념: 왜 분모에 시간을 포함하는가?

의료 관련 감염관리에는 여러 지표가 사용되지만, 가장 기본적으로 현황을 반영하는 지표는 incidence입니다. 이는 원내 환자들 중에 어떤 질환이 몇 명이나 발생하는지를 계산한 것인데, 한 가지 주의해야 할 점은 분모가 단순히 전체 환자 수가 아니라, 환자 수에 각자의 재원 기간을 곱해야 한다는 것입니다. 분모에 시간을 넣는 이유는 일종의 시간당 발생 건수, 즉 발생 속도로서 표현하기 위함입니다. 다시 말해서, 얼마만큼의 시간이 주어지면 얼마만큼의 '속도'로 건수가 생기는지를 예측하는 지표로서의 의미죠. 이러한 시각으로 발생률을 다루면서 원내 의료 관련 감염관리에 임하는 것이 매우 중요합니다.



## 6. 내성(Resistance)

내성이란 세균의 항생제에 대한 저항입니다.
이는 유전자 수준에서 이뤄지는 것이기 때문에, 일회성에 그치는 것이 아니고 세균이 증식하면서 대대손손 유전이 됩니다.
감염관리란 결국은 내성과의 싸움이자, 내성의 전파를 최대한 저지하는 것이라 할 수 있으며, 감염관리에 있어서 가장 중요한 핵심입니다.

내성에 대해 알아야 할 지식은 이미 '제6강 항생제에 저항하는 세균들'에서 자세히 기술해 놓았으니 참조하시기 바랍니다.

실제 임상에서 문제가 되는 내성들은 다양하지만, 감염관리의 면에서 집중해야 할 종류들은 다음과 같습니다: MRSA, Vancomycin-resistant *Entero-*

*coccus* (VRE), Extended spectrum beta-lactamase (ESBL), carbapenem resistant-Enterobacteriaceae (CRE), -*Pseudomonas aeruginosa* (CPA), - *Acinetobacter baumannii* (CRAB; 혹은 multidrug-resistant A. baumannii, MRAB).

MRSA는 원내 감염에서 가장 큰 비중을 차지하고 있으며, VRE는 MRSA 치료의 거의 최후 수단인 glycopeptide 내성을 전파할 수 있는 소지 때문에 철저히 관리하여야 합니다. ESBL은 치료용 항생제 선택의 범위를 carbapenem으로 국한시키며, CRE, CPA, CRAB 혹은 MRAB은 이마저도 곤란하게 만듭니다. 거기에 더해서 mobile elements에 의한 파급 위험도 있기 때문에 철저히 격리하고 차단해야 합니다.

물론 이 내성균들을 제압할 수 있는 신규 항생제들이 개발되면 해결될 수 있겠지만, 문제는 내성 발흥의 기세를 새 항생제 개발 속도가 쫓아가기엔 턱도 없다는 현실에 있어요.

인간과 세균 사이에 누가 이기나 식으로 벌어지는 경쟁은 현 시점에서 인간이 밀리기 시작한 것이 사실이며, 이런 추세로 가면 2050년쯤 그 어떤 항생제도 듣지 않는 특이점이 올 수 있다는 경고가 나오고 있습니다.

이 추정이 부정확한 계산으로 과장되었다는 반론도 있지만, 현 시점에서는 강력한 항생제 신제품을 기다리는 것보다는 당장 임상에서 만나는 내성균들을 최대한 저지하는 감염관리가 더욱 중요합니다.

내성균에 대처하는 감염관리는 다각적으로 행하여야 합니다.

빠른 인지와 적절한 precaution, 접촉자 관리, 그리고 합리적인 항생제 관리(antibiotic stewardship) 등을 총체적으로 조화시켜서 수행합니다.

## 7. 환경과 감염관리

감염관리를 해야 하는 대상은 매우 다양하지만, 전반적으로는 환자와 병원체, 그리고 의료진에게 주로 집중되어 있는 반면, 환경에 대한 관심은 상대적으로 많지 않은 편입니다. 그러나 최근 감염관리 분야에서 환경에 대한 재평가와 관심도가 높아지고 있습니다.

병원체는 환경으로 배출되면, 흔히 알고 있는 것보다 훨씬 오래 살아남는 속성이 있고, 병원 내 환경 어디에서라도 서식할 수 있기 때문에 병원 내 환경의 청결 강화는 매우 중요합니다.

11강

환경 면에서의 감염관리는 요약해서 말하자면 청소(cleaning)와 소독(disinfection), 더 나아가 멸균(sterilization)입니다.

Cleaning이란 육안으로 보이는 수준의 오염물을 제거하는 행위입니다. 쉽게 말해서 청소입니다.
소독과 멸균부터는 현미경 수준의 세계입니다. 의료 환경 내에 있는 미생물들을 대폭 줄이거나(소독) 완전히 말살하는(멸균) 것입니다.

이에 따라 소독과 멸균에 대해서도 확실하게 숙지해 볼까요?

## 8. 소독과 멸균(Disinfection & sterilization)

소독(disinfection)과 멸균(sterilization)은 모두 병원체를 제거하는 행위입니다.
이 둘을 구분짓는 핵심은 포자(spore; 더 정확한 용어는 endospore)입니다.
병원체를 제거하되, 포자는 남긴다면 소독이고, 포자까지 완전히 다 멸절시킨다면 멸균입니다.

소독제는 크게 산화제(oxidizing agents)와 비 산화제(non-oxidizing agents)로 나뉩니다.
산화제는 주로 파괴하는 양상인 반면, 비 산화제는 엉기고 눌어붙게 하는 양상이라 이해하면 됩니다.

산화제에 해당하는 것으로는 염소(chlorine) 제제(예: sodium hypochlorite; 락스)나 옥소(iodide) 같은 halogen 제제, peroxide 제제(예: hydrogen peroxide), 알칼리 제제(예: sodium hydroxide; 양잿물)가 있습니다.

비 산화제에 해당하는 것으로는 alcohol, biguanides (chlorhexidine), quaternary ammonium compounds, phenol, aldehyde (glutaraldehyde) 등이 있습니다. 작용 기전은 미생물과 반응해서 온갖 성분들을 응고시키는 것입니다(coagulation 혹은 cross-linking).

멸균법으로는 압력밥솥의 원리와 동일한 autoclave가 있으며, 고온이 아닌 조건에서도 행할 수 있는 증기와 plasma 형태의 과산화수소, 그리고 ethylene oxide가 있습니다. 아울러, 소독제이되 사용 농도와 노출 시간을 조절하여 멸균 능력까지 발휘할 수 있는 화학적 멸균제(chemical sterilant)도 있습니다.

소독과 멸균을 어떤 경우에 적절하게 적용해야 할까요?

이는 Spaulding의 분류법을 기반으로 해서 결정합니다.

손상없는 피부에 닿을 기구는 non-critical item으로 분류되고, 저수준 소독(low-level disinfection)으로 충분합니다. 예를 들자면 혈압 측정기나 침상 난간이 있습니다.
피부를 절개하거나 점막에 닿을 기구는 semi-critical item이며, 고수준 소독(high-level disinfection)을 실시합니다. 예를 들자면 내시경이 있습니다.
체내 무균 부위나 혈류로 들어가는 기구는 critical item으로 분류되며 반드시 멸균을 해야 합니다. 예를 들어 수술 기구나 혈관에 들어가는 기구 등입니다.

11강

알코올, chlorhexidine, quaternary ammonium compound (QAC), phenol, sodium hypochlorite(락스; 단, 5,000 ppm* 이상의 농도면 포자를 죽일 수 있음) 등은 저수준 소독에 해당합니다.
고수준 소독에는 glutaraldehyde(예: Cidex), 과산화수소, peracetic acid(예: Scotelin) 등이 쓰입니다.
멸균은 가압멸균(autoclave), ethylene oxide 가스, 과산화수소 증기 혹은 플라즈마 등을 사용합니다.
그리고 중간 수준 소독(intermediate-level disinfection)을 헷갈려 하는 분들이 의외로 많은데, 중간 수준이란 결핵균을 죽일 수 있는 마지막 보루를 의미합니다.

다음과 같이 표로 정리했으니 잘 읽어 보시고 혼동하지 마시기 바랍니다.

| | TB | Spore | Spaulding | Skin | Example |
|---|---|---|---|---|---|
| Sterilization | Kill | Kill 100% | Critical | Cut | Autoclave, Chemical sterilant |
| High-level disinfection | Kill | Kill almost | Semi -critical | Cut | Glutaraldehyde, peracetic acid, $H_2O_2$, OPA, hypochlorous acid, hypochlorite, etc. |
| Intermediate | Kill | (-) | Non -critical | Intact | Halogens (iodophores, etc.), phenolics, alcohol-based quaternary ammonium compound (QAC) |
| Low | (-) | (-) | Non -critical | Intact | QAC |

*토막 상식: 락스로 5,000 ppm을 만들려면 어떻게 해야 할까요?

먼저, ppm이란 particle per million, 즉 백만분의 1이란 뜻입니다.

시중에 파는 락스가 5%짜리라고 합시다.

그렇다면 락스 원액은 100 mL에 5 mL가 들어 있다는 뜻입니다.

이를 ppm으로 환산하면 100만 mL에 락스 5만 mL, 즉 50,000 ppm입니다.

따라서, 5,000 ppm을 만들려면 락스 1 L (1,000 mL)에서 1/10, 즉 100 mL만 따면 됩니다.

락스 병 뚜껑은 10 mL의 용적입니다.

그러므로, 물 1리터에 락스 병 뚜껑으로 열 번 따서 섞으면 5,000 ppm을 얻을 수 있습니다.

참고로, 100 ppm은 과일, 야채 소독용, 200 ppm은 식기 세척용, 400-500 ppm은 청소용입니다.

약 5분 정도 담가 놓고, 소독이 끝나면 반드시 여러 차례 헹구는 걸 잊으면 안 됩니다.

Chlorine(염소)가 얼마나 무서운 halogen인데요.

# 의료 관련 감염관리 실전

## 1. 감염관리실과 감염관리 위원회

의료 관련 감염관리를 원활히 수행하기 위해서는 체계적인 조직 구성을 해야 합니다.
이를 위해 병원에서는 감염관리 위원회를 운영하는데, 이는 2015년 12월 23일에 개정되고 2016년 3월 24일에 시행된 후 2021년 12월 31일 현재 일부 개정된 보건복지부령 제851호 의료법 시행규칙 제43조(감염관리 위원회 및 감염관리실의 설치 등), 제44조(위원회의 구성), 제45조(위원회의 운영), 그리고 제46조(감염관리실의 운영 등)에 근거를 두고 있습니다.

11강

## 2. 감염관리 업무

의료 관련 감염관리 실무는 감염관리실의 감염관리 간호사 등의 전문인력이 담당하며, 구체적인 업무로는 의료 관련 감염의 발생 감시, 의료 관련 감염관리 실적의 분석 및 평가, 직원의 감염관리교육 및 감염과 관련된 직원의 건강관리에 관한 사항, 그 밖에 감염관리에 필요한 사항들로 항생제 사용 관리 및 내성률 모니터링, 감염관리 검사, 감염관리 규정 및 업무지침서 개발, 환경 위생, 감염관리 관련 물품 및 기기 평가 등이 있습니다.

감염관리 전담의사 혹은 감염관리 전문 의사는 이들 전문 인력들과 협업하면서 각종 의료 관련 감염 관련 건들에 대한 의학적 자문을 하며, 이와 관련된 각종 프로그램이나 사업을 지휘 감독하고, 이에 따른 각종 감염 대책 방안에 대한 결정을 내립니다.

그리고 감염관리 위원회를 통한 각종 정책에 대한 자문과 감독을 합니다. 항생제 조절(antimicrobial stewardship)을 주도하며, 특히 감염관리 교육에도 업무의 비중을 적지 않게 할애해야 합니다.
사실, 감염관리 업무라는 것은 원내 모든 부서와 접촉을 해야 하기 때문에 필연적으로 갈등이 생깁니다.
바로 이렇게 감염관리실과 타 부서와의 상충을 해결하고 조정하는 것이 감염관리 전문 의사로서 가장 중요한 역할입니다. 감염관리실과 타 임상 부서 모두를 이해하고 있는 위치이기 때문에, 감염관리 전문 의사는 항상 모든 감염관리 업무의 중심에 서서 원활한 업무 수행을 위한 가교의 역할을 수행하여야 합니다.

## 기구 관련 감염(Device-relatd infection)

우리는 환자를 치료하는 과정에서 피치 못하게 여러 침습성 기구(device)들을 환자 몸에 삽입하게 됩니다.
이는 인체 방어 기전의 대다수를 차지하는 피부의 역할이 사라짐을 의미하며, 따라서 감염의 위험성이 커집니다.
그래서 device-related infection의 관리는 감염관리에 있어서 매우 중요한 비중을 차지합니다.

환자에게 삽입한 device가 혈관 catheter이건, endotracheal tube이건 간에 공통적인 감염관리와 예방의 핵심은 이겁니다: 가능한 한 꽂지 않거나, 꽂았다

하더라도 최대한 빨리 빼도록 합니다. 그래서 틈만 나면 어떻게 해야 이를 뺄 수 있는지 매일 궁리를 합니다.

이 원칙을 기조로 해서 각 device별 감염관리를 공부해 봅시다.

## 1. 혈관 카테터 감염(CLABSI, CRBSI)

혈관 카테터 감염은 다음 두 용어를 사용하고 있습니다.
하나가 CRBSI (catheter-related blood stream infection)이고 나머지 하나가 CLABSI (central line-associated blood stream infection)입니다.



전자는 혈관 카테터 전반을, 후자는 중심 정맥관을 범주로 하고 있는 것이지만 사실상 혈관 카테터 감염을 정의한다는 면에서는 같은 용어입니다.

CRBSI의 정의는 다음과 같습니다.

- 중심 정맥 카테터와 말초 정맥혈에서 혈액 배양이 나오되, 정량적으로 따졌을 때 집락 수가 중심 정맥에서 나온 것이 말초보다 적어도 3배 더 많아야 함.
- 혈액 배양과 카테터 말단을 잘라서 배양한 것에서 나오는 병원체가 동일하여야 함. 단, 카테터 말단은 집락 형성 단위(colony-forming units, CFUs) 15개 이상이어야 함(그런데 왜 하필 15개냐 하고 묻는다면, 누구나 우물쭈물할 것입니다. 사실 절대 불변의 수치는 아닙니다. 이 15개를 처음 주창한 연구자 조차도 실은 주관적으로 정한 것이었습니다. 하지만 15개 이상 나올 정도라면 실제 육안으로 봐도 장난 아니게 균이 자란다는 인상을 받지 않을 수가

없지요. 그러니까 모두 다 묵인한 것입니다. 솔직히 딱 14개만 나와도 유의한 양성으로 인정해야 하지 않을까요).
- 중심 정맥에서 배양이 나올 때까지 걸리는 시간이 말초보다 적어도 2시간 이상 일찍 나와야 함.

극단적으로 예를 들자면, 1) 말초 혈액 배양 양성이 나오기까지 36시간이 걸렸다면, 중심 정맥혈에서는 아무리 늦어도 33시간 59초에 배양 양성이 나와야 함. 2) 이를 배양 양성이 나오기까지의 시차(differential time to positivity, DTP)라 함. 3) 여기서 시작 시간은 혈액을 뽑는 순간이 아니고, 진검 미생물 검사실에 혈액 검체가 도달한 순간부터 카운트.
이상 3가지 중 적어도 하나가 맞으면 됩니다.

이 CRBSI는 미국 감염학회(Infectious Diseases Society for America, IDSA)에서 정한 용어로, 방금 숨 넘어가게 열거한 정의들을 봐도 알 수 있듯이 철저한 정량적 미생물 검사가 요구되어서 매우 까다롭고 임상적인 색채가 강합니다. 그래서 임상가들은 이 기준을 다음에 논할 CLABSI 기준보다 선호해서 혈관 카테터 감염 여부 판단의 지표로 삼습니다.

반면에 CLABSI의 정의는 다음과 같이 비교적 단출합니다.

- 일단 환자가 감염증이 시작되는 시점에 이미 중심 정맥관을 꽂고 있었거나
- 중심 정맥관을 꽂고 48시간 이내에 감염증이 시작되었어야 하며
- 당연히 혈액 배양에서 병원체가 나와야 하는데, 피부 상재균이 나왔다면 적어도 2개 이상의 혈액 배양에서, 피부에서 흔히 볼 수 없는 균이라면 딱 1개의 혈액 배양에서 나오더라도 양성으로 인정
- 그 감염증은 중심 정맥 카테터 이외에는 다른 어떤 요인도 의심되어서는 안 되며, 중심 정맥 카테터가 꽂히기 이전에 이미 존재했던 감염이어서도 안 됨

이는 미국 질병관리 본부(Centers for Disease Control and Prevention, CDC)에서 정한 용어입니다.
이는 임상적으로 쓰겠다는 IDSA의 의도와는 달리, 감염관리 쪽에 더 무게 중심이 맞춰진 것입니다.
감염관리에 더해서 역학 조사 내지는 감시를 목적으로 하는 이상, 소위 screening이 주류가 될 것이고, 따라서 민감도를 최대치로 올릴 수밖에 없습니다.
그러므로 당연히 IDSA가 정의한 CRBSI보다는 특이도가 떨어집니다.
다시 말해서 혈관 카테터 감염의 발생률이 실제보다 과장될 위험을 감수한 정의입니다.
목적 자체가 일차로 솎아 내겠다는 의도이니 민감도에 집중하는 건 당연합니다.
그리고 IDSA 정의보다 상당히 주관적이긴 합니다.
의료 기관 일선에서 업무에 임하는 감염관리실의 경우는 카테터 감염관리, 병원 감염 감시, 그리고 공공 기관에의 보고 업무를 해야 하기 때문에 CLABSI 용어를 선호하여 사용합니다.

11강

요약하자면,
총알이 빗발치는 임상 최전선에서의 임상 의사는 CRBSI를 기반으로 치료 방침을 정하고, 감염관리 업무의 시각에서는 CLABSI를 선호하여 보고와 대책 수립에 임합니다.

감염관리는 여러 가지 챙겨야 할 것들이 많습니다.
그러다 보면 한두 가지를 잊을 수 있지요.

항목 하나하나가 다 감염을 줄이는 데 확실하게 효과있다고 완전히 검증된 것인데, 아무리 누락되는 게 한두 개라 해도 절대 빠지면 안 되죠. 게다가 이들 항목들이 다 모여서 완전체가 되어야 synergy가 일어나 감염관리에 보다 확실하게 성공을 합니다.
그래서 해야 할 일들을 단 하나라도 잊지 않도록 꾸러미 하나로 싸서 지침으로 만듭니다.

이를 bundle이라고 합니다.

각 device별 bundle은 일종의 요약으로서 숙지합시다.
먼저, 혈관 카테터 감염관리의 bundle을 볼까요?

• Catheter insertion bundle
  - 이 시술에 관여하는 모든 이들에게 catheter 삽입과 관리에 대하여 교육을 함
  - 삽입 부위 소독에는 chlorhexidine을 사용함.
  - 시술할 때는 maximal barrier precautions과 asepsis를 철저히 함. 즉, 마스크, 모자, 멸균 가운과 장갑을 착용하고 대상 환자에게는 멸균 포를 덮는 등, 최선을 다해야 함.
  - 시술에 필요한 물품들을 중구 난방으로 준비하지 말고, 차분히 한 군데에 다 모아서 갖다 놓을 것. 예를 들어 카트에 다 모아 놓기
  - 이상의 사항들을 체크 리스트로 만들어서, 시술할 때 충실히 이행하는지 일일이 확인할 것

시술할 때는 참여자 모두 계급장 떼고 해야 함: 시술하는 의사 선생님께서 무균술의 원칙을 조금이라도 어기는 순간을 시술에 동참하는 간호사가 볼 경우 "안 돼욧! 당장 중지하세욧!" 할 수 있는 권한을 주도록 함.

- Catheter maintenance bundle
  - 환자를 매일 chlorhexidine으로 깨끗이 닦아 드림
  - 드레싱은 항상 깨끗하고 뽀송뽀송하게
  - 카테터 삽입된 환자분에게 관여하는 모든 의료진들이 손 위생 수행을 철저히 하도록 더욱 강조(사실상 감시에 가까운 모니터링)

그리고 매일 환자를 볼 때마다 다음과 같이 자문 자답을 해 봄.
"이 catheter는 꼭 꽂아 놓고 있어야 하는가? 만약 아니라면 뽑아 버려야지."

Chlorhexidine으로 매일 중환자실 환자분들에 '하나, 둘! 하나, 둘!' 하면서 냉수 마찰(?)을 해 드리는 근거는 미 CDC 지침에 두고 있습니다. 실제로 많은 의료기관 중환자실에서도 이를 행하고 있습니다.

11강

카테터 관련 감염의 가장 많은 원인 부위는 hub이므로, 평소에 이곳을 집중적으로 소독하도록 합니다. Hub를 소독할 때는 소독제(역시 chlorhexidine이 좋겠다)를 순간적으로 쓱 묻히는 게 아니라, 적어도 8번을 10초간 왔다 갔다한 후 5초간 말립니다. 소위 말하는 Scrub the hub for 15 seconds. 즉, 총 15초는 투자해야 합니다. 매일 드레싱 상태를 점검해서 정기적으로 갈아 줘야 하는데, 며칠 간격으로 해야 하는지에 대해서는 절대적인 기준이 정립된 것은 아닙니다. 미국 질병관리 본부의 지침에 의하면 적어도 1주일에 한 번은 갈아 주는 걸로 하는데, 이의 판단을 위해서는 투명하게 비치는 막으로 덮는 드레싱을 해야 할 것입니다. 그렇게 하면 삽입 부위에 습기가 차거나, 느슨해 지거나, 최악의 경우 뭔가 더럽혀져 있는지 여부를 명확히 알 수 있어서 드레싱 교체를 판단할 수 있으니까요. 만약 불투명한 드레싱(흔히 말하는 거즈로 덮어 놓은 드레싱)인 경우라면 이틀에 한 번씩 교체해야 합니다.

## 2. 인공 호흡기 관련 폐렴(Ventilator-associated pneumonia or events)

인공 호흡기를 달고 있는 환자에서, 이로 인하여 생기는 폐렴을 기계 환기기 관련 폐렴(혹은 인공 호흡기 관련 폐렴, ventilator-associated pneumonia, VAP)이라 합니다.

VAP는 어떤 연유로 합병이 되는 것일까요?

Endotracheal tube는 환자의 입장에서는 이물질임과 동시에, 기본적인 감염 방어벽을 그대로 지나치는 기구입니다. 이것이 꽂혀 있지 않았던 평소라면 제대로 작동할 기관 내 섬모 운동(분비물뿐 아니라 해가 될 수 있는 각종 이물질을 쫓아낼 수 있었던)이 저해됩니다. 그 결과 각종 분비물이 쌓이는데, 어디에 쌓이느냐 하면 endotracheal tube를 고정시키기 위한 장치인 풍선 cuff 주위에 집중적으로 축적됩니다.

그리고, 빠르면 첫날부터 tube 내외에 biofilm 구축이 시작됩니다.
이 덩어리들이 점차 자라나면서 기관 내에서 장차 맹활약할 세균들의 본거지가 되며 종종 똑 떨어져 나옵니다.
이상의 여건이 조성된 상태에서 누워있는 환자는 이 분비물이나 세균 덩어리들을 흡인하게 됩니다.
이 흡인물들이 결국 하부 호흡기까지 도달하여 폐렴을 만드는 것입니다.

그리고 세균 집락을 구성하는 구성원들의 조성도 변혁을 겪습니다.
보통 호흡기계에는 그람 양성균들이 주류를 이루고 있으나, 병원에 입원하여 주로 누워있게 되면 어느새 그람 음성균들이 득세합니다. 그 놈들은 호흡기 상주 균들이 아니라 다름 아닌 소화기계, 즉 창자 상주 균들입니다.

그래서 VAP의 원인균들은 그람 음성균들이 많습니다.

VAP를 예방하기 위한 감염관리 방안들 또한 다양하고, 깜빡하면 까먹기 십상이라 한 뭉치로 모아서 수행합니다. 다시 말해서 이 방면의 관련 감염관리 방안 종합 세트 역시 bundle로 마련합니다.
그러나 불행하게도 환자의 이득이 확실히 증명된 것이 별로 없다는 것이 문제.

크게 대별해서 보면 가급적 기관지 내로 삽관하는 상황은 최대한 피하자는 것이 가장 기본적인 자세입니다.
삽관 안 하면 VAP 가능성은 원천 봉쇄되니까요.
삽관하더라도 기회만 되면 언제든지 제거할 준비 자세를 갖추고 있도록 합니다.

다음으로, 호흡기와 소화기에 장차 병원체가 될 미생물들의 씨를 말리자는 방침입니다.
우범자들을 최소한으로 줄이자는 것이니 의도는 매우 좋아요.
대표적인 것이 chlorhexidine으로 매일 입 안을 청소해 주는 겁니다.
그러나 이는 논란이 많습니다.
경구 항생제를 줘서 소화기계 균들의 씨를 말리는 것 또한 도움 안 됩니다.

결국, 균을 직접 공격해서 미리 줄여 놓는 것이 생각보다 효과적이지는 않은 듯 합니다.

마지막으로, 기관지 삽관 중에 생긴 분비물들을 최대한 걷어내거나 흡인 가능성을 최소화합니다.
특히 앞서 언급했던 cuff 부분에 주로 모이는 분비물을 걷어내는 것이 어느 정도 도움이 될 것으로 예상되긴 하였습니다. cuff가 위치하는 곳은 성대 바로 아래, 즉 성대문밑 부위(subglottic area)입니다.
바로 이 부위를 집중적으로 흡인하는 것이 subglottic secretion suctioning (SSS)입니다.
이 SSS는 현재까지 메타 분석한 자료에 의하면 조기 VAP (early-onset VAP; 삽관 후 30일 이내)를 유의하게 줄이는 데는 성공적이었습니다. 그러나, 만기 VAP (late-onset VAP)에는 별 영향이 없었습니다. 결국은 플러스 마이너스 해서 VAP로 인한 사망률 등의 예후에는 별 영향을 끼치지 못 했습니다.

흡인 기회를 줄이기 위해 누운 환자의 머리를 30도 정도 살짝 올리는 것 또한 웬만한 병원 중환자실에서는 통상적으로 행합니다. 글쎄, 중력을 역행할 리는 없으니 흡인이 잘 안 일어날 것 같지만, 현실은 꼭 그렇지는 않다는 게 문제입니다. 그래도 권장해 볼 가치는 있습니다.

이것저것 다 따져보면 결국 가장 적절한 감염관리 원칙은 기관지 삽관 및 인공 호흡기 다는 것은 가능하면 그 기간을 최소화하고, 여건이 되면 가능한 빨리 제거하는 것을 가장 기본으로 하는 것이 최선이라 할 수 있습니다.

그런데 말입니다.
VAP이라고 판정하는 것은 사실 쉽지 않습니다.
진정한 폐렴인지부터 확실하게 선을 긋기가 어렵기 때문이죠.
일단 임상적으로 판단하는 수밖에 없는데, 열이 나고, 백혈구 수치 증가, 누렇게 고름이 포함된 가래를 잔뜩 배출할 때 '폐렴?'하고 긴장하게 됩니다.
그러나 그것만으로는 충분치 못하여, 산소 분압을 재 보니 유의하게 떨어지고, 갈수록 나빠져 가며, 당연히 폐에는 뭔가가 침윤된 소견을 보이고, 병원체가 배양되어 나오면 거의 확신을 가집니다.
하지만, 이상의 모든 인자가 다 있다고 하더라도 주관적인 색채가 짙고, 정확하게 정량화 된 지표들도 아니기 때문에 진단적 가치로서 보면 민감도 특이도가 썩 좋은 편이 아닙니다.
그래서 치료뿐 아니라 감염관리의 면에서 VAP의 개념은 문제점이 많습니다.

이에 따라 특히 감염관리에 있어서 VAP 보다는 대상의 조정 내지 개선이 필요하기 때문에 보다 광의의 개념인 ventilator-associated event (VAE)가 새로 정의되어 쓰이게 되었습니다.

VAE (ventilator-associated events)가 VAP와 다른 점은
P (pneumonia, 폐렴)가 아니고 E (event)라는 것.
이 events를 어떻게 해석해야 할까요?

11강

한 마디로, 폐렴 진단에 대한 집착을 버리는 것이 핵심입니다.
폐렴에만 에너지를 쏟지 말고, 인공 호흡기와 엮여서 생길 수 있는 폐렴 이외의 문제들까지 시야를 넓혀서 받아들이라는 의도가 깔려 있습니다.
다시 VAP에 온 관심을 쏟던 종전의 문제점들을 짚어 봅시다.
발열, 새로운 폐 침윤 등의 모호한 VAP 기준이 이에 대한 대처를 하는 데 있어서 발목을 잡아 왔습니다.
그리고 막연하기까지 한 VAP 기준을 적용하다 보면 확진된 폐렴과의 일치도가 별로 좋지 않았죠.
막연하니까 이를 판단하는 의료진들마다 판정 결과가 제각기 달랐습니다.
누구는 폐렴이라 판단하고, 누구는 아니라고 하는 둥, 주관적인 면이 많이 들어가 있으니 어쩔 수 없는 현상이었습니다.
따라서 VAP는 예후 예측이 어렵습니다. 왜냐하면 구체적이거나 정량적이지 않으니까.
그러니 예후 개선에도 별 도움이 안 됩니다.

그래서, 나쁜 예후에 연관되는 인자들에 다시 초점을 맞추어 개념을 재정비하다 보니 나온 것이 VAE입니다.
폐렴뿐 아니라 다른 비 감염성 합병증, 예를 들어 무기 폐, ARDS, 폐 혈전증, 폐 부종까지 범위에 들어옵니다.
진단 기준 정의를 수치로 표현하여 정량적인 면을 강화하였으니 더 구체적이고 예측력이 좋아집니다.
따라서 민감도도 좋아집니다. 물론 특이도 면에서 손해를 감수해야 하지만.

CDC에서 정해준 VAE 정의는 하나 둘이 아니고 여러 가지로 복잡하게 이루어져 있어서 골치 아프게 합니다.
VAE는 크게 VAC (ventilator-associated condition), IVAC (infection-related ventilator-associated complication), 그리고 PVAP (possible VAP)의 순서로 분류됩니다.

VAC란, 바로 직전까지 적어도 이틀 이상 인공 호흡기 상태를 나름 행복하게 잘 유지되던 환자였는데, 산소 공급 상황이 나빠지는 상태를 말합니다.
이 '나빠진다'는 것은 막연한 표현이 아니고 구체적인 수치로 나타냅니다.

- 하루에 필요한 $FiO_2$가 전날보다 0.20 이상 더 필요하거나
- 하루에 필요한 PEEP이 전날보다 3 cm $H_2O$ 이상 필요하게 되면서
- 이런 안 좋은 상황이 적어도 이틀 이상 지속되면 VAC로 판정
- 그리고 이 VAC에 빠진 날로부터 이틀 전 이내에 혹은 VAC 생긴 직후 임상적으로 감염이 의심되는 징후를 보이고(체온 38도 이상이거나 36도 미만, 혹은 백혈구 수치가 12,000/uL 이상이거나 4,000/uL 이하) 항생제를 시작하여 4일 이상 주게 된다는 조건까지 모두 다 맞으면 IVAC로 판정

IVAC로 진행 후 이틀 이내에 다음 조건들 중 하나라도 맞으면 비로소 PVAP로 판정합니다.
즉, 이 단계부터 VAP로 인정받는다는 것.

- 기관지 내에서 뽑은 분비물이나 기관지 내시경을 통해 기관지-폐포 세척액, 폐 조직, 혹은 기관지 내시경으로 잘 긁어낸 검체에서 나간 정량 혹은 반 성량 배양이 기준치를 충족하는 양으로서 양성으로 나올 경우
- 감염을 시사하는 고름성 객담 내지 분비물과 더불어 배양이 양성으로 나올 경우(정량적으로 기준치를 달성하지 않아도 됨)
- 흉막액이나 폐 조직에서 미생물이 증명되는 경우나, *Legionella* 진단 검사에서 양성이 나오거나, 호흡기 검체에서 바이러스가 증명될 경우

11강

이미 언급했듯이 VAP에 비하여 좀 더 까다롭고 복잡한 만큼이나 예후 예측이나 감염관리에 있어서 더 유용한 것은 사실입니다. 그러나 VAE도 비판받을 점은 많습니다.

일단 이는 감염 감시용이며, 임상가가 쓰기엔 진짜 별로입니다.
마치 CRBSI보다 CLABSI가 임상가 입장에선 못마땅한 것과 일맥상통합니다.
그리고 VAE와 VAP는 서로 아귀가 잘 맞지 않습니다.
사실 이 VAE는 의료 질 향상을 목적으로 하는 수단일 뿐이지, 임상적으로 예방하는 용도로는 좀 미흡해요.
그리고 특히 초기 단계인 VAC의 경우는 조정(사실상 조작)이 가능합니다.
숫자 놀음이니까 인공 호흡기 설정을 조정하면 1단계 기준은 다 피할 수 있잖아요.
이래저래 VAE는 아직도 논란이 많고 임상적인 유용성 면에서 많은 도전을 받는 지표입니다.

VAE의 관리를 위한 bundle은 다음과 같습니다.

- Prevention of Ventilator-Associated Events
  - 가능하면 mechanical ventilation은 되도록 안 하는 방향으로 항상 궁리
  - 환자가 누운 침대를 30-45° 정도 올리도록 함. Aspiration 최소화하게
  - Chlorhexidine으로 환자의 oropharynx를 정기적으로 소독하여 감염 방지(논란의 여지는 있음)
  - 항상 sedation시켜 놓고 놔두지 말고, 가끔씩 sedation을 중지하면 환자가 제정신이 돌아오는지를 확인하며 이젠 extubation해도 되는지 간을 봄.
  - 특별한 금기 사항이 없다면 deep-vein thrombosis 예방을 해 줌.

## 3. 도뇨관 관련 비뇨기 감염(Cather-associated urinary tract infection, CAUTI)

도뇨관은 피부를 그대로 지나쳐서 점막에 거치한다는 점에서 혈관 카테터와 마찬가지로 위험성을 안고 있습니다. 당연하게도, 오랜 시일이 지나면 지날수록 균이 자리잡을 확률은 증가하므로 감염 합병증은 불가피합니다.

CAUTI라고 정의 내리려면 다음 3가지가 모두 맞아야 합니다:

**1) CAUTI가 발생한 시점에서 해당 환자는 이틀 넘게 도뇨관을 꽂고 있었어야 함.**
- CAUTI 발생한 순간 도뇨관이 꽂혀 있으면 확실
- 혹시 이 날 도뇨관을 뺀 환자라 하더라도 CAUTI 발생 하루 전까지만 꽂혀 있었다면 합격

**2) 다음 증상들 중 적어도 하나가 맞아야 함.**

- 우선 섭씨 38도 이상의 발열. 이는 65세 이하인 환자만 해당
- Suprapubic area나 옆구리(갈비척추각, costovertebral angle, CVA)를 누르면 "아얏!"하고 아파함.
- 소변이 급하거나, 자주 보거나, 배뇨 통증 등의 하부 비뇨기 혹은 방광염 증세가 있음. 단, 이는 도뇨관이 꽂혀 있지 않는 경우에만 해당
- 65세 넘어간 노인들이 발열만 보이고 통증이나 방광염 증세 등의 나머지 증상들이 없다면 1)에 제시된 조건이 맞아야만 인정됨. 왜냐하면 다른 발열 원인도 얼마든지 가능하기 때문

  예를 들어 66세 노인이 다른 증세 없이 열만 나는데 1)에 제시한 조건에 맞게 도뇨관이 이틀 이상 꽂혀 있던 경력 등이 없다면 이 2)번 기준은 맞지 않으며, 따라서 CAUTI 도 성립되지 못함.



**3) 소변 배양에서 균이 나오되, 2종까지는 봐주지만 3종 이상 혼합되어 나오면 인정 안 됨.**

그리고 그 2종 중에 적어도 하나는 ≥ $10^5$ CFU/mL 배양되어야 함. 물론 한 종만 배양되면서 $10^5$ CFU/mL 이상 나오면 더 따질 필요 없이 인정됨.

아, 진짜 참으로 까다롭기 그지 없습니다(-_-;).

그런데, CAUTI로 결론 내리려면 아직 이걸로 충분하지 않습니다.
여기에 '시간'의 개념을 보완해야 완전체가 됩니다.

지금까지 기술한 모든 기준들은 모조리 다 IWP (Infection Window Period) 동안에 일어났어야 하지, 이 기간을 벗어난 시점에 일어난 것이면 인정되지 않습니다.

IWP란 해당 장기 감염이 생겼다고 판정되는 진단 검사나 촬영 결과가 맨 처음 양성으로 나온 바로 그 날을 기준으로 그보다 3일 전과 그로부터 3일 후까지를 일컫습니다.
여기서 제로 타임 때의 지표는 꼭 진단 검사나 촬영 결과여야만 할 필요는 없으며, 아직 검사가 안 되었어도 해당 장기 부위에 감염이 생겼다는 사실이 누가 봐도 명백한 상황, 즉, 해당 장기 부위의 확실한 감염 증상이 맨 처음 지표로 발견되어도 인정이 됩니다.

한 가지 주의할 점이 있습니다.
이 기준에는 농뇨(pyuria)가 포함되어 있지 않습니다.

그러나 이렇게 민감도를 중시한 진단 기준이다 보니 뭔가 정확도 면에서 문제가 있음을 알 수 있습니다.
그럴 수밖에 없어요.
본질적으로 surveillance, 즉 screening을 위한 definition이기 때문입니다.
그 정도 오차는 다 감수하고 임해야 합니다.

비뇨기 감염이되 증상이 없는 경우를 무증상 균혈증성 비뇨기 감염(asymptomatic bacteremic urinary tract infection, ABUTI)이라 하며, 이 또한 CAUTI의 범주에 다리 하나를 걸치고 있습니다.

기준은 다음과 같습니다:

1) 카테터가 꽂혀 있는지 유무는 무관하며, 증상이 없음.
2) 소변 배양에서 균이 나오되, 2종까지는 봐주지만 3종 이상 혼합되어 나오면 인정 안 됨. 그리고 그 2종 중에 적어도 하나는 ≥ $10^5$ CFU/mL 배양되어야 함.
3) 혈액 배양에서 균이 배양되어 나오되, 적어도 하나는 소변 배양에서 나온 것과 일치 혹은 소변 상재균 원주민과 일치해야 함.

그리고 물론 이 기준도 시간의 요소(즉 IWP)까지 확실히 충족해야 합니다.

11강

그리고 하나 더.
모든 배양은 진단 혹은 치료의 지표로 삼겠다는 의도가 담긴 배양이어야 합니다.
임상적 의도가 들어가지 않고 통상적인 감시 배양으로서의 검사를 해서 나온 것이라면 인정되지 못 한다.

마지막으로 하나 더.
다음 미생물들이 나오면 인정 안 됩니다.
모든 *Candida* 종, yeast, mold, dimorphic fungi, *Trichomonas* 같은 기생충.
새삼스러운 게 아니니까요.

만약 이 진단 기준 1)과 2)가 맞되 3)이 안 맞는다면 이미 비뇨기 감염 범주에서 벗어나며, 이때부터는 무증상 세균뇨(asymptomatic bacteriuria, ASB)가 됩니다.

도뇨관의 감염관리는 손 위생과 무균술을 철저히 준수하는 것이 가장 기본입니다.
도뇨관을 꽂을 때나, 꽂은 이후의 관리 모두 이 기본 준수가 가장 중요합니다.
도뇨관은 닫힌 체계(continuously closed drainage system)로 유지되어야 합니다.
다시 말해서, 이 닫힌 체계의 어느 한 부분이라도 균열이 있으면 무조건 도뇨관과 소변 주머니를 새 것으로 교체해야 합니다.

무엇보다 중요한 것은, 가급적이면 도뇨관 삽입을 최대한 피하는 것이며, 삽입할 경우 정말로 꼭 해야 하는지 여부를 다시 한 번 따져보는 것이 필요합니다.
환자가 소변을 자기 힘으로 못 누거나 막혀서 요 정체가 있거나, 자꾸 실금을 하거나, 3단계 이상의 깊고 심한 욕창이 있거나, 소변 양을 꼭 측정해야 하거나, 혈전을 형성할 위험이 있는 혈뇨가 있는 경우 등이 아니라면 도뇨관 삽입에 대해 다시 한 번 검토를 해 보도록 합니다.
아니면 요도에 삽입하지 않더라도 소변을 받아낼 수 있는 대안도 모색해 보는 것이 바람직합니다.

그리고 도뇨관 삽입 이후라 하더라도, 삽입이 불가피하게 했던 요인이 해결되면 언제라도 도뇨관을 뺄 준비가 되어 있어야 합니다.

요약할 겸 해서, 도뇨관 감염관리에 대해서는 다음 bundle을 준수하도록 합니다.

- Prevention of Urinary Tract Infections
  - 요관 카테터는 의료진이 환자 보기 편리하라고 하는 것이 아닙니다. 절대적으로 꼭 필요할 경우에만 삽입하도록 합시다. 예를 들어 요관이나 방광이 물리적으로 막혔을 경우라면 반드시 카테터를 넣어야 하겠죠.

- 시술 시에는 당연히 무균 장비로 무균술을 사용하여 삽입합니다.
- 일단 drainage system을 확립하고 나면 괜히 건드리거나 열거나 하는 짓은 하지 맙시다.

역시 매일 스스로에게 묻습니다. "이거 꼭 꽂아 놓고 있어야 하는 거야? 아니라면 즉시 빼야지."

## 옴(Scabies)



Scabies(옴)의 원인은 *Sarcoptes scabiei* var. *hominis*라는 절지 동물입니다. *Sarcoptes*는 육신을 뜻하는 그리스어 sarx (flesh)와 절개한다는 뜻의 koptein (to cut)을 합친 단어입니다.
그리고 *hominis*는 사람이란 뜻이니까 풀어서 쓰면 육신을 절개하는(굴을 파는) 절지 동물입니다.
다시 말하자면, 전적으로 사람에게 달라 붙고(*hominis*) 기어 다니고 구멍을 파는(*Sarcoptes*) 행위 등으로 인해 그 사람이 가려워서 긁게끔(*scabiei*) 만드는 절지 동물이라는 뜻입니다.
한글 용어(정확히는 한자 용어)로 구멍 파는 옴 벌레라는 뜻으로 천공 개선충(穿孔 疥癬蟲)이라 합니다.

옴은 곤충이 아닙니다.
분류 면에서 Phylum(문)이 Arthropoda, 즉 절지 동물 문입니다.
Class(강)가 Arachnida입니다.
다시 말해 머리, 가슴, 배로 절편화 된 다리 6개짜리 곤충이 아니고, 통짜 몸매를 지닌 거미 사촌입니다.

Subclass는 Acari. 즉, 진드기 부류입니다.
그리고 order(목) Sarcoptiformes, Family(과) Sarcoptidae이고 Genus(속)와 species(종)는 서두에서 밝힌 바와 같습니다.

옴 진드기는 앞다리 두 쌍과 뒷다리 두 쌍, 총 여덟 개의 짧은 다리를 가지고 있습니다.
최전방 앞다리 2개와 주둥이는 나중에 피부에서 굴(burrow)을 팔 때 굴착 도구로 사용하는 것이죠.
그런데 이런 짧은 다리 구조로 그냥 굴을 팠다간 균형을 잡을 수가 없어서 나동그라지기 십상입니다.
그래서 각 다리마다 기다란 보조 다리가 장착되어 있는데, 이를 suckers(빨판)라 합니다.
이는 굴을 팔 때 안 넘어지게 든든히 받쳐주는 빨판입니다.
이 빨판으로 암수 구별이 가능한데, 수컷의 경우는 3번째 쌍에만 빨판이 없어요.
나중에 설명하겠지만, 수컷은 굴을 팔 필요가 없으니까 그런 게 아닌가 추정합니다.
암컷은 평생 굴을 파야 하기 때문에 덩치도 수컷보다 곱절로 더 큽니다.

이것들은 오로지 기어가는 재주밖에 없지만, 체온 정도로 따스한 온도에다 적당한 습기만 갖춰지면 분당 2.5 cm의 속도로 전진할 수 있어서 의외로 꽤 빠릅니다.

옴의 별칭이 7년 가려움증이라서 옴 진드기의 수명이 7년쯤이라고 오해하기 쉬운데, 실제로는 최대 1-2달 정도 삽니다. 다시 말해서 그 대에서 그치지 않고 세대 교체를 계속하면서 인간을 괴롭힌다는 것이죠.

그렇다면 어떻게 대대손손으로 우리를 괴롭힐까?

일단 성충부터 시작해 봅시다.

어떤 경로를 거쳤건 인간의 피부에서 암컷과 수컷이 만나면 일단 성관계부터 합니다.

단 한 번일 뿐이었음에도 불구하고 암컷은 성공적으로 임신이 됩니다.

임신을 하면 암컷은 본능적으로 삽질 모드로 들어가 피부에 굴을 파기 시작합니다.

계속 파고, 또 파면서 하루에 두세 개씩 알을 낳으며 돌 같은 똥도 쌉니다.

이 똥을 scybala라고 부르는데, 같은 똥이라도 무른 똥이 아니라 오랜 기간 변비로 고생하다 나오는 돌처럼 단단하게 굳은 똥입니다.

11강

이 알과 단단한 똥, 그리고 옴 진드기의 이동 모두가 가려움증의 원인이 됩니다.

그 자체가 가려운 것만이 아니고, 알과 똥에 대해 type 4 hypersensitivity reaction이 야기되는 것도 가려움의 또 다른 중요한 원인이기도 합니다.

첫 번째 가려움이 시작되기까지는 대략 3-6주 걸립니다.

다시 말해서, 난생 처음으로 가려움을 느낀다면 그 시점부터 약 6주 전이 바로 옴 진드기가 달라 붙은 날이라 추정할 수 있습니다.

싱글 맘인 옴 진드기는 이렇게 계속 삽질을 하다가 대략 3-4주 정도되면 파 놓은 굴의 끝에서 한 많은 여성의 생을 마칩니다.

한편 그녀가 낳아 놓은 알에서는 3-10일 정도 지나면 유충이 알을 깨고 나옵니다.

이 유충(larvae)은 굴을 떠나 모낭을 찾아 이동하며, 거기에서 다리 여덟 개짜리 nymph로 변신을 합니다.

수컷인 경우는 한 번이면 충분하고, 암컷인 경우는 세 번 정도 nymph 변신을 거쳐야 성충이 되는데, 이 과정은 대략 2주 정도 걸립니다.
이게 참 다행인 게, 만약 암컷이 수컷처럼 단 한 번 변신만 해서 성충이 되었다면 현재 옴 질환은 적어도 3배는 더 증가했을 것입니다.
어쨌든 암수가 피부 위에서 조우를 하게 되면 곧장 성관계에 들어가며 역사는 되풀이됩니다.
그리고 임신한 암컷은 다시 굴을 파기 시작함으로써 다음 세대가 시작됩니다.

옴은 피부를 이루는 다섯 층 중에서도 가장 표면 층인 각질층(stratum corneum)을 활동 무대로 삼습니다.
옴은 해충으로 간주되지만, 사실 모기처럼 피를 빠는 것도 아니고 무슨 바이러스를 매개하는 것도 아니며 그냥 본능적으로 굴을 파고, 자식 낳고, 각질을 먹고 살 뿐입니다. 이렇게 아무런 악의가 없음에도 불구하고 인간에게는 본의 아니게 해충이 된 것이죠.

인간의 옴은 동물에게도 옮아갈 수 있으며, 그 반대로 동물의 옴 또한 인간에게 옮겨올 수 있습니다.
다만, 동물의 옴 진드기는 인간에게는 최적화되어 있지 않아서, 살아 있는 동안 괴롭히기는 하되, 결국 수명을 다하고 죽으면 저절로 낫는 경우가 많습니다. 그래도 가려운 건 마찬가지라 치료하긴 해야 합니다.

각질을 지향해서 굴을 파기 때문에, 가급적이면 털이 없고, 각질층이 얇은 만만한 부위를 선호하는데, 예를 들어 손가락 발가락 사이, 오금, 손목이 굽혀지는 부위, 사타구니 접히는 곳, 엉덩이, 유방 바로 아래 접히는 곳 등입니다. 접히고 습기 차고 은밀한 곳으로는 성기 부위 또한 호발 부위이며, 따라서 의료 관련 감염뿐 아니라 성매개 질환으로도 분류됩니다.

피부 발진은 발긋발긋 돋아나 있고, 굴을 파 놓아서 선모양으로 융기된 모습(burrow)이 특징적이지만 가끔 전형적이지 않게도 심하게 딱지가 앉은 모양의 옴도 있습니다. 즉, 과도하게 각질이 켜켜이 쌓여 있어서 burrow가 전혀 보이지 않습니다.

이를 노르웨이 옴이라고 하는데, 전형적인 옴보다 숫자도 훨씬 많고 그만큼 전염력도 훨씬 강합니다.

그래서 일반 옴보다도 치료하기가 수월하지 않습니다.

이 노르웨이 옴은 이환된 환자의 기저 상태가 매우 안 좋은 경우에 잘 생깁니다.

특히 집단 생활을 하는 사람들, 예를 들어 빈민 수용소나 군인, 정신 지체자들이 취약한 군입니다.

그리고 최근에는 면역저하 환자, 특히 HIV/AIDS 환자에서도 호발하고 있습니다.

11강

피부에서 활동하는 진드기이므로, 피부와 피부가 접촉하는 상황에서 옮겨갑니다.

피부뿐 아니라 침대, 담요 등에도 묻어 있다가 옮기도 합니다.

그래서 실제 현장에서는 요양원이나 요양 병원에서 옴에 걸린 상태로 오는 환자분들이 꽤 있으며, 이를 입원 초기에 놓치면 밀접 접촉한 가족, 간병인뿐 아니라 의료진까지도 얻어 걸리는 불상사가 생깁니다.

내원 초기에 외부에서 온 환자를 먼저 접하는 의료진은 환자의 피부에 각질이 좀 많으면서 불긋불긋 어딘지 모르게 지저분해 보인다는 느낌을 받으면 즉시 개인 보호 장구를 잘 갖춰서 자기 자신 수비에 만전을 기함과 동시에 곧장 진단 과정으로 들어가야 합니다.

옴의 진단법은 여러 가지가 있지만, 우리가 신경 쓸 것 없이 무조건 피부과 선생님께 맡겨야 합니다.

그분들보다 옴을 잘 진단하는 의사는 절대로 없기 때문이죠.
이 옴이라는 질환은 외부에서 들어 오고, 전염력이 꽤 높으며 격리를 해야 한다는 점에서 어쩌면 CRE/CPE와도 참 유사합니다. 실제 이 두 곤란한 상황에 대처하는 감염관리 원칙, 특히 접촉 주의 방침은 사실상 똑같아요.
다만 불행 중 다행인 게, 격리뿐 아니라 치료 대책까지 서 있다는 것이 큰 차이점입니다.
그래서 CRE/CPE와는 달리 옴은 치료만 완료된다면 입원 기간 동안 격리 해제까지 해 줄 수 있습니다.

치료는 환자뿐 아니라 환자와 접촉한 모든 사람들을 한 명도 빼 놓지 말고 다 해 주어야 합니다.

옴은 어떻게 치료할까요?
옴은 절지 동물이라는 사실을 잊지 않으셨죠?
그러므로 살충제로 치료합니다.
옴을 치료하는 약은 살충제이고 모두 다 신경계를 마비시키는 독약입니다.
독은 독인데 벌레의 신경계를 주로 마비시키고 사람이나 다른 동물들의 신경에는 해를 끼치지 않는 독입니다.
그러나, 세상에 그렇게 완벽한 살충제가 어디 있습니까?
정도의 차이가 있을 뿐, 모든 옴 치료제는 곧 살충제이자 신경독이므로 항상 부작용을 신경 써야 합니다.

가장 믿음직스러운 약으로 Permethrin이 있습니다.
이는 pyrethrum(제충국; 벌레를 죽이는 국화)에서 추출한 pyrethrin 물질을 기반으로 이의 유도 물질인 pyrethroid 계열의 화학물에서 만들어졌습니다.
주로 벌레의 신경계를 마비시키며, 사람을 비롯한 온혈 동물에는 무해합니다.
원래 농업용 살충제 용도로 쓰였으며, 임상에서는 머릿니와 옴 치료제로도 쓰입니다.
크림 형태로 되어 있어서, 옴 환자의 목 아래 전신에 발라주고 8-14시간 후에 씻어냅니다.
그리고 혹시나 있을 유충이나 nymph, 성충 잔당들을 소탕하기 위해 1주일 후 다시 발라주고 씻어내는 과정을 한 번 더 합니다.
물론 옴 진드기만 죽이고 사람에 대한 독성은 걱정할 수준은 아니지만 아주 드물게 신경 독성이 있을 수도 있으니 주의하는 게 좋겠습니다.
그리고 고양이에게는 진짜 치명적이니, 혹시 고양이 키우시는 분들은 이 약을 바른 동안은 아무리 자기 야옹이가 귀여워도 꼭 끌어안는 행동은 삼가시는 게 좋습니다.
임산부에 대한 안전성은 미 식품의약국 기준 B에 해당됩니다.
2개월 미만 영아와 수유부는 금기이며, 당연한 얘기지만 이 약제에 알레르기 경력이 있는 이도 금기.

Lindane은 6각형 hexane에 염소(chlorine)가 무려 6개가 다 달려 있는 gamma-hexachlorocyclohexane 구조인데, 염소가 6개나 되니 독성도 엄청 강합니다.
역시 원래는 농업용 살충제였으나 여러 독성 등으로 인하여 21세기 들어 사용 금지되었습니다.

단, 예외적으로 옴 치료에는 허용이 되어 있습니다.
역시 신경 독 작용이 주 기전인데, permethrin과는 달리 사람에게도 신경 독성이 작용할 수 있으며, 간, 신장 등에도 만만치 않게 축적되고, 특히 암 유발 물질이기도 합니다.
한 마디로 꽤 위험한 약이므로, 옴 치료에 사용하되 1차 치료 약제가 실패했을 경우에 한하여 2차 치료 약제로서 선택합니다.
보통 30-60 mL를 바르고 8-12시간 후 씻어 냅니다.

임신, 수유부는 금기이며, 6개월 미만의 아이나 경련 경력이 있는 이 또한 금기.
Crotamiton도 치료제로 쓰이는데, 이틀 연속 밤마다 발라주고, 두 번째 발라주고 나서 24시간 후 씻어냅니다. 합병증이나 부작용은 별 걱정이 없지만, 그만큼 효과는 다른 약제에 비해 썩 좋지는 않습니다.

Ivermectin은 *Streptomyces avermitilis*에서 avermectin을 분리하여 만든 약으로, 기존 avermectin보다 독성을 완화하고 치료 효과를 더 높인 약입니다.
일단 살충제로서 옴과 이, 그리고 빈대는 기본으로 잘 죽입니다.
이 약의 진가는 기생충 감염증 치료제로서의 출중한 능력에 있습니다.
사상충증(river blindness, onchocercariasis), 림프절 사상충증(lymphatic filariasis), 분선충증(strongyloidiasis), 편충증(trichuriasis) 등에 특효약입니다.
작용 기전은 GABA 억제를 위주로 하는 신경 독성입니다.
옴 치료할 때의 용량은 200 ug/kg로 경구 복용을 합니다.
한 번으로 충분하다고는 하나, 이 약은 성충은 죽여도 알은 죽이지 못하기 때문에 알을 깨고 성장하여 다시 성충이 나타날 수 있는 보름 후에 한 번 더 복용을 시킵니다.
부작용은 오심 구토 정도이며, 5세 미만 혹은 15 kg 미만의 아이는 금기.

특히 옴 중에 악질인 노르웨이 옴을 치료할 때 이 ivermectin을 permethrin과 병용합니다.
국내에서는 이보멕이라 하여, 주로 개 사상충 치료약으로 사용되고 있으며, 사람에게 주는 건 스트로멕톨(Stromectol)입니다.
주의할 점은, 같은 개라도 콜리 종에게 위험할 수 있습니다.
그리고 고양이에게도 안 좋습니다.

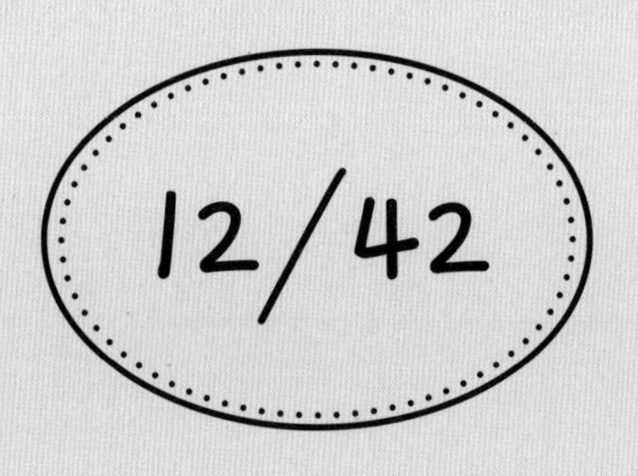


제12강

# 적은 먼 곳에도 있다

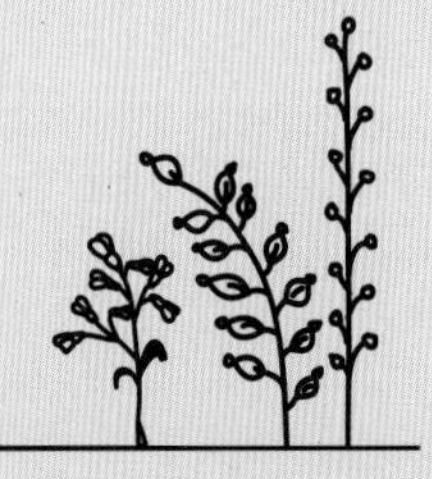

# 적은 먼 곳에도 있다

적은 내 곁에만 있는 게 아닙니다.
먼 곳에도 있습니다.
먼저 병원 바깥, 우리 동네를 나들이 해 보고, 여력이 생기면 나라 밖도 둘러 봅시다.

## 먼 곳에서 오는 내성

앞선 단원에서 다루었지만, 병원 감염 내지 의료 관련 감염은 결국은 내성과의 싸움입니다.
그런데 말입니다.
내성은 원내에서만 따질 문제일까요?
병원 같이 항생제가 가해지는 환경에서는 내성을 가진 균주들이 선택되어 살아남고 세력을 구축합니다.

그리하여 이런 설정에 있는 의료진과 환자, 그리고 환경 자체 사이에 내성은 주거니 받거니 하며 전파될 수 있으며, 시선을 조금만 바깥으로 돌리면 외부 유입과 더불어 내원객들과도 주거니 받거니 할 겁니다.

그렇게 내성은 원내에서뿐 아니라 원외 지역 사회로도 퍼져나갈 수 있습니다.

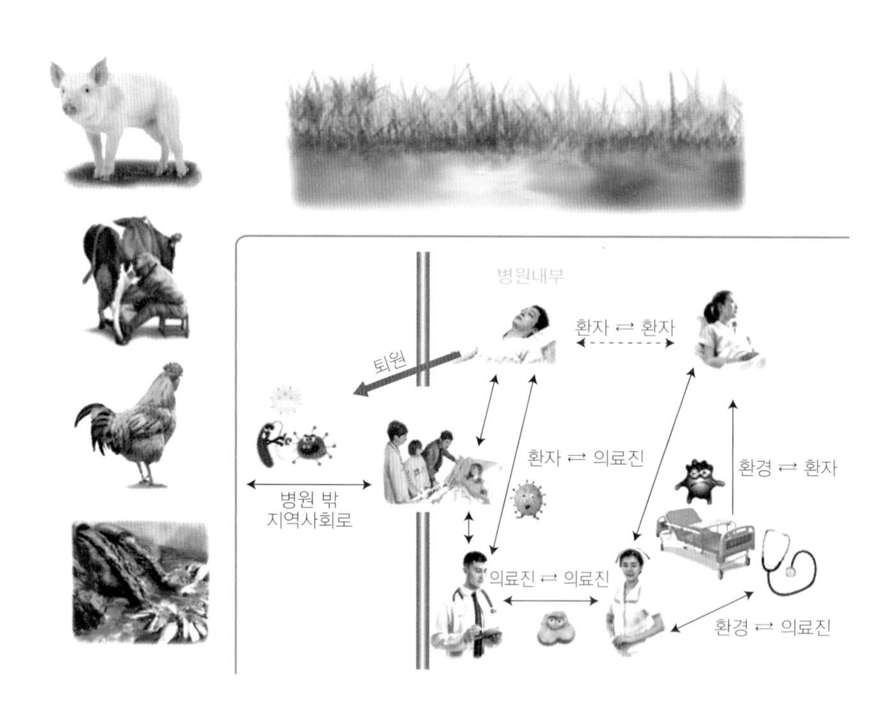


원래 항생 물질과 내성은 태고 때부터 자연에 존재해 왔습니다.

그러므로 병원 밖의 세계에는 미생물뿐 아니라, 항생 물질과 내성들이 다양하게 널려 있습니다.

문제는 자연스럽게 존재하는 것들뿐만이 아니라 우리 인간들 또한 이 내성의 창궐에 기여한다는 거죠.

오늘날 세상은 다양한 약제들이 소비되고 있습니다.

각자 약제를 소비하면 그 약제들은 소멸되는 것이 아니라 각자의 체내에서 대사된 후 외부로 배설됩니다.

이렇게 배설된 것들은 일단은 하수로 나가지만, 궁극적으로는 하천이며 강물 등의 주위 환경으로 나갑니다.
실제로 세계 주요 도시의 강에서 조사한 바에 의하면 독일의 의료 기관 주위 하천에서는 조영제가 가장 많았고, 미국이나 캐나다는 항 우울제, 호주는 항생제가 가장 많았다고 합니다.
이 밖에 세계 각국의 도심 거주지역 병원이나 하수 처리장에서 fluoroquinolones나 tetracycline 내성 유전자들이 다수 검출되었다는 보고들도 속출하고 있습니다.
이러한 이치로 각종 부산물들이 우리가 의식하지 못하는 사각지대에서 쌓이고 있으며, 이들 중 상당 비중을 항생제가 차지하고 있습니다. 이에 따라 당연히 내성들도 공존하고 있습니다.
다시 말해서, 이러한 내성들이 우리들에게 얼마든지 되돌아 올 수 있는 것입니다.

12강

병원 바깥에서 오는 내성의 요인으로 또 한 가지가 있습니다.
다름 아닌 가축 사료.
중국을 예로 들자면 일 년에 평균 21만 톤의 항생제를 생산하는데, 이 중에서 무려 절반이 축산업에 소비된다고 합니다. 따라서 각종 내성이 발흥할 소지가 매우 높은데, 실제로 최근 양자강에서 채취한 검체들을 조사한 결과 다양한 tetracycline와 sulfonamide 내성 유전자들을 검출했다는 보고가 나왔습니다. 이보다 더 극단적인 사례도 발생했는데, 다제 내성균의 최종 수단이라 할 수 있는 plasmid 매개 colistin 내성이 가축에서 발견되기도 하였습니다. 그 동안 싼 맛에 colistin이 가축 사료로 애용되고 있었기 때문이었습니다.
또 다른 이러한 사례로 유럽에서 사료에 glycopeptide를 넣다 보니 vancomycin 내성이 창궐한 것도 대표적인 예입니다.
결국, 오늘날 내성의 대처문제는 원내에만 국한되지 않고 보다 넓은 범주라는 개념에 기반을 두고 접근해야 합니다.

## 더 먼 곳에서 오는 적

자, 우리 스케일을 좀 더 크게 잡아 봅시다.

우리 동네, 우리나라뿐만 아니라 바다 건너 외국에서도 적은 올 수 있습니다. 교통의 발달로 이제는 외국의 오지에서나 볼 수 있던 감염 질환도 우리나라에 얼마든지 들어 올 수 있다는 사실은 2015년에 MERS-CoV 사태에서 뼈저리게 경험한 바 있습니다.

아마도 가장 흔한 사례는 해외 여행하고 돌아온 이들이 묻혀오는 경우들일 겁니다.

여행 잘 갔다가 인천국제공항으로 귀국하는데 열이 난단 말입니다.

보통 그런 경우는 크게 3가지를 먼저 의심하게 됩니다: malaria, dengue, Rickettsial diseases.

아니면 설사를 한단 말이죠. 그런 경우는 여행자 설사, typhoid fever 등을 의심하게 됩니다.

그래서 해외 여행을 하게 될 때는 해당 지역에서 얻어 걸릴 수 있는 감염병에 대비하여 예방 대책을 미리 준비하는 것이 좋습니다.

현재 질병관리청 웹에 접속하여 [감염병 - 해외감염정보 - 해외 감염병 Now]에서 검색하면 국가별 감염 예방 정보가 자세히 안내되어 있습니다. 상당히 양질의 정보로 잘 갖춰져 있으니 필수적으로 이용하심이 좋겠습니다.

(https://www.kdca.go.kr/contents.es?mid=a20102050000)

그럼에도 불구하고 미생물은 눈에 보이지 않으므로 얼마든지 국내에 들어올 수 있습니다.
몇 가지 신경 써야 할 감염병들을 한 번 살펴 보기로 하지요.

## 국내에 들어왔거나 들어올 것이 우려되는 감염병

이미 우리는 MERS-CoV로 한 번 크게 소동을 치렀으며, 이제는 코로나 19로 고생을 합니다.
이것들은 모두 외국에서 발생하여 우리를 찾아온 불청객들입니다.
사실 그 이전에도 외국에서 들어와 우리나라를 강타한 감염병들은 이미 많았습니다.
당장 독감만 해도 그렇고, 요즘은 보기 힘들지만 콜레라도 그러했습니다.

그리고 앞으로도 전례가 없는, 따라서 치료제나 백신도 마련되어 있지 않은 듣보잡 감염병이 대유행을 일으켜 우리나라까지 강타할 소지는 앞으로도 얼마든지 있습니다.

이에 대해 어떻게 대비하는 게 좋을지에 대해서는 우선 과거의 사례들을 교훈으로 삼고, 아직 안 들어왔지만 타국에서는 말썽이 되는 감염병에 대해서도 어느 정도는 숙지를 하는 것이 필요할 것입니다.

먼저 다뤄볼 것은 역시 코로나바이러스이겠죠?

## 1. 코로나바이러스(Coronavirus) 감염증

Order Nidovirales, family Coronaviridae의 가계보에 속합니다.
Positive sense single stranded RNA 바이러스, 즉 mRNA 자체의 구조이며 non-segmented genome입니다. 나중에 다룰 influenza는 segmented genome이라 변이가 antigenic drift니 shift니 하며 빈번하게 일어나지만, 코로나바이러스는 상대적으로 덜 일어나는 이유이기도 합니다. 물론 코로나 19 pandemic 시대에 델타 변이니 오미크론 변이니 하면서 고생들 하지만, 그나마 non-segmented genome이라 이 정도에 그치는 것이 다행입니다.

겉 치장은 envelope로 하고 있는데, 주요 구조가 membrane (M) protein이고 나머지가 envelope protein (E), 그리고 바이러스가 숙주에 결합할 때 중요한 구조물이자 백신의 주요 과녁인 spike protein (S)으로 구성되어 있습니다.

분류는 크게 4가지로 나뉩니다.
먼저 genus alphacoronavirus와 betacoronavirus는 포유류에 감염되는데, 사람을 괴롭히는 놈들이 다 여기에 해당합니다.
나머지 둘이 gammacoronavirus와 deltacoronavirus이며, 이들은 조류에 감염되는 놈들이며 우리의 관심 대상은 아닙니다.
사람에게 감염되는 alpha-와 betacoronavirus에 속하는 바이러스의 예는 다음과 같습니다.

- Alphacoronavirus: Human coronavirus 229E (HCoV-229E), HCoV-NL63.
- Betacoronavirus: HCoV-OC43, HCoV-HKU1, Middle East respiratory syndrome-related coronavirus (MERS-CoV), severe acute respiratory syndrome-related coronavirus (SARS-CoV, SARS-CoV-2).

그런데 말이죠, alpha- & betacoronavirus 모두에 속해 있는 게 박쥐의 coronavirus입니다. 즉, 사람이 앓는 coronavirus들은 박쥐의 coronavirus와 사촌이라는 것이죠. 단, 예외적으로 OC43과 HKU1은 설치류에서 기인한 것으로 추정되고 있긴 합니다.

SARS의 중간 숙주는 palm civet (*Paguma larvata*) 혹은 raccoon dog (*Nyctereutes procyonoides*), MERS의 중간 숙주는 단봉 낙타(dromedary camel)로 알려졌지만 진짜 배후는 아니지요.
사실 인간의 coronavirus 질환의 출발점은 박쥐입니다.

박쥐는 Order Chiroptera(익수목)으로 분류됩니다.
아목(suborder)으로 다시 분류하면 Megachiroptera(과일 박쥐)와 Microchiroptera(벌레 잡아먹는 박쥐)로 나뉩니다. 후자는 우리가 흔히 알고 있는 초음파 발사해서 위치 파악하는 그런 박쥐입니다.
국내에는 20여 종의 박쥐가 사는데, 모두 작은 벌레 잡아먹는 박쥐이며, 다행히도 과일 박쥐는 서식하지 않습니다.
감염 분야의 시각에서 보면, 과일 박쥐는 각종 인수공통 전염병의 보유고입니다.
지금 다루고 있는 coronavirus뿐 아니라 Ebola, Nipah와 Hendra 바이러스 등이 박쥐의 배설물에 있다가 중간 숙주로 옮고, 그것이 인간에게까지 감염되는 것입니다.

Coronavirus의 전반적인 생활사를 봅시다.
먼저 인간 세포에 달라 붙어야 합니다. 이를 주도하는 구조물이 spike protein이며, SARS 형제들의 경우에는 angiotensin converting enzyme 2 (ACE2)를, MERS-CoV는 dipeptidyl peptidase 4 (DPP4 혹은 CD26)을 receptor 삼아 세포 안으로 침투합니다.

앞서 언급했듯이, (+) sense RNA 즉 mRNA 자체이기 때문에 침투이후 숙주 시설물을 무단으로 사용하면서 translation을 통해 polyprotein을 만들어냅니다. 여기서 protease를 작동하여 사용 가능한 각각의 구조물들을 마련하면서 RdRp를 가동시키며 replication에 들어갑니다. 나중에 구조물들과 증식된 (+) sense RNA들이 모이면 다시 바이러스 자손들을 완성시킨 후 그 세포를 떠나 다른 세포들을 찾아 자신들의 개체 수를 더욱 늘려갑니다. 항바이러스제 단원에서 다뤘듯이 이 생활사들의 각 대목들이 바로 바이러스 치료의 과녁이 됩니다.
임상 면에서 보면 HCoV-229E, HCoV-NL63, HCoV-OC43, HCoV-HKU1이 감기를 일으키며 제4급 감염병입니다. 감기의 원인으로 가장 많은 rhinovirus 다음으로 빈번한 원인 바이러스입니다. 이거야 뭐 매년 겨울마다 앓지만 그리 큰 문제가 되지 않는 것이고, 문제는 중증까지 갈 수 있는 SARS-CoV, SARS-CoV-2, MERS-CoV입니다.
SARS와 MERS는 현재 국가 제1급 감염병으로서 관리 대상입니다.

SARS는 2003년에 중국에서 시작되어 결국 29개 국가까지 퍼졌습니다. 거의 8천명 이상이 이환되었고 10%여의 꽤 높은 치명률을 보입니다. 우리나라도 2003년에 확진되지는 않은 의심 사례가 3건 있었지만 다행히 큰 피해는 아니었습니다. 현재 제 1급 감염병입니다.

이후 2012년에 사우디 아라비아, 카타르를 중심으로 중동에서 MERS가 발생합니다. 한편, 중동 밖으로는 북아프리카(이집트, 튀니지), 유럽(영국, 독일, 이태리, 그리스), 동남아는 말레이시아, 필리핀, 그리고 미국에서 간헐적으로 생겼습니다. 이는 기존 SARS보다 치명률이 높아서 30%를 훌쩍 넘기는 살벌한 예후를 보였습니다. 다들 잘 아시다시피 2015년에는 엉뚱하게도 우리나라에도 발생하여 총 186명이 걸리고 38명이 사망하였습니다. 2018년에 한 건이 더 있었습니다만 신속한 조치로 더 이상의 파급은 없었습니다.

2015년에 우리나라에 들어왔던 바이러스는 전체 유전체를 검증한 결과, 사우디 아라비아 낙타에서 통상적으로 볼 수 있는 낙타 바이러스로 정식 표기는 Camel/Riyadh/Ry159/2015이며, 조금씩의 변이는 있겠지만 특별히 별종은 아니었습니다. 2015년 당시의 재앙으로 인하여 이전까지 그리 관심을 받지 못했던 대한민국 의료 기관의 감염관리 체계에 대한 반성과 이에 따른 보완이 시작된 계기가 되었으니, 오히려 긍정적인 영향을 주었다고 볼 수도 있습니다. 이 또한 제1급 감염병입니다.

그리고 2019년 12월에 또 다시 중국 우한에서 시작된 SARS-CoV-2로 인한 COVID-19 pandemic으로 전 세계가 2년 넘게 고생을 합니다.

이들 모두의 공통점은 숙주가 순수하게 인간만이 아니고 짐승에서 비롯되었다는 것입니다.

원래 미생물들은 species 장벽을 넘지 않는 것이 원칙이겠으나, 현실은 그 장벽을 얼마든지 뛰어 넘는 소위 spillover 혹은 species jumping 현상이 얼마든지 일어납니다. 인간과 짐승의 밀접 접촉이 이루어지는 환경이라면 얼마든지 각자의 미생물이 상호 교류하면서 돌연변이로 인해 장벽을 뛰어 넘는 것입니다.
그런 면에서, 이러한 재앙은 이번 코로나 19만으로 그치지는 않을 것이라는 것이 우리 모두의 우려입니다.

## 2. Ebola virus hemorrhagic fever

제1급 감염병입니다.

Ebola 바이러스는 *Filoviridiae*과에 속하며 (-) sense SS RNA입니다.
원인 바이러스는 마침 벨기에에서 자이르(Zaire, 오늘 날의 콩고 민주 공화국)로 와서 의료 봉사를 하고 있던 Piot 박사 일행들에 의해 규명되었습니다. 이 분은 Ebola 규명뿐 아니라 아프리카에서의 HIV/AIDS 역학도 낱낱이 정리하였으며 훗날 세계보건기구에서도 맹활약을 한 분입니다.
그의 책 No time to lose(국내에서는 '바이러스 사냥꾼'이란 제목으로 번역되어 출간)에 보면 Ebola 바이러스를 처음 규명하고 명명하게 된 사연이 나옵니다.
원래 그들이 규명한 바이러스가 나온 곳은 얌부쿠(Yambuku)라서 얌부쿠 바이러스라고 이름 붙이려고 했었는데, 도중에 마음을 바꿔서 그 근처에 흐르는 강 이름을 따서 Ebola virus로 명명을 합니다.

총 6가지 종류가 있습니다.
1976년 자이르와 수단에서 생겼던 Zaire 에볼라 바이러스(EBOV)와 Sudan에볼라 바이러스(SUDV)가 있습니다. 당시 자이르에서는 총 318건이 발생하였고 무려 280명이 죽었으며, 수단도 284명이 발생하여 151명이 사망하였습니다.

이후로도 1995년에 자이르에서 또 다시 집단 발병이 일어나 총 315명이 걸리고 80% 이상의 환자가 사망하였고, 2000년과 2004년에 다시 수단에서 집단 발병이 일어났으며, 2011년에는 우간다에서 집단 발병이 일어났습니다.
그러다가 여태까지 자이르, 수단, 가봉 정도에서 발생하던 에볼라가 2013년에

뜨금 없이 라이베리아, 기니, 시에라리온, 나이지리아 등의 서아프리카에서 발생합니다. 이는 무려 2년이나 지속되어 총 2만여 명의 환자가 나왔으며 거의 반 수가 사망하였습니다.

세 번째로 출현한 것이 Reston 에볼라 바이러스(RESTV)입니다.
이는 1990년에 버지니아주 레스톤의 연구기관에서 발생했는데, 당시 필리핀에서 수입한 원숭이들을 대상으로 실험을 하다가 수백 마리의 원숭이들이 집단 감염되어, 감염된 원숭이들의 상당수가 죽었으며, 이 원숭이들을 돌보던 요원들 네 명에서도 이 바이러스에 대한 항체가 나왔으나 다행히 아무런 증상도 보이지 않았습니다.
이후 미 다른 지역과 유럽의 연구 기관에서도 같은 집단 감염이 원숭이들에게서 발생하였고 이는 1996년까지 지속됩니다.
이 소동은 에볼라 병에 있어서 또 하나의 중요한 면을 부각시켰는데, 필리핀의 유인원에서 비롯되었다는 점에서 아프리카에서만 생긴다는 통념을 깼고, 동남 아시아도 완전히 안심할 수는 없는 지역이라는 경각심을 일깨워 주었습니다. 실제로 필리핀에서 간헐적으로 레스톤 에볼라 감염 사례가 생기곤 했습니다.
게다가 유인원이 아닌 사육 돼지에서 에볼라 병이 발생하기도 했습니다.
즉, 에볼라는 반드시 영장류에서만 발병하는 것도 아니라는 것이죠.

네 번째로 출현한 것은 Tai Forest 에볼라 바이러스(TAFV)입니다.
이는 코트디부와르(Cote d'Ivoire 혹은 혹은 Ivory Coast)에서 1994년에 처음 발생하였습니다.

다섯 번째로 발견된 것은 우간다에서 2007년에 집단 발생한 분디부교(Bundibugyo) 에볼라 바이러스(BDBV)로 자이르, 수단에 못지 않게 치명적인 양상을 보였습니다. 이 바이러스는 2012년에 에볼라의 원조 격인 콩고 공화국

12강

(구 자이르)에서도 집단 발병으로 발생합니다.
마지막으로 2018년에 Bombali 에볼라 바이러스(BOMV)가 시에라리온에서 발견됩니다.
이는 박쥐에서 분리한 것으로, 임상적으로 질환을 일으킨 사례는 아직 없습니다.
Ebola virus 질환이라면 아마 대부분이 온 몸에 출혈 반점이 가득하고 피를 토하는 모습을 연상할 것입니다.
실제와 어느 정도 차이는 있지만 사실이긴 합니다.
그렇다면 왜 출혈을 할까요?

사실 완전히 규명된 것은 아니지만, coagulation system에 붕괴가 오고 파종성 혈관내 응고증(Disseminated intravascular coagulation, DIC)이 엮이면서 혈관 손상까지 합쳐져 출혈 양상으로 나타난 것입니다.

Ebola virus는 공기로 전염된다고 아는 분들이 의외로 많은데, 실제로 aerosol 발생 상황이 아니라면 꼭 그렇지는 않습니다.
일차적으로는 유행 지역에서 이 바이러스에 감염된 과일박쥐, 원숭이, 고릴라, 침팬지 등의 동물과 직접 접촉해서 발생하지만, 사람끼리의 전염은 주로 환자와의 접촉에 의해 성립됩니다.
감염된 체액, 특히 혈액, 대변 및 구토물과의 직접적인 물리적 접촉을 통해 전염되기 때문에 전파되기 위해서는 사람과의 긴밀한 접촉이 있어야 합니다.
즉, 피부에 난 상처나 점막으로 침투하면서 감염이 시작됩니다.
정말로 공기 전염이 된다면 아마 에볼라 집단 발병은 훨씬 더 큰 규모로 일어났을 것이고 아마도 나라가 망할 정도의 수준까지 갔을 것이니 그나마 다행입니다.
접촉 후에 일어나는 과정은 여타 바이러스 감염 질환 전개의 과정과 동일합니다.

우선 피부나 점막에 대기하고 있던 dendritic cells (DC)나 Monocyte/Macrophage (Mo/MΦ)에 탑재합니다.
이 DC나 Mo/MΦ 택시는 림프관(lymphatics)을 거쳐 림프절(lymph node)에 도착하고, 에볼라 바이러스는 그곳에서 일단 일차 정착을 합니다.
거기서 각종 면역 세포들의 공격을 피하면서 성공적으로 증식을 하고 나면 본격적으로 전신으로 퍼집니다. 이때부터가 바로 잠복기가 끝나고 질환이 본격 시작되는 시점이며, 전염력 또한 시작되는 시점이기도 합니다.

Ebola virus가 인체에 위해를 가하는 기전은 다음과 같습니다.
바이러스 자체가 인체 세포들을 파괴하기도 하지만, 인체 내 방어기전을 꼬드겨서 결과적으로 자해하게끔(apoptosis) 유도하기도 합니다. 그리하여 간, 신장 등의 여러 장기들이 부전에 빠집니다.
그리고 tissue factor가 작동되게 하여 응고 과정이 폭포수처럼 급격히 진행됩니다.
그 결과 섬유소가 촘촘한 그물을 짜면서 체내 조직들마다 가는 혈류를 거의 막다시피 함으로써 체내 각종 장기들이 작동 불능 상태로 빠지는 다장기 부전(multi-organ failure)이 초래됩니다.
한편, 이미 과도하게 벌어진 염증 반응 또한 응고 반응을 걷잡을 수 없게 촉진시키고, 이후 응고 인자가 모두 고갈되면 결국 출혈이 야기됩니다. 혈관내피세포가 손상되면 혈관 벽이 헐거워져서 마구 새게 되며, nitric oxide 생성 증가로 인해 이 상황이 더 악화되어 출혈이 더 조장됩니다.

결국 에볼라 바이러스의 각종 병리 기전들은 모두 출혈이라는 하나의 종착역을 향해 폭주하는 셈입니다.

그런데, 사실 에볼라 환자라면 무조건 다 피를 흘린다는 통념은 실제보다 약간 과장된 감이 있긴 합니다.

아마도 1976년 첫 보고됐을 때 환자의 2/3 이상이 출혈 양상을 보였기 때문일 것입니다.
이때부터 '에볼라 = 무섭게 피 흘리며 죽는다'는 고정 관념이 생긴 것이죠.
무엇보다 2013년 서아프리카 국가에서 에볼라가 창궐했을 때가 더 인상적이었습니다.
당시 우리는 해외 TV 보도에서 에볼라 환자로 보이는 아프리카 주민이 카메라 앞에서 비틀거리며 걸어오다가 갑자기 피를 토하며 쓰러지는 장면을 보게 됩니다. 이만큼 적나라한 장면을 직접 본 건 처음이었고, 이를 계기로
에볼라는 피를 토하고 죽는다는 고정 관념이 각자의 뇌리에 새겨졌어요.

그런데 1990년대 이후 보고되는 사례들을 되짚어 보면 그 정도까지는 아니었습니다.
1995년 발생 당시에는 환자들의 41%에서, 2001년 수단에서의 발생 당시에는 환자들의 30%에서, 2007년 Bundibugyo 에볼라 발생 시에는 46.5%에서 출혈 양상이 동반되었었습니다.
이렇게 실제로 출혈 증상은 모든 환자에서 보이는 것은 아니며, 대략 절반 미만 정도에서 나타난다고 알면 될 것입니다.

정리하자면, 에볼라 질환으로 죽는 이유는 피를 너무 많이 흘렸기 때문이라는 건 오해입니다.
에볼라 환자가 죽는 진짜 이유는 다장기 부전 때문입니다.

에볼라는 사나흘 혹은 열흘 정도의 잠복기(최대 3주까지)를 가집니다.
그 동안은 아무런 낌새도 없다가 정말로 느닷없이 발열, 불편감 등등으로 증상이 시작됩니다.

첫 주에는 가장 전염력이 강합니다.

5일경부터 마치 콜레라처럼 쌀뜨물 같은 설사를 하루에도 열 번, 스무 번 대량으로 하기 시작합니다.
다시 말해서, 분명히 콜레라 임상 양상을 보이는데 동남아나 인도 쪽이 아닌 아프리카에서 온 사람이라면 콜레라보다 에볼라를 먼저 의심해야 한다는 얘기가 됩니다.
대량으로 설사를 하니 수분량이 절대적으로 소실되어 심하면 첫 주부터 hypovolemic shock이나 multi-organ failure에 빠집니다. 그리고 이때부터 출혈 양상이 나타나기 시작합니다.

둘째 주는 multi-organ failure가 최고 극한에 달하는 기간이라, 사망할 확률도 최대치에 달합니다.
이때 가장 많이 죽기 때문에 집중 치료도 가장 최선을 다해야 할 시기입니다.

12강

셋째 주도 둘째 주와 거의 동일하게 질환 중증도의 정점입니다. 이 때쯤에서 심장 기능 이상이 나타나기 시작하며, 포도막염 등과 같이 나중에 에볼라에서 회복되더라도 꾸준히 괴롭힐 후유증이 시작됩니다.

넷째 주까지 잘 버티어서 오면 이때부터 회복이 시작됩니다만, 후유증이 남는 경우가 많습니다.
완전히 회복되더라도 바이러스는 한 달 이상은 체액에 남아 있으며, 심한 경우 정액에는 무려 531일 동안이나 버티고 있었다는 기록도 있습니다. 그래서 생존하는 행운을 누리더라도, 1년 후까지 정액을 검사해 볼 필요도 있습니다.

현재까지 확실한 치료제는 없고, 백신의 개발도 만족스럽지는 않은 형편입니다.
유럽에서는 Zabdeno (Ad26.ZEBOV)와 Mvabea (MVA-BN-Filo) 백신, 미국에서는 Ervebo (rVSV-ZEBOV-GP) 백신이 나와 있습니다.

항바이러스 치료제로 ribavirin을 써 보기도 했으나 성적은 매우 실망스러웠습니다.
현재는 favipiravir가 에볼라 바이러스의 쓸 만한 치료제로 주목 받고 있습니다.
또 하나의 신약인 remdesivir 또한 밝은 전망을 보였으나, 콩고 집단 발병 시 시험 사용된 이후 효과가 별로였다고 당국이 공표하여 주춤한 상태입니다.
비슷한 구조와 기전을 지닌 galidesivir도 가능성을 보이고는 있으나 아직은 검토 단계입니다.
그리고 에볼라 앓은 환자들에게서 얻은 항체들의 집합인 ZMapp 이 치료제로 쓰인 적도 있지만, 역시 검증이 더 필요합니다.
단일클론 항체 제제로 Inmazeb (atoltivimab, maftivimab, odesivimab-ebgn), Ebanga (Ansuvimab-zykl)가 대증 요법과 함께 쓰이기도 합니다.

현재로서는 다장기 부전에 대처하여 집중 치료가 최선이겠습니다.

그리고 무엇보다 감염관리가 더 중요합니다.
Ebola 바이러스가 유행할 때는 해당 유행 지역의 방문을 피하고, 사람끼리의 전염이 가능하기 때문에 혹시라도 국내에 유입 시 빨리 발견해서 빨리 조치를 취하여 더 널리 퍼져나가는 것을 기민하게 막아야 합니다.

확진된 환자는 국가지정입원 치료병상으로 입원하여 치료를 하도록 하고, 접촉자 관리는 확진자 접촉 후 21일 동안 증상 여부를 감시하고, 의심 증상 발현 시 의심환자에 준한 조치를 시행합니다.

의료 환경에서는 환자 진료 시 표준주의, 접촉주의 준수, aerosol 형성 시술에서는 공기 전파주의를 적용합니다.

## 3. Marburg virus hemorrhagic fever

제1급 감염병입니다.

에볼라의 사촌이자 더 치명적인 경과를 보이는 Marburg 바이러스 출혈열은 에볼라의 출현보다 앞선 1961년 독일의 도시 Marburg에서 발생하였고, 이후 Frankfurt에서, 곧 이어 당시 유고슬라비아의 Belgrade에서 연속으로 발생하였습니다.
이는 백신을 개발하던 연구 기관에서 일하던 연구원들을 중심으로 발생하여 이들을 치료하던 의사와 간호사들까지 전염되었던 것입니다.
결국 총 31명이 걸려서 일곱 명이나 사망하였습니다.
원인은 실험 동물로서 우간다에서 들여온 아프리카 녹색 원숭이였던 것으로 밝혀집니다.
이후 2년동안 간헐적으로 발생해 오다가 1998-2000년, 콩고 민주공화국에서 금광 캐던 광부들 154명에서 집단 발병하는 대형 사고가 벌어졌으며, 이들 중 무려 83%가 사망하였습니다.
2004-2005년에는 북 앙골라에서 252명이 걸려서 역시 90%나 사망하였습니다.
2007-2017년에는 간헐적으로 우간다에서 꾸준히 발생하였습니다.
감염 과정은 Ebola virus와 유사하게 감염된 사람의 혈액, 체액 또는 조직과의 접촉을 통해 이뤄집니다.

Marburg 출혈열은 에볼라보다는 비교적 덜 발생하여 주목을 덜 받았지만, 일단 걸렸다 하면 거의 9할이 죽는 등 훨씬 더 치명적인 양상을 보였습니다.
지나치게 치명적이다 보니 자기들 삶의 터전인 숙주들을 거의 다 죽여 놓아서 에볼라 출혈열보다 상대적으로 덜 발생하는 것이 다행일 정도입니다.

임상 경과나 병리 기전, 치료 및 접촉자 감염관리 방침은 에볼라와 동일하고 예후가 더 나쁘다고 보면 됩니다.

## 4. Lassa fever

제1급 감염병입니다.

Lassa열은 1969년에 나이지리아의 작은 마을인 Lassa에 있는 어느 의원에서 근무하는 간호사에게서 처음 발생하였습니다. 그 첫 환자는 일주일만에 사망하였고, 이후 그 간호사를 돌보던 동료 간호사 두 명이 잇달아 전염되어 앓다가 또 한 명이 죽습니다.
그들에게서 얻은 검체에서 바이러스가 분리되었고, 발생한 마을 이름을 따서 Lassa virus로 명명됩니다.
가계도로 분류해 보자면 Order Bunyavirales, Family Arenaviridae, Genus Mammarenavirus, Species Lassa mammarenavirus입니다.

나이지리아나 기니, 시에라리온, 코트디부아르 등의 서아프리카에서 주로 발생하였고, 독일에서는 사람끼리의 전염으로 발생하기도 하였습니다.

Lassa 바이러스는 쥐(multimammate mouse, *Mastomys natalensis*)가 보유하고 있으며, 설치류의 분비물에 직접 접촉하거나, 분비물에 오염된 음식물 접촉, 혹은 aerosol 노출로 감염됩니다.

잠복기는 1주에서 3주 정도로 제법 긴데, 이 시기를 지나면 80% 정도는 무증상 혹은 경증이지만 나머지는 감기처럼 발열과 전신 무력감, 기침 등등으로 증상이 시작됩니다.
대개 오심, 구토 및 설사를 주로 보이며, 더 진행되면 출혈 양상을 보이기 시작합니다.
증상 발현 일주일을 지나 2주차 중엽쯤 접어드는 시기에 다장기 부전 등의 양상이 가장 심해져서 이때 가장 많이 사망합니다.
이 고비를 넘기면 회복되기 시작하지만, 역시 후유증을 남기는데, 청력 상실이 가장 많습니다.
환자의 1/3 정도가 청력 이상을 앓는데, 대개 낫지만 평생 귀머거리가 되는 일도 많습니다.
대략 환자의 20% 정도가 사망하는데, 임산부의 경우는 대부분 다 죽습니다.

치료는 중환자실 치료에 준한 집중치료이며, ribavirin이나 interferon을 투여하기도 합니다.
환자는 국가 지정 음압 격리 입원 치료병상에 격리하고 표준 주의, 접촉 주의, 비말 주의를 준수하도록 관리합니다.

12강

## 5. Zika virus infection

제3급 감염병에 해당합니다.

Family Flaviviridae, Genus Flavivirus, Species Zika virus로 분류됩니다.
즉 Flavivirus 가문의 황열 바이러스, 일본 뇌염 바이러스, West Nile virus, 그리고 dengue virus와 사촌지간으로, non-segmented, icosahedra symmetry 구조의 nucleocapsid 보호를 받는 (+) sense SS RNA enveloped virus입니다.

감염은 이 바이러스에 감염된 모기에게 물리면서 성립됩니다.
그 모기의 이름은 *Aedes aegypti*, 혹은 *Aedes albopictus* (albo 흰, pictus 그림; 흰 등줄 숲모기)로 우리나라에서는 휴전선 전방에 군대 갔다 온 분들의 추억 속에서 악명 높은 소위 아디다스 모기의 가문입니다.
Aedes는 Unpleasant, 즉 기분 나쁜 놈이라는 뜻으로 zika virus뿐 아니라 앞으로 또 소개할 Chikungunya, dengue virus도 매개합니다.

말 나온 김에 모기 이야기를 잠깐 해 보겠습니다.
수 많은 모기 종들 중에서 우리가 알아야 할 놈들은 *Aedes, Anopheles, Culex* 세 놈들입니다.
*Anopheles*는 Not profit, 즉 우리 인간이 이 벌레를 쓸보 없는 놈이라는 적개심으로 명명한 놈입니다. 주로 말라리아를 감염시킵니다.
*Culex*는 Midge 혹은 gnat(깔따구, 각다귀)처럼 흉칙하다는 뜻으로 명명된 놈입니다. 주로 Arbovirus, 즉 뇌염을 주로 매개합니다.
*Anopheles*는 주로 밤에 활동을 하며, 흡혈을 할 때 하체를 전갈처럼 예각으로 들어올리는 묘기를 보이는 반면, 나머지 놈들은 주로 주간에 활동을 하고, 흡혈 시 얌전하게 푸시업 자세로 수행합니다.

Zika virus 감염은 모기의 매개뿐 아니라 이 바이러스 감염자와의 성 접촉이나 수혈, 심지어는 수직 감염(쉽게 말해 출산)에 의해서도 전파가 가능합니다.

대부분은 무증상 내지 경증이지만, 20% 정도는 잠복기 2-14일 정도를 지나 피부 발진과 함께 발열, 토끼 눈, 관절통, 근육통 등에 시달립니다.
드물게 길랑-바레 증후군이 합병되었다는 보고도 있습니다.
특히 수직 감염이 가능해서, 임신부가 감염되었을 경우 신생아 소두증과 연관 있음이 보고된 바 있습니다.
사실 지카 바이러스가 전 세계적인 주목을 받게 된 계기이기도 합니다.

우리나라에서는 2016년부터 2021년까지 30여 건이 보고됐는데, 대부분이 동남 아시아에서 걸렸고, 나머지는 중남미 여행자들이었습니다. 확진은 아니지만 2020년에 국내에서 감염된 것으로 추정되는 사례가 1건 있었습니다.

사람끼리의 전파가 드물게 보고는 되지만 성 접촉만 아니면 되므로 환자 및 접촉자 관리에서 격리는 필요 없습니다. 예방은 당연히 모기에 물리지 않는 것이 가장 중요합니다.
Zika virus와 감별할 질환으로 dengue와 chikungunya virus 질환이 있는데, 이에 대해서는 뒤에 소개할 Neglected Tropical Diseases 대목에서 다루겠습니다.

12강

## 6. Crimean-Congo hemorrhagic fever (CCHF)

Crimean-Congo hemorrhagic fever (CCHF, 크리미안-콩고 출혈열)는 제1급 감염병으로, 원인 바이러스의 가계도는 Order Bunyavirales, Family Nairoviridae, Genus Orthonairovirus, Species Crimean-Congo hemorrhagic fever orthonairovirus (CCHFV)입니다.
(-) sense SS RNA enveloped virus 구조입니다.

CCHF는 1944년 크림 반도에서 복무하던 러시아 병사들에게서 처음 발생하였습니다.
1956년 벨기에령 콩고에서 발생한 출혈열 질환을 계기로 원인 바이러스가 처음 분리되고, 최종적으로 1973년 CCHFV로 명명됩니다. 이는 러시아와 아프리카에만 국한된 것이 아니고 발칸 반도, 중동, 중앙 아시아, 심지어 중국 서부에서도 꾸준히 발생하고 있으며 현재는 파키스탄과 아프가니스탄에서도 발생합니다.
특히 아프가니스탄에서는 2018년에 483명의 환자가 발생했고 59명이 사망했습니다.

질환을 매개하는 것은 *Hyalomma* 진드기로, 주로 목축업자들이 잘 걸립니다. 환자의 체액이나 시술 중 발생할 수 있는 aerosol에 의해 사람끼리의 전염이 가능하기 때문에 자칫하면 의료 기관 내에서 동시 다발로 발생할 수 있는 위험이 얼마든지 있습니다.

CCHF는 1-5일 정도의 잠복기를 가지며, 전반적으로는 가볍게 앓고 지나가곤 하지만, 증상이 있을 때는 발열, 근육통, 어지럼증, 두통, photophobia, 구토, 설사 등의 소화기 증상, 심하면 confusion, 혹은 뇌 출혈이나 폐 출혈 및 폐렴, 전격성 간 부전 등 종종 생명을 위협할 정도로 심한 출혈열로 발전하기도 합니다.
출혈열이 다 그렇듯이 이 질환 또한 잠복기, 출혈 직전 시기, 출혈기, 그리고 회복기를 거칩니다.
역시 첫 주에서 둘째 주 사이에 임상 양상이 가장 나쁜 정도까지 달하기 때문에 이 시기에 가장 많이 사망합니다. 치명률이 의외로 높아서 평균 30%나 되는데, 최악의 경우 80% 이상일 수도 있습니다.
이 고비를 넘기면 회복기에 들어가서 간신히 살아 남습니다.

치료는 역시 다장기 부전에 대한 집중 치료를 할 수밖에 없으며, 항바이러스제로 ribavirin을 시도하는데, 어느 정도는 효과가 있는 것으로 인정되고 있습니다.

환자는 표준 주의, 접촉 및 비말 주의에 준해서 관리하고, 의심환자나 접촉자는 3주간 증상발현 유무를 관찰합니다.

## 7. Rift-Valley fever

제1급 감염병입니다.

원인 바이러스는 Order Bunyavirales, Family Phenuiviridae, Genus Phlebovirus, Species Rift Valley fever phlebovirus입니다.

주로 모기(Aedes와 Culex)에 물려서 감염되고, 감염된 동물의 혈액, 분비물과 직접 접촉하거나 익히지 않은 감염된 생고기나 생우유 섭취, 운 없으면 도축할 때 aerosol 흡입 등으로 감염될 수도 있습니다.
사람끼리의 전파는 보고된 바가 없습니다.

주로 sub-Saharan Africa에서 발생하지만, 이제는 중동에서도 발생합니다.

대부분은 무증상이나 잠복기로 2-6일 정도 지나 증상이 있다 해도 감기 증세 정도의 경증이 며칠 있습니다.
10% 정도에서 retina 병변과 심하면 실명도 올 수 있으며, 뇌염이나 심한 출혈열 등의 중증 증상도 발생할 수 있습니다. 출혈열 양상이면 반 정도에서 1주일 내로 사망하기도 합니다.

## 8. 원숭이 두창(Monkeypox)

지금은 멸절 선언이 되었지만, 역사상 가장 많은 사망자를 냈던 감염병인 두창(smallpox)의 사촌에 해당하는 질병입니다.

원인 바이러스는 monkeypox virus입니다. 가계도를 보면 Family Poxviridae, Genus Orthopoxvirus 가문입니다. 여기에 해당하는 사촌들이 바로 두창을 일으키는 variola virus, cowpox virus, vaccinia virus이며, 이들 넷 모두 사람이 앓을 수 있습니다.

1958년 싱가포르에서 덴마크의 연구소로 배송된 실험용 원숭이가 첫 발견 사례이며, 이에 원숭이 두창이라는 이름이 붙게 됩니다. 그러나 실제 사람에서 생긴 것은 1970년 콩고 민주 공화국의 어느 어린이가 최초입니다.

이후 중앙 아프리카(콩고)와 서 아프리카(나이지리아)를 중심으로 발생하다가 가끔씩 집단 발병이 일어나곤 하였습니다. 특히 2017-2019년 나이지리아의 집중 발생이 가장 규모가 컸습니다. 그러다 2022년 들어 구미 각국을 비롯하여 미국, 중동까지 다시 집단 발병이 발생하여 다시 주목을 받기 시작합니다.

중앙 아프리카 변이종은 치명률이 10% 달할 정도로 높은 반면, 나이지리아 변이종은 1% 선의 치명률을 보입니다. 2022년 유행하는 바이러스는 나이지리아 변이로 추정되고 있습니다.

주로 밀접 접촉으로 전염되지만 비말 혹은 aerosol로도 전파가 됩니다. 따라서, 본질적으로 야생 동물의 질환이라 인수공통 감염병에 해당하지만 사람끼리의 전파도 가능합니다. 성병 가능성도 제기되고 있지만 좀 더 검증이 필요합니다.

잠복기는 5-17일 정도입니다.
주 증상은 발열, 근육통, 무력감, 그리고 발진입니다.
특히 림프절 종대가 두드러집니다. 이는 두창에서는 보기 힘들지요.
통상 2-4주 정도 앓다가 회복되지만, 중증으로 가면 폐 출혈 내지 사망까지 갑니다.
치료는 대증 치료와 더불어 항바이러스제를 쓸 수 있습니다. 보유하고 있다면요.

일단 1차 선택으로는 tecovirimat (Tpoxx)가 있습니다. 성인에서 경구로 600 mg을 하루 2번 총 14일을 투여합니다.
그 다음 순위로 쓸 수 있는 게 brincidofovir로, 성인에서 경구로 200 mg을 일주일에 한 번씩 총 2번을 줍니다.
그 다음으로 쓸 수 있는 건 cidofovir인데, 큰 기대는 안 하는 게 좋겠습니다.
백신의 경우, 원숭이 두창에 노출 시에는 두창 노출과 동일한 원칙으로 노출 3일 이내에, 최악의 경우 그래도 7일 이내에 두창 백신을 접종하도록 합니다. 백신 접종자의 경우 약 85% 정도의 예방 효과를 기대할 수 있습니다.

다음은 인기가 없지만 얼마든지 국내 도입될 수 있는 열대 해외 질환들을 다루어 보겠습니다.

## 관심받지 못한 열대 질환(Neglected Tropical Diseases, NTD)

세계적으로 관심받는 감염병 3대장은 단연 HIV/AIDS, 결핵, 말라리아입니다. 이들 세 질환에 대해서는 쏟아지는 예산만큼이나 관심도 집중되고 있습니다. 그리고 돈을 부은 만큼 가시적인 퇴치 성과도 얻고 있습니다.
그런데, 지금부터 열거할 NTD들은 이들 못지않게 유병률이 높고 충분히 심각함에도 불구하고 이들만큼 인기를 얻지 못하고 있습니다.

그 이유는?

노골적으로 솔직하게 말하자면, 아프리카, 아시아, 미주 대륙에서도 가난한 지역에서 발생하는 질환이라 수지가 안 맞아서 치료나 연구비를 충분히 따내지 못하고 거의 방치되고 있습니다.
즉, 돈과 관심만 기울이면 충분히 퇴치 가능한 질환들임에도 불구하고 제대로 대우받지 못하고 방치되고 있는 질환군입니다.
그래서 조금은 '갬성'적으로 살짝 원망을 담아 'neglected'라는 단어를 사용한 것으로 보입니다.

또 다른 이유는, 이들 질환 대부분이 말라리아처럼 금방 죽음이 다가오는 그런 류의 질환이 아니고 기나긴 잠복기를 가지고 만성적으로 끈적거리며 앓는 질환입니다. 그리고 치료가 화끈하게 되지 않고 지지부진한 경우도 많습니다. 그런 연유로 또한 인기를 얻지 못하고 neglected되는 점도 있습니다.

이렇게 대책이 잘 마련되어 있지 않으니, 이 질환들의 유병률이 높은 지역에 여행가면 워낙 만연해 있는 곳이라 전염될 위험성이 높습니다. 혹시라도 전염되어 귀국하면 주목받지 않는 가운데 조용히 전국에 퍼뜨릴 가능성도 높아집니다.
그래서 적어도 이들 NTD에는 무엇이 있는지 정도는 파악하고, 그 해당 지역에서 걸리지 않도록 잘 대비하는 것이 좋겠다는 겁니다.

## 1. 기생충 NTD

### 1) American trypanosomiasis 혹은 Chaga's disease(샤가스병)

제4급 감염병으로, 흡혈 침노린재(*Triatoma)*가 매개하는 *Trypanosoma cruzi*에 의한 질환으로, 주로 멕시코를 비롯한 중남미에 만연해 있습니다.

급성과 만성, 두 단계에 걸쳐서 질환이 진행됩니다.
제1단계의 경우, 무증상일 수도 있지만 침노린재 흡혈 1-2주 후쯤 발열, 식욕저하, 피부 chancres, 한쪽 눈두덩 부종이나 국소적인 림프절 종대 등을 보입니다.
제2단계인 만성의 경우, 아무 일 없이 지낼 수도 있지만, 심장 이상(arrhythmia, 심부전) 혹은 소화기 이상(주로 megaesophagus, megacolon)을 보입니다.
치료는 benzimidazole과 nifurtimox를 사용합니다.

### 2) African trypanosomiasis, sleeping sickness(아프리카 수면병)

역시 제4급 감염병으로, *Trypanosoma brucei gambiense*와 *Trypanosoma brucei rhodesiense*가 원인 기생충입니다. 매개체는 체체파리(Tsetse fly)입니다. 이름 그대로, 주로 아프리카에서 만연한 질환으로 대부분이 콩고민주공화국에서 발생하였습니다.

아프리카 수면병의 거의 98%를 차지하고 있는 *T.b. gambiense*는 잠복기가 수개월에서 수년으로 꽤 긴 반면에, *T.b. rhodesiense*는 1-3주 정도 지나면 증상이 나타납니다.
같은 *Trypanosoma* 질환이지만, 샤가스병과는 달리 신경학적인 증상이 뚜렷합니다. 중추 신경계로 침투하기 때문이죠.
일반적으로 아프리카 수면병은 두 단계인데, 제1단계에서는 주로 발열, 림프절 종대, 두통 및 관절통 등으로, 그래도 이 시기에는 치료가 수월합니다. 반면에 제2단계에서는 neurologic symptom & sign이 주이며 잘 치료되지도 않아서 골치가 아픈 시기입니다.

치료는 *T.b. gambiense*의 경우 1단계엔 pentamidine 혹은 suramin을, 2단계엔 eflornithine, nifurtimox, melarsoprol을 사용합니다. *T.b. rhodesiense*에는 1단계에서는 suramin, 2단계는 melarsoprol을 사용합니다.

### 3) Dracunculiasis - Guinea-worm disease(메디나충증)

제4급 감염병으로, nematode 중에서도 가장 긴 *Drancunculus medinensis*에 의한 질환입니다. 수컷은 작지만 암컷은 긴 놈은 1미터에 달합니다.
21세기 전까지는 아시아, 아프리카에서 매년 300여 만 명의 증례가 생기곤 했으나, 퇴치 프로그램이 성공적으로 진행되면서 급격히 줄어 현재는 Chad, Ethiopia, Mali, South Sudan, Angola 정도에만 소수 발생하고 있습니다.

감염 과정은 메디나충의 유충에 감염된 물벼룩(Cyclops)으로 오염된 물을 마심으로써 시작됩니다.
체내에 들어오면 주로 하지의 피하조직까지 이동하여 약 10개월 정도에 걸쳐서 성충으로 자라납니다. 성충이 되면 피부에 물집이 잡히면서 심한 통증이 생깁니다. 이 때문에 감염자들이 다리를 물에 담그게 되고, 유충이 물 속으로 나간 후 물벼룩이 섭취합니다. 그리하여 생활사가 다시 반복됩니다.

치료는 직접 제거하는 수밖에 없습니다. 물집 상처 부위에서 삐죽 나온 성충을 작은 나무 막대기로 감으면서 빼는데, 한 번에 빼려고 하면 안 됩니다. 자칫하면 끊어지기 십상이고, 완전 제거가 안 되면 그 자체로 심한 염증과 면역 반응이 생기기 때문입니다. 그래서 하루에 몇 인치씩 목표를 잡고 매일 조금씩 돌돌 말아서 빼냅니다.

예방을 위해서는 해당 유행 지역을 여행할 경우 반드시 물을 끓여서 먹는 것이 중요합니다.

#### 4) Echinococcosis(포충증)

제4급 감염병으로 genus *Echinococcus*에 속하는 *Echinococcus granulosus, E. multilocularis, E. shiquicus, E. vogeli, E. felidis* 등에 의해 발생합니다. 국내에는 없으며, 주로 남미, 아프리카, 중동, 중앙 아시아 등에서 발생합니다. 주로 고양이과와 개과 동물이 종숙주인데, 이 동물들의 분변에 있는 충란을 섭취하게 되면서 감염됩니다.

12강

체내에 들어오면 장에서 알을 깨고 나온 유충이 폐나 간으로 가서 물과 유충으로 가득한 포낭(hydatid cyst; hydatid는 물로 차 있다는 뜻) 형성을 합니다. 그 밖에 신장, 뇌, 근육, 비장, 안구, 심장, 골수 등에도 포낭을 형성할 수 있습니다. 따라서 임상 증상은 hydatid cyst가 자리잡은 장기에 준하여 나타납니다. 간에 주로 많이 가기 때문에 황달, 복통, 오심, 구토 등의 증세를 보이고 간 부전까지 갈 수 있고, 폐에 자리 잡으면 흉통과 호흡 곤란, 기침, 각혈 등이 나타나며 치명적일 수 있습니다.

치료는 수술로 적출하거나 liver abscess처럼 percutaneous aspiration을 시도하며 albendazole을 병용하여 장기 복용합니다.

### 5) Food-borne Trematodes

제4급 감염병으로 Clonorchiasis(간흡충증 혹은 간디스토마), Paragonimiasis(폐흡충증 혹은 폐디스토마)가 있고 Opisthorchiasis, Fascioliasis(간질증)도 이에 해당합니다. 민물 생선(간, 폐흡충)이나 덜 익힌 멧돼지 고기(폐흡충), 소나 양의 간(fascioliasis)을 섭취하면서 유충이 인체 내로 들어와 감염이 됩니다.

간흡충은 적어도 국내에서는 NTD로 취급될 수준이 아닙니다. 왜냐하면 간흡충, 폐흡충은 아직도 낙동강, 금강, 영산강, 섬진강, 한강 유역 민물 고기에서 대략 5-10%여의 유병률을 보이고 있는 해당 지역의 풍토병 수준이기 때문입니다.

외국에서는 중국을 비롯한 극동 지역과 베트남 등에 주로 분포하고 있습니다.

폐흡충은 현재 국내에서는 거의 보기 힘들지만 일본, 대만 등 극동아시아와 베트남, 중국 남부 지역 등에 분포하고 있습니다.

Opisthorchiasis는 간흡충증과 감별이 어려운데, 주로 베트남을 비롯한 동남아시아, 중앙 아시아와 유럽에 분포하고 있습니다.

간질증을 제외하고는 치료제로 praziquantel이 사용됩니다. 간질증은 bithionol과 triclabendazole이 치료제입니다.

예방을 위해서는 민물고기나 야생 동물의 생식을 삼가는 것이 좋겠습니다.

### 6) Leishmaniasis(리슈만편모충증)

제4급 감염병으로 Leishmania 종에 의해 발병합니다.

국내에서는 발생하지 않고, 국외에서는 연간 약 120만 명 정도의 신환이 생기며 매년 2만 명 정도가 사망합니다. 이를 다시 피부 및 내장 leishmaniasis로 나누면 전자는 아프가니스탄, 알제리, 브라질, 콜롬비아, 이란, 모로코, 파키스탄, 사우디아라비아, 시리아, 튀니지, 터키에서 후자는 방글라데시, 브라질, 에티오피아, 인디아, 남 수단, 수단에서 주로 발생합니다.

매개체는 모래파리(Sand fly)이며, 암컷이 사람을 물면서 감염이 됩니다.
같은 protozoa라 그런지 암컷 모기가 물어서 걸리는 말라리아와 어딘지 모르게 닮은 점이 많습니다.
또한 변화무쌍한 생활사도 말라리아와 유사합니다(사실 protozoa들의 생활사는 다 거기서 거기입니다).

잠복기는 피부형의 경우 수주에서 수개월이며, 가끔 수년이 걸리기도 합니다.
내장형은 보통 2-6개월이지만 이 또한 수년 걸리기도 합니다.

피부형은 궤양으로 주로 나타나며, 코와 입에도 궤양이 생깁니다. 이들 병변은 나중에 반흔이 남게 되면 나병과 구분이 되지 않을 정도로 흡사합니다. 어쩌면 성경에 자주 나오는 나병은 실제로는 심한 피부염이었거나 이거였는지도 모른다는 생각이 듭니다.
내장형은 간, 비장, 골수 등을 침범하여 fever, weight loss, splenomegaly, anemia, leukopenia 등이 동반되며, 치료를 안 하면 치명적일 수 있습니다. 내장형 leishmaniasis는 일명 kala-azar로 불리기도 했는데, 이는 산스크리트어로 kala = black, 페르시아 혹은 힌두어로 azar = fever, 즉 black fever라는 뜻입니다.

치료는 피부형은 topical paramomycin ointment나 fluconazole, ketoconazole, miltefosine, pentavalent antimonial compounds, amphotericin-B, pentamidine 등을 사용합니다.
내장형은 amphotericiin-B, pentavalent antimonial compounds, miltefosine, paramomycin 등을 사용합니다.

예방은 유행 지역에서 매개체인 모래파리에 물리지 않도록 하는 수밖에 없습니다.

**7) Lymphatic filariasis = elephantiasis(상피병 혹은 림프 사상충증)**

제1강 기생충 단원에서 이미 설명한 바 있습니다.

대부분이 동남 아시아와 아프리카에서 발생하며, 국내에서는 더 이상 발생하지 않습니다.

주로 모기에 의해 매개되어 감염됩니다.

치료제로는 diethylcarbamazine (DEC), ivermectin, doxycycline, albendazole 등을 사용합니다.

**8) Onchocerciasis = river blindness(회선 사상충증)**

제4급 감염병으로 *Onchocera volvulus*가 원인 기생충이고, 국내에서는 발생하지 않고 대부분이 subSaharan Africa에서 발생합니다. 그 외에는 브라질, 베네수엘라, 예멘에서도 발생합니다. 매개체는 먹파리(black fly)입니다. 인체에 들어오면 6-12개월에 걸쳐서 잠복했다가 피하조직의 염증을 일으켜 종괴를 만들며, 또한 눈을 침범하여 시력 저하 내지 blindness를 일으킵니다. 예방은 유행 지역에서 매개 곤충에 물리지 않도록 주의해야 합니다.

**9) Schistosomiasis(주혈흡충증)**

제4급 감염병으로, *Schistosoma japonicum, S. mansoni, S. haematobium, S. interclatum, S. mekongi, S. malayensis* 등이 원인 기생충입니다.

전 세계적으로 2억 명의 감염자가 존재하는 중요한 기생충입니다. 주로 아시아(다행히도 우리나라는 쏙 빠져 있습니다. 일본과 중국은 있는데)와 사하라 이남 아프리카, 남미에서 발생합니다.

감염원은 주혈흡충의 유충에 감염된 민물 달팽이로, 거기서 유충은 어느 정도 성장을 거쳐 꼬리 달린 cercariae 상태로 다시 물 속에 나옵니다. 이들은 민물 속에서 아무도 못 만나면 48시간의 시한부 생애를 살게 되기 때문에, 마침 그 시간 내에 사람이 발을 담그면 재빨리 피부를 뚫고 들어가 혈관으로 파고 듭니다. 거기서 꼬리를 떼고 난 이후 간까지 가서 성장을 더욱 거듭하여 암놈과 수놈 성충이 되고, 이 둘은 꼭 껴안고 평생의 반려자가 됩니다. 이 다정한 한 쌍의 주혈흡충은 장이나 방광으로 가서 알을 수없이 낳게 됩니다. 이렇게 알들은 분변이나 소변으로 다시 물로 나와 껍질을 깨고 유충이 된 뒤, 또 민물 달팽이를 찾고... 그렇게 삶은 돌고 돕니다.

잠복기는 2-6주 정도이며 급성기에는 피부의 소양증, 발열과 오한 등이 발생하며 이후 만성기에는 hepatosplenomegaly와 liver cirrhosis, 장을 침범한 경우 각종 소화기 증상을 비롯하여 혈변과 설사, 방광을 침범하면 hematuria, 심지어는 bladder cancer까지도 진행됩니다. 운 없으면 중추 신경계까지 침범하는 경우도 있습니다.

치료는 Praziquantel 하루 투여로 충분히 가능합니다. 단, 이는 성충만 죽이고 알이나 유충은 못 죽이므로 4-6주 간격으로 분변과 소변 검사로 알을 확인하고 치료를 반복해야 합니다.
말라리아 약인 mefloquine도 효과가 있는 것으로 알려져 있습니다.

예방은 주혈흡충이 발생하는 지역에서는 오염되었을 가능성이 있는 민물에 함부로 발을 담그는 등의 행동을 자제해야 하고, 마시는 물도 항상 끓여서 마셔야 합니다.

**10) 토양 매개성 연충(soil-transmitted helminthiasis)**
회충, 편충, 구충이 이에 해당합니다.
예방은 손 씻기 등의 개인 위생을 철저해야 하고, 위생적인 음식 조리, 인분비료 사용 금지 등을 잘 준수해야 합니다. 치료제는 albendazole, mebendazole,

혹은 ivermectin입니다.

### 11) Taenia/cysticercosis (조충/유구낭미충증)

앞서 제 1강에서 제 개인적인 경험으로서 언급한 바 있습니다.

여러 종들이 있지만 그 중에서 소와 관련된 *Taenia saginata*(무구조충)는 국내엔 없으며, 돼지와 관련된 *Taenia solium*(유구조충)이 국내에서 가끔씩 발견됩니다. 생긴 건 무구조충과 똑같아서 구별이 안 되면서도 돼지에서 발견되는 조충이 *Taenia asiatica*(아시아조충)입니다.

이는 우리나라의 기생충학자인 엄기선, 임한종 교수가 잡아내었습니다만 이 위대한 발견이 학계에서 공식 인정되기까지는 수십 년이나 고난을 겪었습니다. 지금은 아닙니다만, 발견 당시의 우리나라가 약소국이었다는 설움이지요.
유구조충의 유충이 근육이나 중추 신경계로 정착하여 말썽을 일으키는 질환이 바로 cysticercosis입니다. 유구조충의 경우는 유충이 아닌 알을 섭취했을 경우 cysticercosis로 진행되는 것인데, 무구조충의 경우 또한 본의 아니게 알을 섭취할 수도 있음에도 불구하고 소라면 모를까, 사람에게는 cysticercosis를 일으키지 않습니다.
이는 아마도 유구조충의 알은 돼지나 사람의 소화기 안에서 용이하게 부화되는 반면에, 무구조충의 알은 반추 동물의 길고 긴 소화 기관이라는 환경에서만 제대로 부화될 수 있기 때문일 것으로 추정됩니다.

아시아조충은 돼지에서는 cysticercosis를 일으키지만 사람에서도 이론적으로는 일으킬 가능성이 없지는 않습니다.
하지만 아직 공식 보고가 없습니다.
치료는 praziquantel을 사용합니다.

## 2. 바이러스

### 1) Dengue & Chikungunya(뎅기열과 치쿤구니야열)

뎅기열과 치쿤구니야열은 둘 다 제4급 감염병입니다.

뎅기열의 "dengue"는 쥐어 짜듯이 아픈 발작이라는 뜻의 스와힐리 숙어 Ka-dinga pepo에 어원을 두고 있습니다.
가계도를 보면 Order Amarillovirales, Family Flaviviridae, Genus Flavivirus, Species Dengue virus입니다. Envelope를 입고 있는 (+) sense SS RNA virus이며 DENV1, DENV2, DENV3, DENV4의 4가지 serotype이 있습니다.

12강

국내에서는 현재까지 모두 해외 유입 감염병이었고, 여행력이 없는 환자에게서 주사침 자상으로 인한 감염 추정 사례가 최근 있었습니다. 외국에서는 아프리카, 동남 아시아, 중동, 중남미에서 발생합니다.

주로 바이러스에 감염된 *Aedes aegypti* 모기에 물려 감염되며, 드물게 수직감염, 주산기 감염 또는 혈액을 통한 전파가 가능합니다.

감염자 중 약 3/4 정도는 무증상이며, 약 5% 정도는 severe dengue로 진행됩니다.
일반적으로 4-7일, 길면 2주 정도의 잠복기를 가집니다.
임상적으로 뎅기 증상을 보이되 경고성 증상을 보이지 않는 뎅기와 보이는 뎅기(dengue without warning signs, with warning signs)와 중증 뎅기(severe dengue)로 분류됩니다.
여기서 warning signs란 복통이 점점 심해지고, 계속 토하며, 간 비대, 점막 출혈, 흉막 혹은 복막 또는 심낭 삼출, 혈소판 감소증과 더불어 혈장이 빠져나가

피가 농축되었음을 시사하는 높은 hematocrit 수치, 그리고 자꾸 잠만 자거나 안절부절 못하는 증상을 말합니다. 이 증상이 나타나면 그냥 뎅기를 앓는 게 아니라 곧 치명적인 severe dengue로 넘어간다는 것을 의미하기 때문에 매우 중요한 소견들입니다.

Dengue without warning signs는 몸 여기저기에 심한 전신 통증(뼈를 부수는 듯 하다 하여 breakbone fever라고 불리는 이유이기도 합니다), 피부 발진이나 출혈성 반점 등이 나타납니다. 백혈구와 혈소판 감소증, AST/ALT 증가(1,000 U/L 미만), hyponatremia도 보입니다.
여기에다 앞서 언급한 warning signs가 나타나면 dengue with warning signs로 분류되어 비상이 걸립니다.

Severe dengue는 capillary permeability 증가로 인한 혈장 누출로 인해 shock이 오거나 pulmonary edema, coagulation 이상으로 인한 심한 출혈, multi-organ failure 중 어느 하나라도 있으면 해당됩니다. 특히 어느 한 serotype의 dengue에 걸렸다가 나중에 다른 serotype의 dengue에 걸리면 severe dengue로 가는 일이 더 많습니다.

임상 경과는 febrile, critical, recovery phase로 분류됩니다.
발열기(Febrile phase)는 3-7일 정도 지속됩니다.
열이 내릴 때가 오히려 의료진이 긴장을 해야 할 대목인데, 이 때쯤 해서 warning sign이 나타나기 때문입니다.
급성기(critical phase)는 하루나 이틀 정도 지속되는데, 바로 이 시기에 혈장 누출이 일어납니다. 따라서 이 시기를 넘기면 곧장 회복기로 들어가지만, 이를 못 이기면 severe dengue로 진행됩니다.
회복기(recovery phase)에 접어들면 다시 체내 수분이 회복되면서 전체적으로 안정화 추세로 돌아섭니다.

불행하게도 적절한 항바이러스 제제는 아직 없으며, 대증적 치료가 원칙이고, warning sign이 나타나는 경우는 집중 치료 대상이 됩니다.

백신은 마련되어 있으나, 현재는 한 번 뎅기열을 앓았던 사람 혹은 인구의 80% 이상이 뎅기열을 앓았던 이들로 구성된 지역의 주민들만 접종 대상입니다. 뎅기열 경력이 없는 이가 백신을 맞고 나서 진짜로 뎅기열에 걸리면 중증으로 갈 확률이 있기 때문입니다. 이유는 명확히 밝혀지진 않았지만 ADE도 원인 중 하나로 의심받고 있습니다.
우리나라는 뎅기열 발생 지역이 아니므로 백신 접종 대상은 아니며, 발생 국가를 방문할 때 모기에 물리지 않도록 갖은 수단을 강구하는 것이 최선의 예방책입니다.
단, 제주도를 비롯한 지역에 *A. albopictus*(소위 아디다스 모기)가 서식하고 있으므로 국내에서 발생할 가능성이 아주 없다고는 못 합니다.
치쿤구니야 열은 아프리카 탄자니아와 모잠비크의 언어인 Kimakonde어에서 '관절이 하도 아파서 몸을 비튼 모양'이라는 뜻의 chikungunya라는 단어에서 이름이 유래했습니다.

원인 바이러스의 가계도는
Order Martellivirales, Family Togaviridae, Genus Alphavirus, Species Chikungunya virus입니다.
한 때 rubella virus가 Togaviridae 소속이었던 적이 있습니다만, 지금은 Family Matonaviridae로 딴 살림을 차려서 나갔습니다.

국내는 모두 해외 유입 사례이고, 외국은 사하라 이남 아프리카가 원조이며 인도, 동남 아시아에서도 발생합니다. 최근엔 이탈리아, 프랑스 등에도 나타나더니 이제는 미주까지 넘어가 카리브해 지역을 시작으로 퍼지고 있습니다.
뎅기열과 마찬가지로 *Aedes* 모기에 물려 감염됩니다.

평균 3-7일의 잠복기를 거친 후 느닷없이 고열이 나면서 심한 관절통과 근육통이 시작됩니다. 관절통은 다발성으로 나타나며 거의 모든 큰 관절들이 극심하게 아파서 몸을 비비 꼴 정도입니다. 또한 피부 발진이 나타나고 구역 구토 설사 복통 등의 소화기 증상이 동반될 수 있습니다. 특히 눈부심과 안구 통증, 시신경염 등도 동반될 수 있습니다. 이런 여러 증상들이 약 1주일 정도 괴롭히다가 사라지는데 이때까지가 급성기(acute phase)입니다. 그런데, 여기서 끝나지 않고 이후 1-3개월 사이에 전신 관절염이 나타나는데, 이 때가 급성 후기(post-acute phase)입니다. 이후로도 수개월에서 수년간 다발성 관절통이 지속되는 만성기(chronic phase)로 접어들 수 있습니다.

Chikungunya 열에 대해서는 특별한 항바이러스제가 없기 때문에 관절염 치료에 준한 대증 요법이 주가 됩니다. 다행히 뎅기열과는 달리 치명적이지는 않습니다(치명률 1% 미만으로 주로 운이 없는 소아나 65세 이상의 어르신에 국한됩니다).

예방은 역시 해당 국가 방문했을 때 모기에 물리지 않는 것이 최선입니다.
앞서 소개한 지카 바이러스 감염증과 더불어 뎅기열과 치쿤구니야 열은 증상이 비슷하기 때문에 1달 이상 걸리는 확진 결과를 얻기 전에 임상에서 곧장 감별할 필요가 있습니다. 실전에서는 다음가 같은 단서들로 구분을 해 보도록 합니다.

일단, 눈부터 봅니다. 만약 conjunctivitis가 있으면 지카 바이러스 감염증으로 의심합니다.
다음으로 잇몸을 봅니다. 출혈이 있으면 뎅기열을 우선 의심합니다.
통증이 근육통 위주라면 뎅기열, 관절통 위주라면 나머지 둘을 의심합니다.
마지막으로 CBC를 봅니다. 만약 leukopenia, thrombocytopenia가 매우 심하면 일단은 뎅기열부터 의심합니다. 사실 바이러스 질환은 기본적으로 백혈구 수치가 저하되는 경향이 있습니다. 그러나 만약 혈소판이 정상 수준을 유지하고 있다면 일단은 지카 바이러스 감염증을 의심하는 것이 좋겠습니다.

### 2) Rabies(공수병)

세계적으로 크게 흥행한 한국 좀비물인 '부산행'이나 '지금 우리 학교는'을 보면, 좀비에게 물리고 나서 제 정신을 잃고 난폭해지는데, 그 원인이 바이러스로 설정되어 있습니다. 그 작품들에서는 잠복기가 거의 순식간이라는 점에서 현실성은 없지만, 그것만 제외하고 보면 현실에서 가장 유사한 바이러스는 아마 rabies 바이러스일 겁니다.

공수병은 물에 대한 공포 반응을 보이기 때문에 붙은 명칭이고 rabies는 '분노'라는 뜻인 라틴어 rabere 혹은 산스크리트어 rabhas에서 유래했습니다. 영어로 분노를 뜻하는 rage가 바로 이에 어원을 두고 있습니다.

12강

가계도를 보면 Order Mononegavirales, Family Rhabdoviridae, Genus Lyssavirus, Species Rabies lyssavirus입니다. 이 species명도 분개와 폭력을 나타내는 그리스어 lyssa에서 왔습니다.
마치 탄환 같은 모양을 하고 있으며, 구조 면에서 envelope를 갖고 있고 helical symmetry의 nucleocapsid에 (-) sense SS RNA virus입니다.

전형적인 인수 공통 감염병으로, 사람은 감염된 동물(개나 고양이 중에서도 주로 야생 동물, 그런데 국내에서는 너구리가 더 위험이 높습니다. 그 밖에 오소리, 여우, 개 등)에 물리거나 상처를 통해 동물의 타액이 오염됨으로써 전염이 됩니다.

우리나라에서는 제3급 감염병으로 분류되어 있는데, 2004년 이후부터 현재까지 공식 발병 보고는 없습니다.

외국에서는 동남 아시아와 아프리카에서 농촌 지역을 중심으로 발생합니다.

잠복기는 평균 20-90일 정도이나 1년 이상 걸린 경우도 있습니다.
약 2-10일 정도 전구기를 지나는데, 발열, 전신 쇠약감, 오심, 구토, 물린 부위가 마비되는 느낌 혹은 가려움, 또는 통증이 있습니다.
그러고 나서 본격 증상이 시작되는데, 대부분은 encephalitis 양상을 보이며, 나머지는 paralysis 양상으로 갑니다. 전자의 경우는 이틀에서 일주일 정도 점차 불안 증세를 보이다가 밝은 빛과 소음에 민감하고 점점 이상 행동을 하기 시작합니다. 고열과 더불어 자율신경계의 이상으로 침과 눈물을 많이 흘리고 근육 긴장 등을 보입니다. 아울러, hallucination, 전신 경직, 국소 마비, 심지어 seizure도 나타나며 점차 난폭해집니다. 한국식 좀비 액션과 똑같죠? 더 심해지면 혼수에 빠집니다. 마비성 양상인 경우는 그야말로 축 늘어지다가 심하면 혼수 상태가 됩니다.
이 상황에서도 치료를 제대로 받지 못하면 혼수 상태 빠지는 당일, 혹은 길어봐야 2주일 내로 사망하고 맙니다.

치료는 다각도로 해야 합니다.
물렸을 경우 15분 이내로 상처를 충분히 세척해야 합니다. 응급실로 달려가서 본격 치료를 받는데, 물린 상처는 곧장 봉합하지 않도록 합니다. 공수병 치료를 의식하고 진료를 받겠지만, 파상풍에 대한 조치도 동시에 받는 것을 잊으면 안 됩니다. 실제로 국내에서는 확률상 파상풍이 더 문제이긴 합니다.

자기를 문 동물은 체포해 놓아야 하며, 그걸 확보 못 했다면 모든 조치를 다 받아야 합니다.
체포한 동물이 공수병 예방 접종을 받았다면 일단은 안심이겠지만, 만약 아니거나 잘 모르겠다면 열흘 동안 이상행동을 보이는지 감시해야 합니다. 이상행동 보인다면 모든 조치를 다 받는 것이고, 만약 아니라면 다행인 것이죠.

치료는 공수병 백신을 받지 않은 환자일 경우는 백신과 rabies immune globulin (RIG)을 다 같이 받아야 합니다. Human RIG는 20 IU/kg, Equine RIG는 40 IU/kg를 물린 부위로 주입합니다. 남는 건 근육 주사로 주도록 합니다. 백신은 1.0 mL을 되도록 어깨 삼각근에 근육 주사하는데, 당일, 그리고 3, 7, 14일까지 총 4번을 놓습니다. 면역 저하 환자일 경우엔 28일째에 한 번 더 주사합니다.

공수병 백신을 맞아 놓은 환자일 경우는 RIG는 굳이 필요 없으며, 백신은 당일과 3일째에만 주사하면 됩니다.

## 3. 세균



### 1) Buruli ulcer

느리게 자라는 비정형 결핵균인 *Mycobacterium ulcerans*에 의해 생기는데, 다리나 팔에 무통성 open wound로 시작하여 수주에 걸쳐서 자라다가 결국 궤양이 되고, 그것이 scarring이 되면서 병변 부위의 근육이나 건이 기형으로 될 수 있습니다. 이 병리 기전에 주로 역할을 하는 것이 원인균이 내는 toxin인 mycolactone입니다. 왜 걸리는지는 확실히 규명은 안 되었으나, 원인균이 물 환경에서 나오는 것이므로 이와 관련이 있을 것으로 추정됩니다. 주로 sub-Saharan Africa와 호주에서 생기며 치료는 비정형 결핵균 치료의 regimen인 clarithromycin + rifampin으로 시도합니다.

### 2) Yaws

*Treponema pallidum pertenue*가 원인균인데, 균 이름으로 편견을 가지면 안 됩니다. 접촉에 의해 옮는 질환이지만 결코 성 접촉 매개 질환이 아닙니다. 병리 기전은 매독과 유사하지만 성기에는 병변이 생기지 않습니다.

파푸아뉴기니, 가나, 솔로몬 군도에 많이 발생하는 피부 병변 질환인데, 치료 안 받고 심하면 피부 괴사나 뼈의 기형을 초래할 수 있습니다.
치료로서 Benzathine penicillin이나 azithromycin을 투여합니다.

3) Leprosy(한센병)

제2급 감염병으로 *Mycobacterium leprae*가 피부 및 말초 신경에 침범하는 만성 감염 질환입니다. 꼭 기억해야 할 것은, 난치병이라는 통념과는 달리 조기에 치료를 시작하면 완치가 가능한 질환이라는 사실입니다.
이것 말고도 한센병에 대해서는 각종 편견을 극복해야 합니다.
*M. leprae*는 전염성이 매우 약해서 일단 치료를 시작하면 99.99% 사멸해 버립니다. 따라서 장기간 동거한다면 몰라도 가벼운 접촉이나 악수 같은 일상 생활로는 전염되지 않습니다.

국내에서는 현재 드물게 발생하고 있으나 외국에서 유입되는 환자 발생이 증가하고 있습니다.
국외에서는 주로 인도, 네팔, 인도네시아, 마다가스카르, 브라질, 모잠비크 등에서 주로 발생합니다.
전파 경로는 아직 불분명하지만 피부와 상기도가 주된 침입 경로로 알려져 있습니다. 단, 정상 피부일 경우에는 침입이 불가능합니다.

잠복기는 보통 2-5년이고, 일부는 몇 주 또는 20-30년 있다가 발생하기도 합니다.
주로 피부나 말초신경에 병변을 일으키며 그 밖에 비강점막, 눈, 근육, 뼈 등에도 침범할 수 있습니다.

치료는 dapsone, rifampicin, clofazimine을 병합하여 시행합니다.
환자 및 접촉자 발생 시엔 한센병 전문진료기관으로 연계하여 치료 및 관리를 합니다. 특히 제 모교 가톨릭의대에서는 故 최시룡 교수님과 채규태 前 교수님의 열정으로 반세기 넘게 국내 유일의 한센병 연구소를 운영하며 치료를 담당하고 있습니다.

#### 4) Trachoma

*Chlamydiae trachomatis*가 일으키는 눈 질환으로, 제대로 치료하지 못하면 장님이 될 수도 있습니다.
현재는 주로 Africa와 호주에서 발생하고 있습니다. 항생제 azithromycin이나 tetracycline으로 치료하며, 예방을 위해서는 환경 및 개인 위생을 철저히 해야 합니다.



## 4. 진균

#### 1) Chromoblastomycosis

마다가스카르와 일본 남부에서 주로 생기는 일종의 난치성 무좀인 셈인데, 알게 모르게 피부에 minor trauma를 받으면서 진균이 심어지고, 이후 여러 해에 걸쳐서 쥐도 새도 모르게 조그만 발진, 구진이 나타납니다. 이는 서서히 커지며, 가끔 혈류나 림프도 침범하여 분점을 차리기도 합니다. 결국 궤양이 생기거나 보기 싫은 작은 혹 덩어리들이 되기도 합니다. 예후가 나쁘지는 않지만 아주 드물게 squamous cell carcinoma로 발전하기도 합니다. 전반적으로 치료 성과가 지지부진한 편입니다. 치료제로 itraconazole을 flucytosine과 병용하기도 하고 단독으로 쓰기도 합니다. 대안으로 terbinafine이나 posaconazole을 쓸 수도 있습니다. 약제만으로 치료가 잘 안 되면 액체 질소로 지져 버리기도 합니다. 알게 모르게 시작되는 질환이라 유감스럽게도 예방 면에서는 뾰족한 수는 없습니다. 이건 진짜 운의 문제입니다.

## 5. 기타

### 1) Scabies

앞 단원에서 설명한 바 있습니다.

### 2) Snakebite envenoming

2017년에 신규로 NTD에 들어왔습니다만, 감염 질환이 아니므로 여기서 더 이상 다루지 않겠습니다.

남의 나라 문제일 것 같은 해외 질환입니다만, 언제든지 국내로 들어올 가능성이 있으므로 교양 수준에서 알아둘 필요는 있습니다. 이와 관련된 과학 교양서적으로 다음 몇 권을 추천합니다.

- 피터 피오트(Peter Piot) '바이러스 사냥꾼(원제: No time to lose)'
- 로스 도널드슨(Ross Donaldson) '청년 의사, 죽음의 땅에 희망을 심다(원제: Lassa fever)'
- 데이비드 쾀멘(David Quammen)의 '인수공통 모든 전염병의 역사(원제: Spill-over).

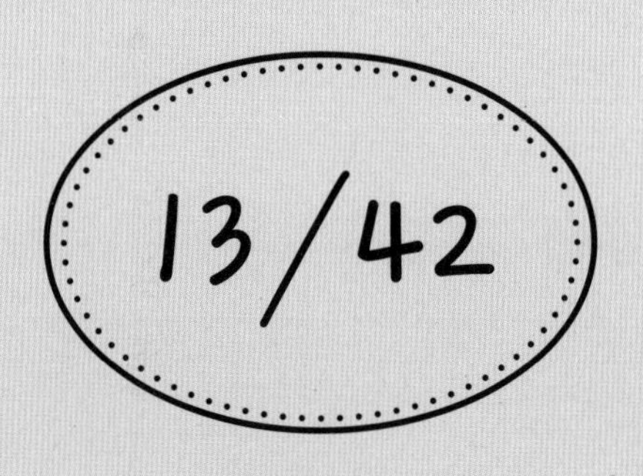


제13강

# 총체적 난국 - 패혈증

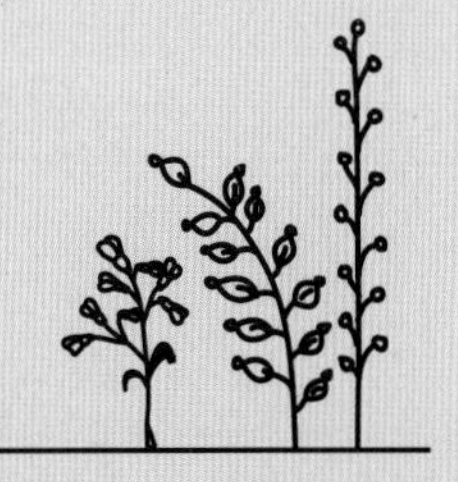

# 총체적 난국 - 패혈증

## 1. 패혈증의 정의와 진단

패혈증 혹은 sepsis는 개념과 정의에 있어서 크게 세 번의 변화를 거쳐 왔습니다.

가장 처음은 히포크라테스가 제정한 개념으로, 체내 유기물질이 썩어서 산산이 분해된다는 것을 표현한 단어입니다. 그래서 '썩게 한다'는 뜻을 지닌 그리스어 sepein에서 sepsis가 유래했습니다.

번역된 용어도 패혈증(敗血症)으로 썩을 패(敗), 피 혈(血)로서 같은 뜻입니다.

이는 20세기 초에 germ theory로 세균의 개념이 대두하면서 '썩은 피'가 아닌 '감염된 세균의 행패와 그 결과로 온 파국'이라는 개념으로 완전히 바뀝니다.

그러나 적지 않은 의료인들이 이러한 개념은 실제 상황에서는 반은 맞고 반은 맞지 않다는 것을 인지하고 있었습니다.

그 이유는, 패혈증으로 진행된 환자들의 양상을 보면 shock과 multi-organ failure (MOF)를 보이는데, 혈액 배양에서 세균이 전혀 증명되지 않는 경우도 많았기 때문입니다. 심증은 가는데 물증이 없는 셈이죠.
게다가 중증 췌장염이나 3도 전신 화상처럼 아무리 봐도 감염의 증거가 없음에도 불구하고 패혈증의 양상과 영락없이 동일한 경과를 보이는 질환들도 적지 않았습니다.
이쯤 되니 패혈증에 대해서는 "패혈증 = 심한 세균 감염"에 대해 근본적인 회의와 의심이 들 수밖에 없습니다.

그러던 중, 1991년 8월에 American College of Chest Physicians (ACCP)와 Society of Critical Care Medicine (SCCM)의 대가들이 미국 일리노이주 노스브룩에 모여 ACCP/SCCM consensus conference on Sepsis를 개최합니다. 거기서 드디어 sepsis 개념에 세 번째로 획기적인 개혁이 이루어지게 됩니다(이 모임에서의 sepsis 기준을 Sepsis-1이라 부릅니다).

결론부터 말하자면 sepsis의 주어는 '미생물'이 아니고 '인간'입니다.
즉, sepsis는 "감염 자체"라기보다는 host가 보이는 온갖 과도한 "반응"인 것입니다.

다시 말해 패혈증은 병원체가 인체 안으로 침투해 들어와 온갖 위해를 가하는 것만이 아니라, 그 병원체에 맞서서 싸우는 사람의 반격이 세균뿐 아니라 자기 자신에게도 손상을 입힌다는 것입니다.

이 모임에서 정립된 용어들 중에 가장 핵심은 systemic inflammatory response syndrome (SIRS)입니다.
인체가 전신에 염증성 반응을 보이는데, 그 원인은 감염뿐 아니라 다발성 trauma라던가 심한 췌장염, 출혈성 shock, 넓은 범위의 3도 화상, 면역 기전에 의한 세포 손상 등 감염에 의한 것이 아닌 것들까지 다 포괄합니다.
그런데, SIRS는 엄밀히 말해서 '염증'으로만 이루어진 개념이 아닙니다.
빛이 있으면 그림자가 있듯이, 염증 반응이 일어나는 이면에는 그 반응이 도가 지나치지 않도록 견제하는 항 염증 반응 또한 일어나서 맞서게 됩니다. 염증과 항 염증 반응의 대결이 어느 쪽의 우세로 결판나느냐에 따라 환자의 임상 양상에 차이가 생깁니다. 이에 대해서는 곧 이어질 병리 기전에서 다시 다루도록 하겠습니다.

SIRS의 기준은 다음과 같이 설정합니다:
- 체온이 섭씨 38도를 넘거나 36도를 밑도는 경우
- 분당 심박 수가 90회를 넘는 경우
- 분당 호흡 수가 20회를 넘기며 헉헉대거나 좀더 확실하게 하려면 동맥혈액 가스검사로 이산화 탄소 분압($PaCO_2$)이 32 mmHg 미만인 경우
- 그리고 혈액 검사에서 백혈구 수치가 세제곱 미터 당 12,000개를 넘거나 4,000개에 미달, 혹은 아기 백혈구(band form)가 10% 넘게 나올 경우

이상 4가지 경우들 중 적어도 2개가 맞아 떨어지면 SIRS로 판정합니다.

그래서 감염 + SIRS = sepsis로 결론을 봅니다.

여기서 감염의 정의는 이렇습니다:

- 일단 미생물이 있어야 합니다.
- 이 미생물의 존재 하에 염증성 반응이 있어야 하고
- 미생물은 정상적으로는 들어와 있으면 안 되는 곳(대표적인 곳이 바로 혈액)에 허락 없이 들어와 있는, 즉 침습 상황까지 3박자가 맞아 떨어지면 감염으로 간주합니다.

SIRS는 빈번하게 장기의 부전이 합병됩니다. 예를 들어 acute kidney injury (AKI), shock, 심하면 multiple organ dysfunction syndrome (MODS)까지 갑니다.

그 결과 실전 임상에서는 SIRS에서 제시한 증상들과 더불어 여러 장기의 기능 이상, 그리고 의식이 저하되거나 혈압이 떨어지는 등의 양상들이 나타납니다.

이렇게 SIRS는 제정 당시에는 훌륭한 진단 해결 기준이긴 했으나 본질적으로 포괄적인 개념이었기 때문에, 중환자실 입원 환자의 대부분이 다 SIRS로 진단되는 등, 민감도 면에서 지나치게 높았습니다. 그래서 이 개념을 지속해야 하는지에 대해 많은 논란이 있었으나 Sepsis-2까지는 잘 유지되었습니다. 그러나 2016년 Sepsis-3에서 드디어 세대 교체의 운명을 맞이 합니다.

이 Sepsis-3에서는 그 동안 통용되던 SIRS 대신 sequential organ failure assessment score (SOFA score)의 간이형인 quick SOFA score (qSOFA)를 사용하는 것으로 결정이 됩니다.

이 qSOFA의 기준은 다음과 같습니다:

- 수축기 혈압 ≤ 100 mmHg
- 분당 호흡수 ≥ 22 breaths/min
- 의식의 저하(Glasgow coma scale < 15)

감염이 의심되는 환자들은 이 중에서 2개만 맞아도 sepsis로 간주하자는 것이었습니다.
비록 간단하지만, 이 기준은 나빠질 수 있는 예후쪽에 보다 더 초점을 맞춘 것으로 보입니다.
이 기준의 진정한 목적은 중환자실로 입원하는 환자들뿐 아니라 아직 중환자실 입원 여부가 결정되지 않은 환자들 중에서도 나빠질 가능성이 있는 환자들까지 미리 잡아내자는 데에 있음을 알 수 있습니다.



지금 봐도 참으로 과감한 개혁이었습니다만, 솔직히 제 개인적으로는 불만스러운 정의였습니다.
이 qSOFA는 SIRS에 비해 특이도는 좋았겠으나, 민감도 면에서 손해를 감수한다는 한계점이 있다는 것 때문이었습니다.
저만 이런 불만을 가진 게 아니었나 봅니다.
이후 이 qSOFA는 여러 대형 전향적 연구들을 통해
검증이 되었습니다.
그 결과 2021년 개정된 지침에서 qSOFA는 sepsis 여부를
일차 판단하는 데에 더 이상 사용하지 않는 것으로 다시 결론이 납니다.

비록 5년 천하로 끝나긴 했지만 그래도 qSOFA가 아주 못 쓸 수단은 아닙니다.
일단 SIRS로 먼저 일차로 거른 후 qSOFA로 예후가 나쁠지 여부를 판단하는 식으로 활용한다면 실전 임상에서는 상당히 도움이 됩니다.

그래도 현 시점에서 저는 종전의 SIRS를 적용한 sepsis의 정의가 더 낫다고 생각합니다.
그래서 저는 앞으로의 기술에서도 SIRS를 놓지 않겠습니다.

Severe sepsis라는 용어와 septic shock은 multi-organ failure와 hypotension 등의 겹치는 내용이 많아서 많은 혼동을 주는데, 실전에서는 사실상 같은 의미로 보는 게 좋겠습니다. Septic shock 쪽이 혈압 떨어지는 쪽으로 더 초점을 맞춘 개념이며, 공식 용어는 septic shock이라고 보시면 됩니다.

다시금 septic shock을 정의하자면, 감염 환자에게 충분하고도 적절하게 수액을 공급했음에도 불구하고 mean arterial pressure를 65 mmHg으로 올리지 못하고, 혈청 serum lactate > 2.0 mmol/L 나와서 vasopressor 투여가 불가피하게 된 상황입니다.

실전에서는 septic shock은 감염이 확진되었거나 이를 시사하는 증상이 있으면서 의식이 저하되거나 소변이 잘 안 나오고, 팔 다리가 차가우면서 hyperlactemia가 나오는 식의 임상 양상을 보입니다.
여기서 lactate 증가 소견은 질환의 중증도가 심해서 그만큼 전신에 혈류가 적절히 가지 못 함에 따라(이게 바로 shock입니다) 적정량의 산소가 공급되지 못하여 세포마다 aerobic에서 anaerobic metabolism으로 편향된 결과를 반영합니다. 현재 지침에서도 환자 대면 첫 1시간 내로 측정하는 것을 권장하고 있습니다.
물론 lactate 수치 하나만으로 sepsis나 septic shock 여부를 판단하려고 해서는 안 됩니다.

## 2. Etiology

감염에 의한 요인만 놓고 따져 본다면 sepsis는 물론 세균이 주된 원인입니다. 세균 중에서도 그람 음성균이 양성균보다 살짝 더 많습니다.
그람 음성균은 역시 *E. coli*, *K. pneumoniae*, *P. aeruginosa* 3대장들이 가장 빈번하고, 그람 양성균은 *S. aureus*와 *S. pneumoniae*가 주종을 이룹니다.

하지만 multi-organ failure로 진행한다는 면에서 보면 진균과 바이러스도 가능합니다.
이상하게 들리죠?
Sepsis는 오로지 세균 감염만의 영역이라는 편견을 버리셔야 합니다.
비록 주류는 아니지만 진균과 바이러스도 엄연히 sepsis의 원인이 될 수 있습니다.
Sepsis는 가능한 모든 원인이 작용해서 결국은 인체의 과도한 반응으로 귀결되는 하나의 결과이기 때문입니다.
인체의 면역 기전 작동의 과다와 proinflammatory cytokine이 과도하게 분비되어, 이에 대한 견제 반응인 항 염증반응을 압도하는 상황이 된다면 이를 유발한 것이 세균이든, 바이러스든, 진균이든 결과적으로는 단 하나, 패혈증은 패혈증인 것입니다.

따라서 septic shock 단계까지 진행된 상황이라면 시작 원인은 어쩌면 의미가 없을 수도 있습니다. 이 때부터는 아무리 시작을 진균이나 바이러스가 했다 하여도 치료 원칙은 세균에 의한 septic shock의 원칙과 대동소이합니다. 대표적인 예가 중증 코로나 19일 겁니다. 중증으로 가기 전에야 항바이러스제를 투여한다던가 하는 식으로 바이러스 치료에 초점을 맞추겠지만, 중증으로 넘어간다면 cytokine storm을 진압하거나 혈압, 산소 공급 등을 최선으로 올리

13강

는 등 원인이 무엇이건 모두가 같아지지요.

질환면으로 보면 가장 많은 원인은 폐렴입니다. 그리고 복강 내 감염 및 비뇨생식기 감염이 뒤를 잇습니다.

환자의 면에서 볼 때 고령에다 만성 기저 질환이 있거나 면역 저하 상태가 있다면 가장 취약한 위험군입니다.

## 3. Pathogenesis

Sepsis 기전의 핵심인 SIRS는 각종 cytokine들과 prostaglandin을 비롯한 arachidonic acid 대사 산물들, complement, 그리고 clotting 및 coagulation factors 등에 의하여 전신 염증으로 진행되는 것을 의미합니다.

그러면 이 기전들에 대해 좀 더 자세히 살펴보기로 하겠습니다.

Sepsis는 병원체가 인체에 들어와서 염증을 도발하는 것으로 시작합니다.
염증에 대해서는 제2강 '나를 알자'에서 이미 자세히 설명한 바 있습니다.
다시 기억을 되살려 보자면, 병원체의 고약한 인상 착의인 PAMP를 인체의 immune cell들이 인지하고 화를 잔뜩 내게 됩니다. 여기에 관여하는 것이 TLRs, NOD-like receptors (inflammasomes), retinoic acid-inducible gene-I-like receptors (RIG-I-like receptors, RLRs), C-type lectin receptors 입니다.
그 결과 염증 gene transcription이 증가하여 염증을 지향하는 cytokine 생성이 증가합니다.

전형적인 예로 그람 음성균의 LPS(그 중에서도 lipid A)가 PAMP로서 immune cells의 LPS-binding protein과 결합되어 TLR4의 매개를 통해 세포 내 signal transmission으로 거침없이 진행되어 TNF alpha 등의 proinflammatory cytokine들이 생성되는 걸 들 수 있습니다. 그리고 세포 내에 숨어 있던 DAMPs도 인지되어 역시 같은 과정이 진행됩니다.
염증 지향성 cytokine들은 complement system을 활성화시키고, platelet-activating factor를 자극하여 혈액 응고 기전의 교란을 초래하며, arachidonic acid 대사도 바싹 올려서 염증을 더 악화시키고, nitric oxide를 통해 혈관이 늘어지고 헤벌어져서 혈압이 떨어지고, radical 생성을 증가시켜 조직 손상을 가져옵니다. 이 과정들은 혈관 세포(endothelial cell)가 주도합니다.

자, 이쯤 되면 sepsis의 배후에 있는 진짜 빌런은 누구인지 알아챌 수 있죠?
앞의 제2강 '나를 알자' 단원에서 이미 강조했지만, 거대한 전신 염증이라고도 할 수 있는 이 sepsis에서의 진정한 빌런은 병원체라기보다는 endothelial cell이며 coagulation disorder 또한 결정적인 요인이라는 개념으로 보아야 한다고 생각합니다. Multi-organ failure는 결국 이들이 전신에 분탕질을 한 결과인 셈입니다.

13강

이들이 본성적으로 악당은 아니었습니다. 원래 이들은 침략해 온 병원체를 응고 기전으로 묶어둠으로써 더 이상 퍼지지 못하게 하겠다는 선한 의도였던 것이지요. 그런데 문제는 침략해 온 적군의 규모가 감당할 수준을 훨씬 넘어서는 바람에 무리를 하게 되었다는 겁니다. 그 결과 fibrin이 지나치게 많이 축적됨과 동시에 coagulation factor도 고갈됩니다. 그러니 fibrin이 선을 넘게 축적된 장기는 출입구가 다 막혀서 보급에 차질을 빚은 결과 기능 부전이 오게 되고, 응고 인자의 고갈은 오히려 출혈을 초래하게 됩니다. 또한 응고 인자를 잘라주던 protease들은 그냥 자기가 할 일만 하면 되는데 굳이 오지랖을 넓혀서 다른 염증 유발성 receptor들을 굳이 가서 다듬어 주어 활성화시키기도 합니다. 그 결과는 응고와 출혈이 공존하는 정말로 이상한 상황인 파종성 혈관 내 응고(disseminated intravascular coagulation, DIC)와 더불어 염증의 악화입니다.

거기에다가 혈관이 제 할 일을 제대로 못하니 혈압도 떨어집니다.
이렇게 되면 DIC 등으로 혈관이 막힌 것도 있고, 또한 떨어진 혈압으로 추진력이 상실되기도 했으니 혈류가 각 장기에 제대로 갈 수가 없습니다.
그 결과 산소 공급이 제대로 안 되며 에너지(ATP) 생성도 잘 안 되니 그 기능들이 엉망이 됩니다.

그런데, 작용이 있으면 반작용이 있는 법.
인체가 온통 염증 반응으로 뒤덮이도록 방관할 리가 없습니다.
그래서 염증에 대항하여 항 염증 반응이 거의 대등한 규모로 반격을 시작합니다.
이를 보상성 항 염증 반응(compensatory anti-inflammatory response, CARS)이라고 합니다.
이는 크게 보아 항염증과 면역 억제로 대별할 수 있습니다.

SIRS와 CARS가 대등하게 맞서게 되면, 어느 선에서 평형이 형성됩니다.
이러한 상태가 MARS (mixed antagonist response syndrome)입니다.
SIRS = CARS인 상태로 평형을 이룬다면 좋겠지만, sepsis 상태에서는 일어나지 않는 일입니다.
SIRS > CARS로 균형을 이룬다면 다발성 장기 부전으로 갑니다.
SIRS < CARS로 균형을 이룬다고 해서 좋아할 것도 없는게, 이는 항 염증 작용이 우세하다는 것이므로, 자연스럽게 면역 저하 상태가 되어 오히려 감염에 의한 합병증에 취약하게 됩니다.
결국 두 경우 다 재앙으로 가는 건 마찬가지입니다.

그러면 바이러스의 경우는 어떻게 진행된 것일까요?

가장 익숙한 예로 코로나 19 바이러스를 예로 들어 보겠습니다.

아시다시피 SARS-CoV-2는 angiotensin converting enzyme II (ACE2)를 receptor 삼아 인체 세포 안으로 침투해 들어갑니다. 이는 곧 angiotensin II가 바이러스에게 ACE2를 선점당하는 바람에 평소보다 더 많은 활동의 자유를 얻음을 의미합니다. 이 angiotensin II는 TNF alpha와 interleukin-6 (IL-6)의 생성을 유도하고 이 생산 라인을 더욱 증폭시킵니다.

한편, SARS-CoV-2 자체도 세포 안으로 들어와 NF- kB의 족쇄가 풀림과 동시에 JAK-STAT pathway를 활성화시킴으로써 세포가 TNF alpha와 IL-6를 아무런 제지도 받지 않고 마구 생산하도록 조장합니다. 이 기전 또한 IL-6 생성을 더 증폭시킵니다.

그 결과 과잉 생산된 cytokine들이 시중에 나오게 되며 이게 바로 cytokine 폭풍이 됩니다. 이후의 진행은 앞서 설명한 세균에 의한 기전과 동일합니다.

SARS-CoV-2 하나만 예를 들었지만 다른 치명적인 바이러스들도 그 경과는 대동소이합니다.

13강

## 4. Management - 패혈증에 어떻게 대처할까?

패혈증 치료의 성패는 기선 제압에 있습니다.

환자가 패혈증인지 여부를 즉시 판단해야 하며, 이때부터 3시간 이내로 필요한 조치를 다 해 놓아야만 승산이 있습니다. Sepsis로 의심되는 환자들은 내원하자마자 중환자실로 올리면 제일 이상적이겠지만, 실제로는 응급실 혹은 병실에서 좀 기다려야 할 겁니다. 그래서 중환자실 가기 전까지 기다리지 말고, 인지한지 첫 1시간 이내로 광범위 항생제로 공격을 개시하고, 혈액 배양과 혈청 lactate(젖산) 수치를 확보해야 합니다. 곧 이어 6시간 이내로 혈압과 숨쉬기를 비롯한 활력 증상을 확실하게 잡아 놓아야 합니다.

이러한 명분을 충실히 반영한 방안으로 2001년에 '목표 달성 지향적인 조기 치료(early goal-directed therapy, EGDT)'가 제시됩니다.
Shock 상태에서 lactate 수치가 4 mmol/L를 넘어간다면 EGDT를 시작하여 다음과 같은 구체적인 수치를 목표로 두고 달성하자는 것.

- 중심 정맥압(central venous pressure, CVP) 8-12 mmHg(인공 호흡기 달고 있거나 심장 기능이 신통치 않으면 12-15로 상향 조정)
- 상대정맥 산소 포화도($ScvO_2$) 70% 넘게, 혹은 혼합 정맥혈 산소 포화도(mixed venous oxygen saturation)이 65% 넘도록
- 평균 동맥 혈압(mean arterial pressure, MAP)가 65 mmHg를 넘어야 함.
- 소변 배설 양이 0.5 mL/kg/hour 이상

구체적인 목표 수치를 제시하니까 좀 더 체계적으로 치료에 임한다는 자신감을 불어넣어 주니 든든하기도 합니다. 이 방침은 원래는 심장 수술 직후의 중환자들을 회복시키는 데에 쓰이던 것이었는데, 어차피 shock이 오는 건 cardiogenic shock이나 septic shock이나 마찬가지라는 점을 감안해서 sepsis 환자들에게까지 대상을 넓힌 것이었습니다.

처음 발표 당시에는 6시간 내로 이 목표치들을 달성하면 사망률을 의미 있게 줄일 수 있었다는 성적을 제시하였습니다.
그런데, 이 목표치들을 보면 알 수 있듯이 중심 정맥 카테터를 꽂고 측정을 해야 하는 등의 침습적인 방법들을 반드시 동원해야 해서, 실제로 시행하기엔 부담과 비용이 많이 든다는 문제성을 지니고 있습니다.
그리고 이 성적은 체계적으로 매우 잘 정리된 성과였지만, 사실 단 한 개의 병

원에서만 검증이 되었다는 태생적인 문제점 또한 안고 있었지요.
그래서 대규모로 이 EGDT에 대한 검증 연구가 시행되었는데, 그 결과는 실망스럽게도, EGDT는 굳이 침습적 방법까지 동원하지 않는 sepsis 치료와 비교해서 조금도 나은 점이 없다는 것이었습니다.
그래서 현재 EGDT는 하지 않는 것으로 결론이 났습니다.

그렇다고 해서 패혈증 치료는 기선 제압이 핵심이라는 사실은 변하지 않습니다.

현재 패혈증 치료는 어떻게 하는 것이 정석일까요?

이는 앞서 공부했던 패혈증의 병리 기전에 기반을 두고 치료 원칙을 수립하는 것입니다.
저는 이 원칙들이 크게 봐서 다음 3가지로 분류될 수 있다고 봅니다.

- 일단 감염이 원인이므로 이를 해결해야 합니다.
- 패혈증은 인체가 과도하게 반응한 것입니다. 그 여파가 여럿 있지만 무엇보다도 전신 조직과 세포에 산소가 충분히 공급되지 못해서 그 난리가 난 겁니다. 따라서 어떻게 해서든지 산소가 체내 장기 곳곳에 원활하게 공급되어야 합니다.
- 또한 의욕 과잉을 보이는 우리 몸의 반응을 적절히 조율해야 합니다.

### 1) 감염과의 싸움

본격적인 감염과의 싸움에 앞서서 혹시 감염의 원인이 되는 병소를 우리가 간과하고 있지는 않나 우선적으로 확인을 합니다. 그것부터 해결하지 않으면 제아무리 최고의 치료제를 투여한다 해도 아무 소용이 없습니다.
가장 신경써야 할 것은 아무래도 환자의 몸에 어떤 침습성 device가 꽂혀 있지는 않나 확인하는 겁니다.
만약 이로 인한 감염이 의심되거나 혹은 굳이 꼭 필요한 device가 아니라면 제거를 하는 것이 좋겠습니다.

그리고 치료제를 선택합니다.
Sepsis의 시작이 감염에 의한 것인 이상, 무엇보다 먼저 병원체들을 공격해야 합니다.
이는 패혈증이 의심되는 순간, 망설이지 말고 1시간 이내로 항생제 공격을 개시해야 함을 의미합니다.
일단은 원인균이 무엇인지 아직 모르므로 광범위 항생제를 선택하여 시작합니다.

우선적으로 선택하는 약제는
(1) Piperacillin-tazobactam (3.375-4.5 g q6h), 혹은
(2) Cefepime (2 g q12h), 혹은
(3) Meropenem (1 g q8h) or imipenem-cilastatin (0.5 g q6h)입니다.

만약 β-lactam allergy가 있을 경우에는
(1) Aztreonam (2 g q8h) 혹은
(2) Ciprofloxacin (400 mg q12h) 또는 levofloxacin (750 mg q24h)을 줍니다.

항생제 면면을 보면 짐작할 수 있듯이, 주로 그람 음성균, 특히 *Pseudomonas aeruginosa*(녹농균)을 의식한 선택입니다.
실제 녹농균이 원인인 경우는 많은 편은 아니지만, 일단 한 번 걸려들었다 하면 필연적으로 치명적인 경과를 밟기 때문에 우선적으로 겨냥해야 하는 것입니다.

이는 neutropenia 등의 면역 저하 환자에서도 동일한 원칙입니다.
목숨이 경각에 달려 있는 상황인 이상 그람 음성균만 공격할 수는 없는 노릇. 게다가 central line-associated BSI까지 의심되거나 심한 mucositis, 피부 연조직 감염이 있다면 MRSA까지 공략해야 합니다. 그래서 glycopeptide (vancomycin loading dose of 25-30 mg/kg, 이후 15-20 mg/kg q8-12h)를 추가합니다.

만약 splenectomy를 받은 환자에서의 sepsis라면 *Streptococcus pneumoniae*를 겨냥하여 우선 ceftriaxone 2-4 g/day를 주며, cephalosporin 내성률이 높은 지역이라면(사실 우리나라가 그렇습니다) vancomycin을 추가합니다. 만약 β-lactam을 쓸 수 없다면 respiratory quinolone인 levofloxacin (750 mg q24h) 혹은 moxifloxacin (400 mg q24h)에 vancomycin의 조합을 사용합니다.

13강

정말 극단적인 경우입니다만, 면역 저하 환자이면서 4-7일 내로 열이 안 떨어지고 septic shock의 정도가 너무 심하다면 진균 감염까지 의식하여 caspofungin (70 mg 먼저 주고 이후 50 mg q24h)이나 amphotericin-B를 추가하는 과감한 결단을 내릴 수도 있습니다.

어느 과나 중증 상황이 되면 항생제를 무조건 '메로+반코'부터 시작하는 게 주요 추세가 되었는데, 솔직히 감염내과 입장에서는 썩 달갑지는 않습니다. 처음부터 최대한 벌려 놓은 범위로 항생제를 융단 폭격하는 것을 좋아할 감염내과 의사는 없으니까요.
그래서, 나중에 원인균이 밝혀지면 가장 적절한 항균 범위의 항생제로 빨리 조정하도록 부지런히 조언을 합니다.

그럼 항바이러스제는 어떨까요?

현재 지침으로는 sepsis/septic shock까지 간 상황에서 항바이러스제를 사용하는 것은 권하지 않고 있습니다. 딱히 기가 막힌 효과를 기대할 수 있는 항바이러스제도 현재까지는 없는 데다가, 중증 코로나 19에서 보듯이 이 정도 상태라면 항바이러스제가 의미 없을 것이고 곧 이어서 설명할 혈압 유지 및 산소 공급, 그리고 cytokine storm을 어느 정도 달래는 것이 더 중요할 것이기 때문일 겁니다.

**2) 원활한 산소 공급**

Sepsis, 혹은 septic shock이란 결국은 온 몸에 산소가 제대로 공급되지 못하는 상황입니다.
그러므로 당연히 몸 구석구석으로 산소가 원활히 공급되도록 해야 하는 것이 치료의 또 다른 핵심입니다.
산소는 크게 두 가지 형태로 공급이 되어야 합니다.
하나는 기체이고 나머지 하나가 액체입니다.
기체는 당연히 인공 호흡기(기계 환기)로 산소를 공급하는 것이고, 액체는 쉽게 말해서 충분한 혈류가 각 장기로 공급되게끔 하는 것입니다.

Shock이란 세포로 혈류가 충분히 가지 못함을 의미하며, 이는 곧 산소 공급이 부족함을 뜻합니다.
그래서 부족한 혈류를 공급해야 합니다.
어떻게 해야 할까요?

일단 교통량을 대폭 늘리는 것이 우선입니다.
그래서 수액을 왕창 투여해서 혈류량을 늘립니다.
그렇게 하면 밀려서라도 각 장기에 산소를 머금은 피들이 공급됩니다.
혈류량을 늘리는 수단으로서의 수액은 크게 두 가지가 있는데, 하나가 crystalloid이고, 다른 하나가 colloid입니다.

Crystalloid란 체액 구성분에 준하는 여러 전해질들과 각종 물질들이 '녹아'있는 수액입니다. 대표적인 것이 0.9% 생리 식염수, Ringer's lactate(링게르), 하트만 용액 등입니다.
Colloid란 두 가지의 서로 다른 성상을 지닌 물질, 예를 들어 고체와 액체가 서로 혼재하고 있으되 '녹아 있지는 않은' 수액을 말하며, 알부민 주사가 대표적인 예입니다.
이 수액들은 둘 다 혈류량을 증가시키는 데에 유용합니다.
차이점이 있다면, colloid는 녹지 않는 물질이 조성한 높은 삼투압으로 인해 혈관 내로 물을 잔뜩 빨아들임으로써 혈관내의 혈류량을 늘립니다.
반면에 crystalloid는 이미 녹아버린 용액이라 삼투압이고 뭐고 없어요.
그래서 혈관 내 혈류량도 늘지만 혈관 사이사이 조직이나 세포 내부까지도 잘 침투해서 액체량이 늘어납니다.

13강

한동안 crystalloid와 colloid 중 어느 것이 septic shock에 나은지 논란이 있었으나, 현 지침에서는 crystalloid의 손을 들어주고 있습니다. 한 마디로 0.9% 생리 식염수를 퍼부으라는 얘기죠.
이를 위해 적어도 30 mL/kg의 IV crystalloid fluid(다시 말해서 생리 식염수)를 첫 3시간 안에 줘야 합니다.

만약 hemoglobin이 7.0 g/dL 미만이면 당연히 수혈도 해 줍니다.

그러나, 이런 조치에도 불구하고 혈류가 제대로 가지 못하는 경우도 빈번합니다.
이유는 혈류가 제대로 흐르도록 해 주는 추진력, 즉 혈관이 수축하면서 만들어내는 혈압이 제대로 올라가지 못하기 때문입니다.
그래서 이때는 인위적으로 교감신경 작용을 올려서 혈관 수축을 통해 혈관을 짜서 혈압을 상승시켜 줘야 합니다. 이런 목적으로 쓰는 것이 바로 vasopres-

sor입니다.
우선적으로 선택하는 것은 norepinephrine입니다.
만약 norepinephrine으로 혈압이 만족스러운 수준까지 못 올라간다면 vasopressin을 추가합니다.
Dopamine과 epinephrine도 사용할 수 있지만 부정맥 발생 문제 때문에 차선책으로 밀려났습니다.
이상의 모든 조치에도 혈압이 안 올라가면 inotropic agents로서 dobutamine 을 추가합니다.

기체로서 산소를 공급하는 것은 mechanical ventilator 설정으로서 특히 ARDS가 온 환자에게 tidal volume을 6 mL/kg로 맞추면서 PEEP(보통 > 5 cm $H_2O$)을 걸어 줍니다.
만약에 $PaO_2/FIO_2 < 150$ mmHg인 중증 ARDS라면 하루 12시간 여는 prone positioning을 해 주는 것을 지침에서 권고하고 있습니다.

이상의 환기가 별 성과를 거두지 못하고 호흡기 상태가 악화된다면 venovenous extracorporeal membrane oxygenation (VV-ECMO)을 합니다.

### 3) 우리 몸을 자중시키기

병리 기전에서 다뤘던 기전들 하나하나의 길목마다 개입해서 조율하는 방안들인데, 사실 현재까지 뚜렷한 성과를 거둔 방법들은 그리 많지 않습니다. 한때 DIC와 연관되는 혈액 응고 이상과 관련해서 protein C를 보충 투여하는 것이 관심을 받았으나 결국은 효과가 없는 것으로 판명이 났으며, 각종 cytokine을 차단하는 단일클론 항체 제제들도 실망스러운 성적을 거두었습니다.
Immunoglobulin 주사, antithrombin 등등도 별 성과가 없었으며 지침에서도 권장되지 않고 있습니다.

현 시점에서는 스테로이드가 이 원칙에서 그나마 긍정적인 성적을 얻고 있습니다.
보통 IV hydrocortisone을 50 mg씩 6시간마다 줍니다.
이는 혈압 올리기가 용이치 않아 norepinephrine이나 epinephrine을 0.25 ug/kg/min 이상 올려야 하는 상황에서 시작합니다. 이는 vasopressor 용량을 그렇게 설정하고 나서 적어도 4시간은 지난 후 투여를 시작합니다. 그러나 혈류와 혈압 확보가 충분히 되고 있는 상황이라면 굳이 스테로이드를 투여할 필요는 없습니다.

#### 4) 그 밖에

Stress ulcer로 인한 소화기 출혈의 위험성을 의식해서 이에 대한 예방 약제를 투여할 수 있습니다.
오랜 시간을 누워 있으니 venous thromboembolism의 위험도 있으므로, 출혈 등의 기저 문제가 없다면 이에 대한 예방도 필요합니다. 이를 위해서 low molecular weight heparin (LMWH)을 주로 선호하여 사용합니다.

Sepsis 환자에게서는 급성 신부전(oliguria < 0.3 mL/kg/hr for ≥ 24 hours)가 종종 합병됩니다.
따라서 renal replacement therapy가 필요할 수 있습니다.
기본적인 적응 대상은 12시간 이상의 anuria, 혹은 serum creatinine 수치가 평소의 3배를 넘거나 하루에 0.5 mg/dL씩 쑥쑥 증가하는 경우입니다.
이는 가능한 빨리 조기에 시행하면 좋을 것 같고, 실제로 그렇게 생각들 했지만 검증 결과는 통념과 달랐습니다.
조기에 시작하나 조금 신중하게 있다가 늦춰서 시작하나 별 차이가 없었으며, renal replacement 시행 자체가 예후가 더 좋지도 않았습니다.
결론적으로 renal replacement therapy는 상기한 기본적인 적응 상황에 더해서 확실하게 uremic complication이 있거나 acidosis가 개선이 안 되거나, 아무리 이뇨제를 써도 fluid overload나 hyperkalemia가 전혀 좋아지지 않는 경우로 엄격히 국한해서 시행하는 것이 좋겠습니다.

의외로 잘 간과하는 것인데, 혈당이 180 mg/dL가 넘어가면 insulin으로 조절을 해 주어야 합니다.
목표는 144-180 mg/dL으로 잡습니다. 이 혈당을 제대로 조절 못하는 경우와 사망률 사이에 유의한 인과 관계가 있기 때문입니다.

혈청 lactate 수치는 정상 수치로 끌어 내리는 것이 좋습니다. 이를 위해 bicarbonate를 투여합니다.
그러나 shock으로 인하여 lactic acidosis가 온 것이라면 투여하지 않는 것이 좋겠습니다. 그런 경우는 hemodynamics를 개선하는 데에 더 집중해야 합니다. 정말 bicarbonate를 써야 하는 경우는 혈액 가스 분석에서 pH가 7.2 이하, 그리고 AKI가 동반되었을 때입니다.

그 밖에 IV vitamin C를 투여해야 한다는 주장도 있지만 이는 권장되지 않습니다.

또한 sepsis 치료만 하느라 자칫하면 환자를 굶길 수도 있습니다. 일단 전투 시작 3일 이내로 가능한 한 enteral feeding은 시작해야 합니다. 잘 먹어야 전투도 잘 하죠.

## 5. Prognosis

예후는 썩 좋지는 않습니다. 대개 20-30%를 넘나드는 30일 이내 사망률을 보입니다.
혈중 lactate 수치가 4 mmol/L을 넘어가면 사망률이 40%에 육박합니다. 반면에 정상 수치라면 사망률은 15% 선으로 비교적 양호해집니다.

예후를 예측하기 위한 도구들이 많이 제시되어 있는데, 그 중에서도 중환자실용인 APACHE II score와 응급실용인 MEDS score가 유용합니다.
이를 계산할 수 있는 웹 사이트는 다음과 같습니다.

(https://www.mdcalc.com/apache-ii-score)

(https://www.msdmanuals.com/professional/multimedia/clinical-calculator/meds-score-mortality-in-er-sepsis)

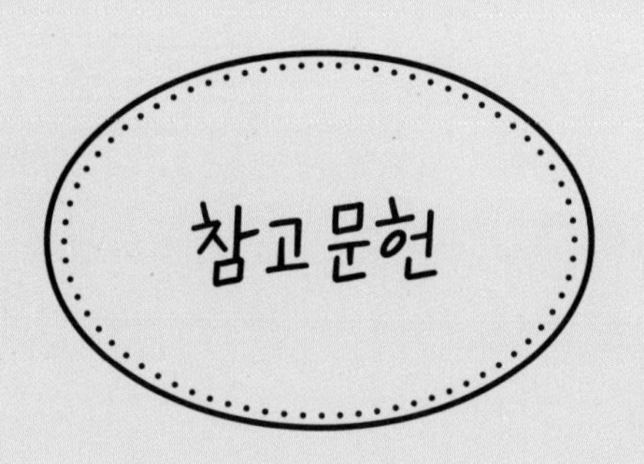
참고문헌

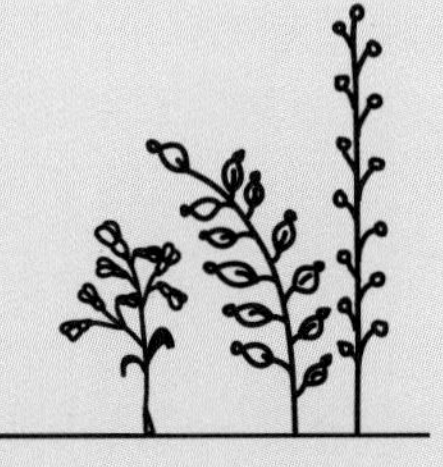

참고 자료들 간단히 소개하겠습니다.

Harrison's Principles of Internal Medicine. 20th ed. McGraw Hill.
가장 근본이 되는 참고 자료 겸 교과서입니다. 오랜만에 다시 샅샅이 읽어 보게 되었습니다만,

Harrison's Principles of Internal Medicine. 21st ed. McGraw Hill.
집필 도중이던 2022년 4월에 개정판이 나왔네요. 거의 4년여 만에 나온 것이니 전례 없이 빠르게 개정판이 나왔습니다. 그래서 혹시 개정된 새 내용 반영 못 한 게 있는지 다시 샅샅이 읽어보느라 곤욕을 치렀네요. 이번 개정판에는 코로나 19에 대한 내용이 자세히 추가되었습니다. 가장 신경을 썼던 HIV/AIDS는 역학 변화, 신약 몇 개와 병리 기전 약간 정도로 예상보다 큰 개정은 아니었습니다.

**Mandell, Douglas and Bennett's Principles and Practice of Infectious Diseases. 9th ed. Elsevier.**

감염 전공자들의 바이블입니다. 실물은 수 천 페이지짜리로 두 권인데 완전히 벽돌입니다. 웬만한 약간 가벼운 아령 무게로 가끔 이걸로 근력 운동도 할 수 있을 정도입니다. 집필하면서 필요한 chapters들을 골라서 읽으며 참조했습니다. 조금 지나칠 정도로 자세하게 기술되어 있습니다만, 해리슨의 감염 chapter도 이 책에 꿀리진 않습니다.

**대한감염학회. 감염학(개정판). 군자출판사.**

대한감염학회의 정통 교과서입니다. 전종휘/정희영 교수님의 고전 '감염' 교과서의 명맥을 이어받아 제가 편집위원장을 하면서 전국의 감염 전문 교수님들 100여 명을 초빙하여 만든 교과서이며, 현재 개정판까지 나와 있습니다.

**대한감염학회. 항생제의 길잡이(4판). 군자출판사.**

역시 대한감염학회/항균요법학회의 정통 교과서입니다. 정희영 교수님의 고전 '항생제의 길잡이'의 명맥을 이어받아 제가 편집위원장을 하면서 전국의 감염 전문 교수님들 100여 명을 초빙하여 만든 교과서이며, 이번에 참조한 것은 4판입니다. 보시면 아시겠지만 표지와 제본이 상당히 예쁩니다.

**대한감염학회 & 질병관리청. 감염병의 역학과 관리(2021년).**

국가 지정 감염병들을 총 정리한 지침서입니다.

**질병관리청. 2022년 의료관련감염병 예방관리사업 지침.**

(https://www.iccon.or.kr/rang_board/list.html?num=1500&code=iccons_guide)

**대한결핵및호흡기학회 & 질병관리청. 결핵진료지침(4판).**

**대한감염학회. 감염 질환별 가이드라인.**

임상에서 접할 수 있는 중요한 감염 질환들에 대한 우리 나라 사정에 맞춘 유용한 진료 지침들이 모여 있습니다. 이 저서에서도 상당 부분 참조를 했습니다.

(https://www.ksid.or.kr/data/sub01.html)

**Infectious Diseaes Society of America. IDSA practice guidelines.**

전 세계 감염 질환 진료의 표준이라 할 수 있으니 당연히 기본적으로 참조했습니다.

(https://www.idsociety.org/practice-guideline/practice-guidelines#/+/0/date_na_dt/desc/ )

**Centers for Disease Control & Prevention. CDC infection control guidelines.**

의료관련 감염관리 지침의 기본이라 할 수 있습니다.

(https://www.cdc.gov/infectioncontrol/guidelines/index.html)

**대한의료관련감염관리학회 & 질병관리청. 의료관련감염 표준예방지침(2017).**

제가 대한의료관련감염관리학회 회장 재직 시 전국의 감염 전문 인력과 질병관리청과의 협업으로 처음 만든 국가 지침입니다. 워낙 공들여 만들며 고생도 많이 했던 작품이라 개인적으로 상당히 애착을 갖고 있는 지침서입니다.

**제가 쓴 이야기 감염학 시리즈 4권. 군자출판사.**

음, 낯 간지럽습니다만, 2018년부터 현재까지 제가 감염 관련해서 저술한 저서 4권입니다. 이번 저서에서도 겹치는 주제는 기존 4권의 내용을 많이 반영했습니다. 딱딱한 교과서의 진입 장벽을 최대한 낮추려 노력한 '친절하고 다정한' 교양서입니다.

참고로 '항생제 열전'과 '열, 패혈증, 염증'은 각각 2019년과 2020년 문화체육부 우수 학술도서(세종 우수 학술도서)에 선정되었고, '내 곁의 적'은 2021년 대한민국 학술원 우수도서에 선정되었습니다.

네, 자랑하는 거 맞습니다.

- 유진홍 교수의 이야기로 풀어보는 감염학(1판)
- 항생제열전
- 열, 패혈증, 염증
- 내 곁의 적

그 밖에 각 chapter별로 각종 journal을 참조했고, 나머지는 제 머릿속에 있는 지식들과 뇌피셜들을 최대한 끄집어 내서 반영했습니다.

중간 중간 각 chapter 관련 과학 교양서들과 소설, 영화 등도 소개하고 있는데, 이들 또한 참고문헌으로 간주하시면 되겠습니다.

# 총론

C

D



E



F

G



H



I



J



K

S



T

U



V



W



Z

## 저자 유진홍 교수

가톨릭의과대학 졸업

대한의료관련감염관리학회 회장(2015-2017)

대한감염학회장(2019-2022)

대한의학회 이사(2021-2023)

대한감염학회 교과서 편찬위원회 위원장

현 가톨릭대학교 의과대학 내과학교실 감염내과 교수

현 Deputy editor of Journal of Korean Medical Science.

< 저서 >

이야기로 풀어보는 감염학, 항생제 열전(2019 세종 우수 학술도서),

열, 패혈증, 염증(2020 세종 우수 학술도서),

내 곁의 적(2021 대한민국학술원 우수 학술도서),

감염학(대표저자), 항생제의 길잡이(대표저자),

성인예방접종(대표저자), 한국전염병사II(대표저자)

https://blog.naver.com/mogulkor

## Cartoon 및 이모티콘 유여진

2020. 일본 타마 미술대학 졸업